CES GESTES
QUI VOUS TRAHISSENT

ISBN 2-87691-632-0
Dépôt légal : 4ᵉ trimestre 2001.

Nous nous efforçons de publier des ouvrages qui correspondent à vos attentes et votre satisfaction est pour nous une priorité. Alors, n'hésitez pas à nous faire part de vos commentaires à :

Éditions Générales First
33, avenue de la République
75011 Paris – France
Tél : 01 40 21 46 46
Fax : 01 40 21 46 20
E-mail : firstinfo@efirst.com
Site Internet : www.efirst.com

En avant-première, nos prochaines parutions, des résumés de tous les ouvrages du catalogue. Dialoguez en toute liberté avec nos auteurs et nos éditeurs. Tout cela et bien plus sur Internet à : www.efirst.com

Joseph Messinger

CES GESTES QUI VOUS TRAHISSENT

— Du même auteur —

L'Énergie positive, First, 1993.
Les Gestes de la séduction, First, 1995.
Talents cachés, First, 1997.
Les Gestes de la vie professionnelle, First, 1997.
Êtes-vous faits l'un pour l'autre, First, 1999.

Les gestes sont les notes d'une mélodie corporelle.
Les paroles ne suffisent pas,
et la beauté plastique n'est qu'une image d'Épinal
sans le secours de l'harmonie gestuelle.

Avant-propos

Q<small>UAND</small> vous ignorez le sens d'un mot, il vous suffit de le rechercher dans le dictionnaire, et le tour est joué. Et lorsqu'un geste éveille votre curiosité ? Comment savoir ce qu'il signifie ? Or, il est souvent essentiel, dans le contexte d'une négociation, par exemple, de prendre la direction du vent avant de conclure. Qui vous dit que cet assureur tellement sympathique n'est pas en train d'endormir votre méfiance, que ce banquier si aimable acceptera de vous accorder le prêt dont vous avez tellement besoin ou encore que ce représentant qui vous promet la lune tiendra parole ? Vous avez déjà remarqué à quel point le regard insistant d'un étranger est difficile à soutenir. Les regards se croisent mais évitent en règle générale de s'affronter. Le dialogue est verbal, rarement visuel, sauf chez les amoureux ou dans le contexte d'une entreprise de séduction. Les mouvements oculaires qui accompagnent un discours sont toujours significatifs. Le menteur se découvre souvent par un léger mouvement oculaire diagonal dirigé vers le bas à gauche ou à droite. Le timide regarde en général vers la gauche, l'ambitieux vers la droite. Tout individu en situation d'échec a tendance à diriger son regard vers le sol. Les dépressifs également. L'exaspération s'exprime en levant les yeux au ciel.

Comme vous l'avez déjà expérimenté, il est parfois risqué de se fier aveuglément au discours de son interlocuteur dans la mesure où sa parole demeure sous l'influence de son intelligence. D'autre part, certains mots vous toucheront plus que d'autres, et vous gommerez, dès lors, ceux qui vous dérangent pour ne conserver que le souvenir de ceux qui vous flattent. Le flou artistique est plus souvent de mise dans le cadre d'un dialogue que la franchise brutale. Noyé sous un déluge de mots, il est rare que vous prêtiez attention à la gestuelle de votre interlocuteur. Et pourtant, son corps s'exprime justement sans rond de

jambes tandis que son discours ne peut se passer de faux-sem-
blants quand il ne s'englue pas carrément dans le mensonge. Ne
vous arrive-t-il jamais d'interpréter les paroles d'un supérieur
hiérarchique dans le sens de vos désirs alors que ce dernier ne
s'est pas du tout engagé à vous satisfaire ? Il a laissé entendre
que « Peut-être... Éventuellement... Si tout se passe comme il
le souhaite... Il pourrait envisager de... ». Si vous aviez pu décoder le sens du décor gestuel qui accompagnait cette envolée
d'esquives verbales, vous vous seriez évité bien des désillusions.

Il existe évidemment des milliers (voire des dizaines de milliers) de gestes et postures corporelles qui sont la traduction littérale des multiples variations du climat mental. Langage invo-
lontaire qui sert de décor à la pensée ou au discours, chaque
geste est un signal indiquant l'état réel dans lequel baigne la
conscience en mouvement perpétuel. Si vous voulez bien accepter l'idée que tout sentiment qui vous anime ou toute pensée
qui vous traverse l'esprit ont besoin de leurs équivalents gestuels
pour s'équilibrer, le geste vous apparaîtra sous un jour nouveau.
À ce titre, les mimiques du visage d'un client qui entre dans une
boutique renseignent immédiatement le vendeur attentif sur ses
intentions d'achat. Un visage fermé rimera avec un discours
interro-négatif : « Vous n'avez certainement pas tel article en
magasin ? » Le regard plongé dans le vague révèle un acheteur
indécis. Le regard qui zappe indique que votre client n'a pas l'intention d'acheter quoi que ce soit. Il vous rend visite sans engagement.

De l'anxiété à la satisfaction d'un désir, du sentiment de culpabilité à la frustration, aucune manifestation affective
n'échappe à sa traduction corporelle. Depuis la manière d'allumer une cigarette, de la fumer, de l'écraser jusqu'à celle de s'asseoir à la terrasse d'un bistrot, de tourner sa cuillère dans son
café, etc., chacun des mouvements de votre corps correspond à
l'atmosphère qui prévaut dans votre mental ou à l'organisation
de votre personnalité. Aucun de vos gestes n'est gratuit, aucune
de vos postures corporelles ne se manifeste par hasard.
Lorsqu'on vous présente à un nouveau collègue, observez la
manière dont il vous tend la main. Son bras reste-t-il collé au
corps vous obligeant à allonger le vôtre pour saisir sa main ? Vous

avez affaire à un personnage jaloux de ses prérogatives et peu enclin à familiariser avec les inconnus. Tend-il le bras sans retenue dans votre direction ? L'individu est extraverti et recherche, le cas échéant, votre alliance.

À l'instar de l'organisation préconsciente du discours verbal, il existe une organisation prélogique du langage corporel qui est totalement contrôlée par l'inconscient. Chaque mouvement traduit en permanence le cursus de votre pensée tout en soustitrant vos propos ou en les trahissant à votre insu. Les gestes qui vous échappent révèlent surtout l'atmosphère dans laquelle baignent vos sentiments ou vos humeurs du moment. Et de l'attitude mentale à l'attitude corporelle, le temps de réaction est tellement court que votre conscience n'a ni le temps, ni les moyens d'empêcher le geste de se produire. Comme votre client qui accepte de signer un bon de commande tout en secouant négativement la tête de gauche à droite. Il y a fort à parier qu'il annulera sa commande sous peu ou en refusera la livraison.

Votre organisation mentale se modèle à partir de la relation que votre corps entretient avec son environnement. Si vous vivez dans un appartement trop sombre, vous aurez tendance à déprimer. En revanche, un lieu de vie lumineux vous donnera toujours envie d'agir. Dans le même ordre d'idée, la culture de la réussite chasse de votre esprit toute idée morbide ou toute éventualité d'échec et, par voie de conséquence, toute attitude corporelle peu qualifiante pour votre image. Le talent débute avec les postures dans lesquelles votre corps se sent à l'aise. L'échec s'entérine dans la multiplication des gestes décalés. Ce qui m'amène à affirmer que vos gestes conditionneront en toutes circonstances vos chances de succès.

Le climat mental domine l'atmosphère de vos sentiments, obligeant parfois votre corps à se plier à des attitudes inconfortables. En repérant, à la longue, les refrains gestuels qui vous caractérisent, vous serez en mesure de séparer les bonnes attitudes de celles qui entretiennent un climat mental morbide, voire simplement négatif. Quand vous prenez place sur un siège, soyez attentif à la position de vos pieds. S'ils sont en retrait sous votre chaise, campés sur les pointes, l'ergonomie de votre posture trahit un sentiment d'infériorité ou une contrariété passagère. Apprendrez à déprogrammer d'instinct ce type de posture au profit de celles qui vous valorisent. Votre harmonie gestuelle est à ce prix, et par ricochet l'harmonie de votre mental. Par exemple, si vous vous surprenez à fumer votre cigarette de la main droite (en tant que droitier), vous pourrez en déduire que vous êtes ponctuellement sous pression, même et surtout si vous avez l'impression que tout baigne. En revanche, si vous vous mettez à fumer involontairement de la main gauche, cela signifiera que votre mental est détendu. S'il est aisé de comprendre qu'une psychothérapie bien menée peut rééquilibrer un psychisme éprouvé, le fait de prendre conscience des attitudes corporelles qui offrent à votre entourage une image gratifiante de votre ego peut atteindre le même but. L'auto-observation n'est pas un exercice aussi superflu qu'il en a l'air quand il est consacré à l'amélioration du langage corporel. Il vise avant tout à privilégier des attitudes ou des postures dont le confort entraînera inévitablement une détente des tensions psychosomatiques dont nous sommes tous perclus. À force d'imposer à vos jambes des postures contraignantes, vous déclenchez involontairement un processus de fragilisation de vos articulations, de vos chevilles, etc.

Il existe évidemment une corrélation directe entre la fluctuation de l'attitude mentale d'un individu et son attitude corporelle spontanée. Ces observations sont encore renforcées par des exemples mimiques aussi courants que ceux qui suivent. Si votre compagnon/compagne rentre soucieux de son bureau, le masque renfrogné qu'il affichera ne pourra vous échapper. S'il s'apprête à jouer un vilain tour à l'un de vos invités, il ébauchera un sourire futé. Chaque pensée ou groupe de pensées trouve instantanément sa traduction mimique sur le visage ou dans l'attitude du corps tout entier. L'idéomotricité de la pensée est un phénomène connu de tous les physiologistes et de tous les hypnotiseurs. Ces derniers l'utilisent par ailleurs pour plonger leurs patients en hypnose. Si je vous suggère de boire un citron pressé, vous ressentirez automatiquement le besoin d'avaler votre salive. L'évocation du citron est l'idée qui entraîne la réaction motrice de la déglutition. Chaque concept, chaque idée, chaque pensée, chaque image suggérée ou formée spontanément par votre cerveau suscitera automatiquement un écho dans l'une ou l'autre partie de votre corps, à l'instar de vos sentiments ou de vos émotions ! La peur des coups provoque une tension dorsale répétée chez un enfant battu. Il aura plus tard tendance à rentrer la tête dans les épaules chaque fois qu'il se sentira menacé directement ou non. Cette tension programmée pourra aussi se traduire par une déformation de la colonne vertébrale de type scoliotique.

Sans l'intervention des gestes, toute notre communication sociale perdrait toute sa dynamique. Avez-vous déjà observé un groupe de personnes âgées assises sur un banc dans un jardin public en train d'échanger quelques mots ? Elles se parlent sans bouger la tête, sans même se regarder, comme si l'autre servait de miroir à l'expression de leur pensées verbalisées à voix haute. La dynamique corporelle de leur discours ainsi que sa dimension d'échange social n'existe plus. Elles se sont enfermées dans un système de communication sans modulation de fréquence.

T. Hall, chercheur en anthropologie sociale, affirme que 60 % de toutes nos communications sont non verbales. Un autre expert évalue à 700 000 le nombre des différents signaux physiques que les humains sont capables de produire. Il estime qu'à lui seul, le visage peut produire 250 000 expressions et signale que l'on a identifié quelque 5 000 gestes de la main ayant d'après lui leur équivalant verbal. Un kinésiologue a catalogué, pour sa part, 1 000 postures corporelles différentes ainsi que leurs gestes d'accompagnement. Toute cette comptabilité n'a que peu d'intérêt dans la mesure où il n'existe encore aucun dictionnaire exhaustif de la gestuelle humaine. Nous préférons mettre en scène des situations de la vie courante dans lesquelles on retrouve les mêmes attitudes chez des individus différents pour vous faire toucher du doigt l'intérêt de la dimension dynamique du corps humain.

Parmi la somme des gestes qui échappent à votre conscience, il en est qui se reproduisent plus souvent que les autres parce que privilégiés inconsciemment. Ces expressions gestuelles particulières se sont intégrées à vos automatismes comportementaux et appartiennent à l'organisation de votre personnalité. Elles sont tellement apparentes que peu de vos interlocuteurs, voire vos proches, y font véritablement attention. Ce sont vos refrains gestuels ! Croisez les bras un instant. Vous remarquerez que votre bras droit domine le gauche (ou le contraire) et que le geste inverse est totalement inconfortable, si vous arrivez toutefois à le reproduire. Ce refrain gestuel type est très révélateur de votre identification aux images parentales dans la manière dont vous défendez votre territoire : si le bras droit est prépondérant, vous protégez votre territoire comme l'aurait fait votre père ou les hommes en général, c'est-à-dire de manière plutôt agressive ou autoritaire. Si c'est le bras gauche qui domine, vous êtes identifié à l'image maternelle ou les femmes en général en ce qui concerne votre mode de défense du territoire, vous réagirez de manière plus consensuelle ou plus soumise, soit en esquivant la confrontation, soit en la fuyant.

En principe, le refrain gestuel est une production ponctuelle de type névrotique. Il ne se manifeste qu'en situation de stress, d'examen ou d'exception, en cas de conflit latent ou quand l'individu observé est acculé à défendre son espace vital. Ce qui signifie que le contexte d'une conversation à bâtons rompus n'est pas forcément le meilleur champ d'investigation gestuelle. De la même manière, un individu isolé préoccupé par ses soucis personnels produira plus de refrains gestuels qu'un homme heureux de prendre un verre à la terrasse d'un bistrot.

Pourquoi les codes gestuels n'ont-ils jamais fait l'objet de recherches systématiques de la part des spécialistes de la communication ? La psychologie de l'inconscient a eu Freud, la psychologie du langage, Jacques Lacan. L'analyse des mouvements du corps a été approchée par Desmond Morris de manière générale mais dans un souci éthologique de comparaison avec les attitudes des espèces animales supérieures. Le défrichage du geste attend toujours son visionnaire et demeure jusqu'à présent une technique empirique de décodage. Cependant, il existe une autre raison qui explique cette « négligence ». Pour décoder le langage gestuel, il faut faire la synthèse de plusieurs critères en parallèle : le contexte émotionnel, le cadre social, le discours, le sexe des individus en présence, le niveau intellectuel, etc. Impossible ! C'est la raison pour laquelle nous privilégions dans ce livre les refrains gestuels, les objets dit incorporés, ces faux-amis qui nous trahissent sans vergogne, et les attitudes corporelles que l'on observe de manière récurrente dans tous les lieux publics, quelle que soit l'origine ethnique des individus.

Le langage gestuel qui nous occupe dans cet ouvrage est notamment destiné à tous ceux pour qui la relation avec l'autre est un enjeu professionnel : enseignants, négociateurs, commerciaux, recruteurs, psy, formateurs, consultants, avocats, médecins, etc. Mais ce livre s'adresse aussi à tous ceux qui vivent de, par, pour, et à travers leur image publique. Il leur servira de vade-mecum pour apprendre à privilégier les gestes et attitudes corporelles qui les valorisent et chasser impitoyablement ceux qui les disqualifient aux yeux du public qui les apprécient.

Comment aborder
cet ouvrage

C E guide est un véritable décodeur gestuel consultable à merci. Toutes les entrées y sont classées par ordre alphabétique de manière à vous en faciliter l'accès. Quelle que soit la page à laquelle vous l'ouvrirez, vous y trouverez automatiquement une mine d'informations qui concerne, en exclusivité, le langage de votre corps.

Vous apprendrez à y décoder aussi bien les sites anatomiques (nez, bouche, bras, pieds, etc.) que les actions motrices courantes qui animent les gestes (gratter, caresser, masser, etc.) avec leurs significations symboliques ; y sont également répertoriés divers objets qui vous accompagnent dans votre vie quotidienne (bijoux, cigarette, briquet, portable, lunettes, etc.), les coiffures que vous adoptez ou certains vêtements que vous portez en toute innocence et, *last but not least*, les attitudes et postures corporelles qu'il vous arrive de reproduire ou d'observer chez vos interlocuteurs. Vous y découvrirez également des informations sur différents thèmes gestuels (les gestes du mensonge ou de la drague, le sens de la proxémie : comment gérez-vous votre espace vital ? Et bien d'autres encore.

Même si la traduction de chacun des gestes, repris sous rubrique, est décrite de la manière la plus conviviale possible, vous devrez parfois rechercher le geste à deux ou trois endroits différents, mais guère plus. Cet écueil est inévitable dans la mesure où de multiples parties anatomiques interviennent dans la reproduction de certaines séquences gestuelles complexes.

La démarche privilégiée ici consiste à rechercher l'aboutissement du geste et l'action motrice qui l'accompagne pour définir son mode de classement. Cependant, certaines séquences sont intégrées dans les attitudes corporelles globales, telles la position assise, les coudes en appui ou la démarche. Ce mode de classement a l'avantage de se rapprocher d'une classification alphabétique classique ; les différentes parties anatomiques du corps sont reprises dans un ordre logique.

Les gestes conventionnels, dont le sens est compris par tous dans un même contexte culturel, ne font pas partie de cet ouvrage (le pouce levé pour signifier que tout est OK, par exemple). De même, la plupart des expressions gestuelles explicites, celles qui illustrent le discours, n'ont pas retenu mon attention (« Je vous note mon adresse, dit-il, en écrivant avec son index dans le creux de sa main. »). Elles accompagnent la parole et leur traduction se fait simultanément. En revanche, les attitudes statiques, les postures typiques du corps, les gestes stéréotypés inconscients (refrains gestuels) que l'on retrouve chez chacun d'entre nous, sans distinction de race, de culture ou de religion sont ceux dont vous distinguerez la signification dans les pages de ce vade-mecum qui vous suivra partout.

Avertissement

*M*IS à part les refrains gestuels, que nous reproduisons invariablement de la même manière quel que soit le contexte, 80 % des gestes et des postures corporels changent de signification suivant le contexte de leur apparition. C'est dire qu'il faut être prudent avant de trancher ou d'interpréter un geste particulier. Les interprétations consignées dans cet ouvrage conservent donc un caractère indicatif.

A comme...

Accrocher (s'). Action motrice. Voir aussi *Agripper (s').* Attitude réactionnelle destinée à combattre un sentiment d'anxiété. On s'accroche pour ne pas perdre symboliquement l'équilibre.

Accroupir (s'). Action motrice. Une manière singulière de séduire en simulant la grandeur d'un enfant ou de simuler une régression au stade fœtal quand on ressent une peur irrationnelle. Cette attitude s'observe par exemple chez les victimes de tremblements de terre.

Affaler (s'). Action motrice. Une des nombreuses attitudes de démission face à l'adversaire ou aux vicissitudes de l'existence. Les ados confrontés à l'échec scolaire ont tendance à s'affaler sur leur siège au lieu de s'y asseoir.

Agenouiller (s'). Action motrice. S'agenouiller traduit un acte de soumission mais procède aussi d'un besoin de transformation ou de re-création, notamment dans un contexte religieux. Attitude exceptionnelle dans la vie de tous les jours, l'agenouillement est un signe de dévotion amoureuse au sein du couple ou d'affection profonde envers un enfant devant lequel on s'agenouille pour se porter à sa hauteur.

Agripper (s'). Action motrice. Voir aussi *Accrocher (s').* Le fait de s'agripper est une manière symbolique de s'empêcher de perdre l'équilibre.

Aine. Site anatomique. Voir aussi *Assise (Position).* Droite ou gauche ! Elles sont l'un des sièges psychosomatiques du doute. On les étrangle volontiers en position assise quand on n'est plus sûr de rien

- *Votre interlocuteur est assis, la main droite garrottant l'aine correspondante.*
- Le sujet tente d'échapper à l'instabilité de ses humeurs.
- *Il est assis, la main gauche garrottant l'aine correspondante.*
- Il s'agit d'une attitude de rejet.

- *Il est assis, les deux mains garrottent les aines.*
- Position du Maori. Attitude typique de refus du dialogue. En affichant cette séquence gestuelle, votre interlocuteur vous signale que vos points de vue sont inconciliables. Attitude caractéristique des rugbymen néo-zélandais avant la rencontre sportive (le « Haka »).

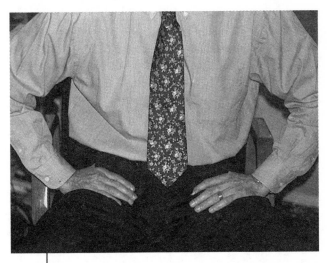

La position du Maori.

Aisselle. Site anatomique. Creux axillaire droit ou gauche ! On les sollicite quand on est contrarié.

- *Il coince sa main gauche entre son bras et le creux axillaire droit.*
- Geste qui peut trahir un manque de combativité et une structure de personnalité dépressive. Ce geste particulier a aussi pour objectif de combattre les accès d'angoisse avec une rare efficacité sur le plan psychosomatique. Il appartient, de ce fait, au registre des gestes qui guérissent.
- *Il coince sa main droite entre son bras et le creux axillaire gauche*
- Même effet que le geste précédant mais sur un plan plus spécifiquement psychologique. Il est à noter que ce code fait partie des refrains gestuels (voir ce terme). En effet, tout individu qui glisse souvent sa main sous l'aisselle

gauche ne choisira jamais l'alternative de droite et inversement.

Allumette. Objet incorporé. Voir aussi *Briquet.*
- *Il/Elle frotte son allumette vers lui/elle.*
◦ Personne introvertie et probablement égoïste.
  Spontanément, on frotte toujours ses allumettes dans le
  même sens.
- *Il/Elle frotte son allumette vers l'extérieur.*
◦ Personne extravertie avec une tendance à l'allocentrisme
  ou l'altruisme.

Annulaire. Site anatomique. De tous les doigts de la main, les
annulaires sont les doigts les moins spécialisés. Dans la plupart
des gestes, ils accompagnent soit les auriculaires, les majeurs ou
encore les autres doigts dans leurs mouvements d'ensemble. Il
arrive cependant que certains individus prennent appui sur leurs
annulaires alors qu'ils replient les autres doigts en posant la main
sur la table. Le fait est rare mais mérite d'être mentionné. Il
s'agit d'individus indisponibles, à manipuler avec précaution
dans la mesure où vous remarquerez très vite que leur réalité ne
colle pas toujours à la vôtre.
L'annulaire de la main motrice (l'annulaire droit chez le droitier)
est un indicateur précieux de l'état général des schémas volontaires et de l'état de la colonne vertébrale. Chez un individu velléitaire ce doigt est souvent beaucoup plus fragile que l'auriculaire voisin. Si l'on compare la valeur de chacun des annulaires,
on peut mesurer facilement leurs degré de résistance avec un
pèse-personne (voir *Digital test*, page 122) posé sur une table.
Chez un droitier, un annulaire gauche plus résistant que l'annulaire droit indique une capacité d'investissement affectif et une
sensibilité à fleur de peau. Dans le cas contraire, nous aurons
affaire à un sujet plus volontaire, voire volontariste. L'annulaire
gauche quant à lui est le doigt de l'implication affective. Autre
détail intéressant : l'exostome, un osselet qui relie la première
et la deuxième phalange de l'annulaire, se brise facilement
quand un individu se retrouve en situation de fragilité sur le plan
affectif.

- *Il/Elle frotte délicatement l'entrée de l'une de ses narines de la pulpe de l'annulaire.*
- Cette séquence gestuelle indique un tempérament fugueur. Il s'agit d'un individu qui ne s'engage jamais à la légère et préférera éviter toute implication personnelle.
- *Il pose un annulaire ou les deux sur l'arête de la table qui lui fait face. Les autres doigts sont repliés sous la table.*
- Mentalement indisponible et probablement superstitieux ; il se souciera toujours trop de sa petite santé pour se lancer dans des aventures sans lendemain.

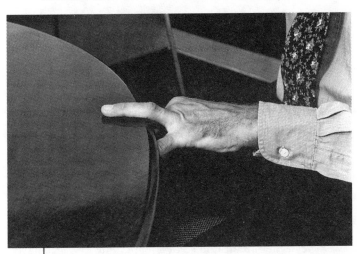

Il pose un annulaire ou les deux sur l'arête de la table qui lui fait face. Les autres doigts sont repliés sous la table.

- *Il/Elle emprisonne son annulaire gauche dans sa main droite.*
- Individu hypersensible, voire susceptible, au moindre écart verbal de votre part. Soyez attentif à ne pas le/la vexer inutilement, il/elle n'a aucun sens de l'humour.

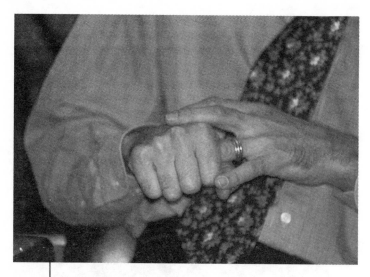

Il/Elle emprisonne son annulaire gauche dans sa main droite.

- *Il/Elle emprisonne son annulaire droit dans sa main gauche.*
- Individu velléitaire, voire aboulique. Il/Elle conjugue généralement le verbe vouloir au conditionnel assorti d'adverbes aussi redondants qu'inutiles.
- *Il/Elle se mordille l'ongle ou la pulpe de l'annulaire gauche, en exclusivité.*
- Geste traduisant une anxiété chronique en liaison avec une carence affective et que l'on retrouve souvent chez les individus qui sont victimes d'une situation de couple perturbée.

Applaudir. Action motrice. L'applaudissement est un refrain gestuel réflexe. Réflexe parce que la manière d'applaudir est probablement inscrite dans nos conduites héréditaires. C'est en tout cas l'opinion émise par Desmond Morris. L'applaudissement est évidemment une manifestation de l'enthousiasme. J'ai fait applaudir des centaines de personnes, j'en ai observé des milliers dans divers contextes : formation, spectacle, salle de cinéma, spectacle de rue ou conférence. L'applaudimètre est une véritable émanation de l'inconscient collectif, le thermomètre le plus fiable et le plus démocratique qui soit. Nous applaudissons toujours de la même manière, main droite sur main gauche ou l'inverse selon notre structure psychique constitutionnelle. Pour marquer une adhésion sans réserve, les deux mains se percutent en même temps. Il existe globalement trois manières d'applaudir.

- *Ses mains se percutent dans un même mouvement, doigts pointés vers l'avant ou vers le haut.*
- Les enfants applaudissent de cette manière. Les adultes enthousiastes aussi. L'émotion domine la raison. Les individus qui applaudissent toujours ainsi font partie de la catégorie « bon public ». Les directeurs de salles de spectacle devraient tenir compte de cette population caractéristique pour stimuler le succès de certains spectacles qui battent de l'aile. Il suffit de 10 % de « bon public » pour assurer la réussite d'un spectacle. Vous avez certainement déjà constaté que les publics acquis (amis et supporters) assistant à des émissions télévisuelles en plateau applaudissent toujours leur « héros » de cette manière. L'ambiance est assurée.

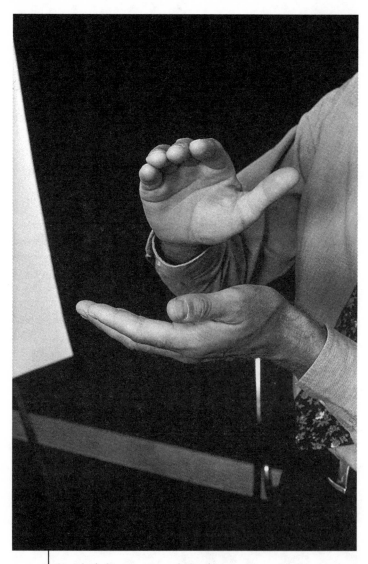

Sa main droite percute sa main gauche.

- *Sa main droite percute sa main gauche.*
  - Ce mode d'applaudissement indique une structure de personnalité introvertie. La main active (droite) stimule la main passive.
- *Sa main gauche percute sa main droite.*
  - Ce mode d'applaudissement traduit un tempérament extraverti orienté vers le besoin de paraître et de communiquer avec l'entourage. La main passive stimule la main active.

La main gauche percute la main droite.

Appuyer (s'). Action motrice. Attitude impliquant un fond de fatalisme ou de passivité face à l'événement, si le sujet observé recherche souvent un point d'appui quand il est debout.

Aristocratie (Codes gestuels de l'). Thème gestuel. Les codes gestuels sont universels mais certaines attitudes corporelles, certaines démarches, la manière d'utiliser ses mains, ses bras ou de croiser les jambes appartiennent à des catégories particulières du tissu social ou à des groupes ethniques bien distincts. L'éducation entre en force dans l'apprentissage des gestes qui s'opère toujours par imitation. Le milieu dont nous sommes issus imprègne non seulement notre discours mais aussi, et surtout, les codes gestuels que nous privilégions en toute inconscience. Les enfants de la noblesse ou de l'aristocratie ne font pas exception à cette règle élémentaire. Leur gestualité s'en ressent particulièrement, bien au-delà des bonnes manières et de l'étiquette qui régit les rapports interpersonnels avec leur entourage. Une jeune fille élevée dans le sérail de la noblesse ne s'accroche pas au bras d'un cavalier de la même manière que n'importe quelle jeune femme. La grâce de ses mouvements est privilégiée et lui est en quelque sorte inculquée par osmose éducative. Et s'il arrive que des princesses épousent parfois des bergers, leurs corps ne s'expriment pas de la même manière et ne parlent pas le même langage que celui de leur conjoint. Ces différences sont souvent remarquables. Par exemple, un petit détail peut trahir une éducation, voire un héritage. Un aristocrate tiendra sa tasse de thé ou de café en agrippant l'anse de sa pince pouce-index, comme tout le monde, à la différence près que les trois doigts libres se décaleront de manière harmonieuse vers le haut. Le premier venu en fera autant mais sera parfaitement incapable de reproduire le décalage digital avec la même aisance. C'est à ce genre de détail que l'on peut situer le niveau d'éducation d'un individu ou ses origines sociales, voire héréditaires. Les aristocrates se tiennent droit, à la limite de la rigidité. Ils marchent souvent avec les mains dans le dos pour conforter cette attitude séculaire. Les hommes s'expriment avec une amplitude gestuelle des bras qu'on ne retrouve que dans ce milieu particulier. Comme s'ils moulinaient encore avec le fleuret de leur ancêtres.

Arracher. Action motrice. Qu'il s'agisse de poils, de cheveux ou de peaux mortes, le besoin de se pénaliser d'une faute réelle ou imaginaire est à l'origine des conduites d'arrachage.

Articulation (Craquer une). Action motrice. Souvent un moyen de se débarrasser d'un stress.

Assise (Position). Action motrice. Les manières de s'asseoir répertoriées sont les plus courantes parmi toutes celles que nous avons pu observer. Il est en effet impossible d'en dresser la liste exhaustive, les variantes résultent du support sur lesquels le sujet observé pose son postérieur, de son vécu ou même du métier qu'il exerce. Ainsi la position assise du tailleur d'antan est encore dans toutes les mémoires.

La manière dont nous nous asseyons est toujours l'une des marques de fabrique de notre personnalité mais elle traduit également le climat ponctuel de notre attitude mentale. Comment se sent-on ici et maintenant ? On peut estimer à environ 2 400 les différentes positions assises. Comparativement aux quelque 300 postures verticales dénombrées auxquelles nous faisons appel pour nous camper sur nos pieds, la différence peut paraître énorme. L'homme, cet *animal assis* qui se lève de temps à autre, aurait-il été improprement baptisé « homo erectus » par les anthropologues ? On remarque cependant, en nous comparant aux tribus primitives qui subsistaient encore au début du siècle, que la position assise de l'homme est historiquement récente. D'autre part, le fait de s'asseoir est généralement lié au travail intellectuel bien plus qu'au travail manuel. Ce qui donne à penser que plus le cerveau est sollicité, plus le corps a besoin d'une assise confortable.

- *Votre interlocuteur, assis, coince l'un de ses pieds sous ses fesses.*
- On s'assoit sur son pied quand on ne peut pas le prendre, selon l'expression consacrée. Posture relativement rare dans une réunion formelle, elle peut se manifester quand les débats s'éternisent tard dans la soirée. C'est la posture démissionnaire par excellence, quel que soit le contexte.

Votre interlocuteur est :
- *Projeté en avant*
- Exprime une peur d'être récusé ou censuré.
- *Rejeté en arrière*
- Indique un besoin de liberté ou de recul.
- *Incliné à droite*
- Trahit une volonté d'aboutir.
- *Incliné à gauche*
- Révèle une instabilité du climat mental.

- *Il/Elle croise bras et jambes en position assise et se penche en avant sur sa chaise.*
- Attitude d'enfermement imposée par un climat mental engoncé dans sa méfiance. Prudence étant mère de sûreté, il/elle se protège à 100 %.
- *Il/Elle se balance sur sa chaise.*
- Sentiment d'insatisfaction lié à une impossibilité de créer des conditions propices à une relation amicale ou une ambiance détendue au cours d'un entretien. Le balancement devient dès lors un simulacre de fuite.
- *Il/Elle, en position assise, s'accroche aux accoudoirs de son fauteuil.*
- Il s'agit d'une signe de contrariété évident, le geste marque une démission immédiate pour cause subite d'incompatibilité. Quand les mains sont prisonnières, le cerveau s'obnubile tout en érigeant des barrières de défense.
- *Il/Elle est assis(e), affalé(e) dans un fauteuil, comme vidé(e) de toute son énergie.*
- L'affalement du corps est un signal d'hypotension, de dépression et/ou d'activité mentale affaiblie. Il/Elle vous signale par geste interposé qu'il/elle est à bout de souffle. Sa résignation se lit à corps ouvert.
- *Il est assis de guingois sur son siège, l'une de ses jambes repose sur l'accoudoir tandis que l'un de ses bras est suspendu derrière le dossier.*
- Les ados ont recours à ce type de posture faussement nonchalante et qui dénote un manque d'assurance. Toute position assise qui ne respecte pas l'ergonomie du siège révèle toujours un sentiment de malaise ou une perturbation de la relation entretenue avec son interlocuteur.
- *Il est assis en travers de sa chaise, l'un de ses bras repose sur le dossier de son siège.*
- Variante de la posture précédente, c'est aussi une posture apathique de l'adolescent contestataire cherchant à échapper à une confrontation ou à un sentiment de contrainte.

Il est assis en travers de sa chaise, l'un de ses bras repose sur le dossier de son siège.

- *Il est assis sur le bord de son siège.*
- Les personnes de condition modeste ou les individus timides adoptent souvent cette attitude. Cependant, elle pourrait aussi trahir un individu réfractaire ou découragé.

Il est assis sur le bord de son siège.

- *Il/Elle pose ses bras sur les dossiers des fauteuils voisins, comme s'il/elle déployait ses ailes.*
- Il/Elle a besoin d'agrandir son territoire ou de le protéger contre une invasion toujours possible. Si cette posture se répète fréquemment, elle est celle d'un individu très ambitieux, voire arriviste.

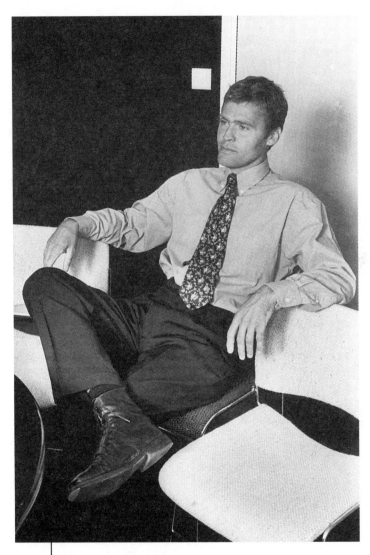

*Il/Elle pose ses bras sur les dossiers des fauteuils voisins,
comme s'il/elle déployait ses ailes.*

■ *Votre interlocuteur s'assoit à califourchon sur sa chaise, bras en appui sur le dossier.*

⦿ Personnage à l'esprit aventureux, voire immature. Posture typique du day dreamer (un rêveur de jour, littéralement).

■ *Votre interlocuteur est assis, les pieds à plat sur le sol, les bras en torsion en appui sur les cuisses, les mains à l'envers (doigts tournés vers l'intérieur des cuisses et pouces à l'extérieur) enserrent les cuisses.*

⦿ L'attitude est agressive, aussi oppositionnelle qu'envieuse. On la remarque souvent chez des subalternes qui entretiennent avec leurs supérieurs hiérarchiques des rapports pseudo-amicaux.

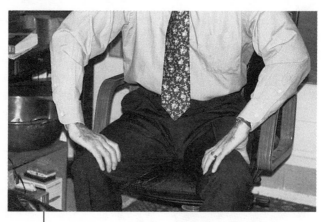

Votre interlocuteur est assis, les pieds à plat sur le sol,
les bras en torsion en appui sur les cuisses, les mains à l'envers
enserrent les cuisses.

■ *Votre interlocuteur est assis, les jambes écartées, le dos voûté comme s'il portait toute la misère du monde, le regard vissé au sol, les bras en appui sur les cuisses, mains pendantes.*

⦿ Code gestuel de la déprime dans tous ses aspects, cette attitude générique s'observe chez les individus désœuvrés.

■ *Il/Elle est assis(e) sur une seule fesse.*

• Attitude craintive ou climat mental qui flirte avec un sentiment de panique. Individu complexé souffrant d'un sentiment d'infériorité qui devrait être visible à l'œil nu.

■ *Les mains de votre interlocuteur/trice, assis(e), sont agrippées au plateau de son siège.*

• Dans tous les cas de figure, il/elle subit une double contrainte, raison pour laquelle il/elle s'agrippe au plateau de sa chaise pour s'empêcher de fuir.

■ *Il/Elle, en position assise, pose sagement ses mains sur ses genoux.*

• Attitude caractéristique de la soumission que l'on rencontre souvent chez les anciens premiers de classe qui ont grandi en oubliant de devenir adulte.

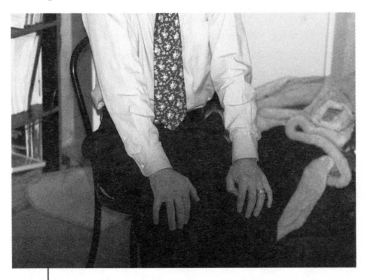

Il/Elle, en position assise, pose sagement ses mains sur ses genoux.

■ *Il/Elle s'assoit sur le sofa ou dans le fauteuil en ramenant ses pieds sous ses fesses.*

• Attitude peu courante dans un cadre formel, qui exprime cependant le manque total d'emprise sur la réalité.

- *Il/Elle est assis(e) sur son siège, raide comme un I.*
- Ce genre de posture trahit un individu psychorigide, jaloux de ses prérogatives ou de la parcelle de pouvoir qu'il détient.
- *Il/Elle est assis(e) en tailleur.*
- Mis à part le tailleur qui use de cette posture pour des raisons professionnelles, les autres personnages qui en abusent dans un contexte professionnel sont des êtres virtuels qui se prennent pour des figures, voire des apprentis gourous. Pompeurs d'énergie, vexants mais très susceptibles, parodiques jusqu'à la caricature, ce sont souvent des conseilleurs dont les leçons sont loin d'être gratuites. Des aspirants-gourous !
- *Il/Elle appuie ses coudes sur la table, le corps penché en avant vers son interlocuteur.*
- Viol du territoire de l'autre pour la bonne cause en cas de parade amoureuse et pour la mauvaise quand il faut persuader à tous prix un client récalcitrant. Il/Elle grignote le territoire de son interlocuteur.
- *Il/Elle est assis(e) les jambes tendues devant lui/elle, chevilles croisées.*
- Le contexte est rassurant. La personne se sent bienvenue et exprime ce sentiment en s'étirant sur toute la longueur de son corps.
- *Elle est assise jambes repliées contre le tronc.*
- L'inquiétude est le fond de commerce de cette position, même si elle est reproduite par une jeune femme qui craint de déplaire à celui qu'elle vise au cours d'une soirée entre amis. C'est la position fœtale par excellence.
- *Il repose souvent ses pieds sur son bureau, chevilles croisées.*
- Le besoin de s'étendre après s'être ramassé pour faire face à l'agressivité vraie ou supposée d'un interlocuteur justifie ce type de réponse posturale.

Il repose souvent ses pieds sur son bureau, chevilles croisées.

- *Il est assis avec une jambe repliée contre le tronc.*
  - L'image paternelle serre dans ses bras l'enfant qu'il a été parce qu'il se sent peu à l'aise dans la situation qui est imposée à l'adulte.
- *Il/Elle s'assoit les pieds en angle obtus.*
  - Posture assez courante qui révèle un esprit aussi obtus que la position des pieds.
- *Assis, il croise ses doigts sur son bas-ventre comme s'il avait besoin d'un suspensoir pour protéger son sexe.*
  - Geste inconscient coutumier chez les individus enrobés, voire carrément gros. Il révèle effectivement un besoin de protéger le bas-ventre d'une agression éventuelle, fut-elle verbale.

Assis, il croise ses doigts sur son bas-ventre comme s'il avait besoin d'un suspensoir pour protéger son sexe.

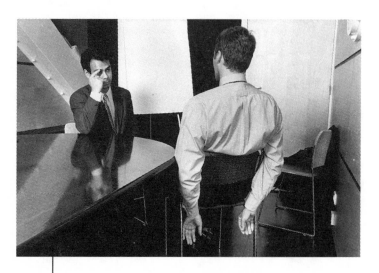

Il suspend ses bras derrière le dossier de sa chaise.

- *Il suspend ses bras derrière le dossier de sa chaise.*
- Si on considère les bras comme des inducteurs d'éloquence, cette attitude de démobilisation pourrait laisser sous-entendre que votre interlocuteur est à l'écoute. En fait, il simule une attitude de fuite.

Auriculaire. Site anatomique. « C'est mon petit doigt qui me l'a dit », révèle la maman si sûre de ses sources. Et l'enfant de se demander comment sa mère fait pour communiquer avec ses auriculaires. Mais d'abord, auquel des deux fait-elle référence ? Probablement l'auriculaire droit ! Ce doigt symbolise la somme des désirs refoulés dans l'inconscient, ce qui en fait le représentant exclusif des ambitions. L'auriculaire gauche, par contre, symbolise la synthèse des désirs de l'enfant, donc du passé. Si vous souhaitez mesurer les forces respectives de vos auriculaires en utilisant un pèse-personne, comme pour les autres doigts des deux mains, vous découvrirez si vous êtes plutôt nostalgique ou plutôt ambitieux selon le doigt qui l'emportera (voir *Digital test*). Le fait de se casser ou de se blesser l'un des auriculaires serait un moyen inconscient de régler des contentieux psychologiques de l'enfance (auriculaire gauche pour les droitiers) ou la peur morbide de l'avenir et le refus de vieillir (auriculaire droit). Ce constat, à prendre avec toutes les précautions d'usage, provient d'une étude effectuée sur plusieurs dizaines de personnes avec lesquelles j'ai eu l'occasion d'analyser la corrélation existante entre leurs accidents digitaux et leur vécu. Hélas, il faudrait un échantillon de population plus consistant pour pouvoir confirmer l'hypothèse avancée ici.

- *Il/Elle se mordille l'ongle ou la pulpe des auriculaires en exclusivité.*
- Geste répressif dénotant une attitude d'échec, très fréquenté par les intellectuels dont la plupart des préoccupations se situent avant ou après mais jamais pendant.
- *Il/Elle se cure délicatement les narines d'un auriculaire aérien.*
- Personnage superficiel. L'usage de l'auriculaire pour effectuer ce curetage révèle un fond de préciosité, voire de snobisme.

- *Il/Elle se cure l'oreille de l'auriculaire gauche ou droit.*
- C'est le doigt idéal, pour des raisons purement techniques, qui permet d'évacuer un chatouillement de l'oreille interne où un acouphène aussi gênant que subit.
- *Il se cure le diastème (jour entre les dents) avec l'ongle de son auriculaire.*
- Réflexe typique d'une personnalité narcissique.
- *Il se gratte les commissures des lèvres de l'auriculaire droit ou gauche.*
- Il n'a pas la conscience tranquille. Comme tous les tricheurs !
- *Il/Elle se gratouille le visage avec son auriculaire de préférence à ses autres doigts.*
- Il s'agit d'un signe d'immaturité.

Avant-bras. Site anatomique. Les avant-bras, soit la partie comprise entre le poignet et le coude, jouent un rôle important dans les positions assises nécessitant un appui naturel sur les cuisses ou sur un support externe en remplacement du coude. L'avant-bras droit est l'un des sièges symboliques de la communication interpersonnelle. Autrefois, les Romains se serraient mutuellement l'avant-bras droit en guise de poignée de main (voir *Poignée de main*). Quant à l'avant-bras gauche, il symbolise la fuite et les moyens défensifs naturels. Il est le bouclier naturel du droitier en cas d'agression.

- *Votre interlocuteur se gratte régulièrement le dessous des avant-bras.*
- Réflexe de découragement de la part d'un individu qui a tendance à paniquer au premier coup de vent.
- *Il/Elle a tendance à agripper son avant-bras droit de sa main gauche lorsqu'il est debout.*
- Indicateur marquant un sentiment d'échec permanent, si ce geste est reproduit fréquemment.
- *Il/Elle a tendance à agripper son avant-bras gauche de sa main droite lorsqu'il est debout.*
- Ce geste signale un refus de s'engager. La partie gauche du corps commandant aux émotions, la main droite retient ou protège symboliquement la partie gauche du corps

contre sa propre sensibilité. Une reproduction abusive de cette attitude désigne un individu qui vit sous la contrainte d'un entourage ou d'un contexte qui le terrorise. C'est aussi un geste dit pare-chocs.

- *Sa main droite repose sur son avant-bras gauche.*
- Siège symbolique des moyens défensifs naturels du corps, l'avant-bras gauche du droitier est son bouclier. Ce code gestuel courant révèle que votre interlocuteur/trice se méfie de vous et prépare déjà sa défense avant même que vous n'ayez ouvert les hostilités. La sympathie n'est pas au menu de l'entretien.
- *Sa main gauche repose sur son avant-bras droit.*
- Signe d'apaisement, la main gauche retient l'avant-bras droit.
- *Il penche son corps en avant, les avant-bras en appui sur les cuisses.*
- Geste d'un individu contemplatif et non actif. Il se contente d'assister à l'entretien sans y prendre part.

B comme...

Bague. Objet incorporé. La bague est un bijou particulier en ce sens qu'elle est destinée à un doigt particulier et ne peut être enfilée sur les autres, la section de chacun étant différente. Cela signifie donc que le choix du doigt dépend de l'individu au moment de l'acte d'achat. Soit la bague convient au doigt, soit il la fera élargir ou rétrécir pour qu'elle s'enfile sur le doigt sélectionné. Ces considérations techniques étant posées, venons-en au message délivré par les bagues.

Aucun objet choisi par l'homme pour améliorer son image publique n'est le fruit d'un hasard, à plus forte raison les bagues qui garnissent les doigts révèlent bien plus qu'elles n'embellissent les mains qui les portent. Elles trahissent, de fait, les aspirations de ceux ou celles qui les affichent naïvement au vu et au su de tous. Rien de moins innocent qu'une bague ou plusieurs ornant fièrement un ou plusieurs doigts.

L'origine de ce bijou se perd dans les sables du temps. Il semblait cependant logique que le doigt de l'homme, et surtout celui de sa compagne, ne puissent demeurer nus quand les peaux de bêtes furent remplacées par des parures d'étoffe et de drap. S'il existe une histoire des bijoux, elle ne mentionne pas, à ma connaissance, celle des doigts spécifiques qui portent ces anneaux destinés à attirer l'attention sur les mains, à sceller les promesses ou à identifier le rang des individus.

Observer ses semblables amène assez vite à constater le nombre incalculable de combinaisons de bagues adoptées par les femmes, depuis l'alliance de mariage jusqu'à deux, trois et plus, noyant les doigts sous un déluge d'or, d'argent et/ou de pierres précieuses. La connaissance du sens symbolique attribué à chaque doigt rend possible l'interprétation de ce nouveau langage. Sachant qu'une bague est toujours glissée à un doigt particulier en fonction du choix de celle qui la porte et non du diamètre de la bague, on peut supposer que ce choix digital n'est pas aussi innocent qu'on pourrait le penser, à en croire la découverte de facteurs de corrélation entre les doigts bagués et la personnalité des femmes observées, investies dans leur besoin de séduire. Par exemple, la plupart des jeunes filles privilégient souvent le port de la bague au majeur gauche, même si elles portent déjà des anneaux à d'autres doigts. Or le majeur, ou doigt n° 3, est le doigt identitaire par excellence, celui qui symbolise l'image de soi, l'hérédité, la classe sociale, le clan ou la famille. Donc, a priori, le fait de baguer ce doigt en particulier correspondrait à un besoin de renforcer une image de soi déstabilisée ou inquiète de son impact séducteur sur l'environnement. Car qui dit bague, dit séduction ! La bague ne serait pas, à l'instar des autres bijoux, qu'un artifice destinée à mettre en valeur celle ou celui qui la porte mais aussi, et à son insu, un message de disponibilité affective et/ou sexuelle que son inconscient dévoile sans fausse honte.

L'annulaire gauche, voisin du majeur n° 3, est le doigt n° 2. C'est le doigt de l'implication affective, de l'engagement amoureux, celui qui porte l'alliance de mariage dans notre culture. Quoi de plus naturel pour une jeune femme qu'y porter une bague de type « fiançailles » alors qu'elle est encore célibataire ? Cependant, le message sera d'autant plus clair si l'annulaire droit est aussi bagué, car ce doigt représente les schémas volontaires : volonté d'aboutir, ténacité, persévérance, volontarisme mais aussi la velléité ou les conduites abouliques. L'association des deux bagues signifierait dès lors : je veux aimer et être aimée en retour. Cœur à prendre, même si la place semble manifestement occupée ! Il faut croire que l'occupant en question n'est que de passage et ne satisfait pas vraiment sa compagne sur le plan amoureux. La combinaison 2/9 (annulaires gauche et droit) est un couple de bagues courant qu'on peut observer au quotidien autour de soi. Même associée à d'autres bagues sur d'autres doigts, cette combinaison 2/9 conserve tout son sens primaire.

La poursuite de cette enquête sur le sens symbolique des doigts bagués montre très vite que ces bijoux et la façon de les porter sont clairement les traductions de bilans affectif, sentimental ou sexuel ponctuels ou chroniques, une sorte de langage d'information sentimentale à destination de l'environnement. On ne porte pas une ou plusieurs bagues pour dissimuler un défaut physique, abriter quelques millimètres carrés de peau ou pour attirer l'attention sur la beauté de ses mains, quoi qu'en pensent certains esthètes.

- *L'auriculaire gauche ou doigt n° 1.*
- L'auriculaire gauche représente symboliquement l'enfance, le passé, le souvenir et aussi l'immaturité. Une bague à ce doigt particulier trahit un personnage nostalgique d'un passé révolu, un sujet régressif tiraillé par ses souvenirs d'enfance ou par la nostalgie d'un Eldorado perdu à jamais. Le degré d'immaturité d'une femme qui affiche une bague à ce doigt se décèle facilement dans ses comportements. Une petite fille dans un corps de femme !
- *L'annulaire gauche ou doigt n° 2.*
- Doigt des émotions, de l'implication affective, de l'engagement amoureux, du besoin de fusionner avec l'être aimé, c'est aussi le doigt privilégié par les nouveaux époux qui y glissent leurs alliances. Une bague (et non une alliance) à ce doigt particulier est une demande larvée d'affection, demande parfaitement normale de la part d'une femme célibataire. La combinaison avec un second doigt bagué exprimera une attente plus fusionnelle. En revanche, le port de deux bagues à ce même doigt peut trahir une femme-étouffoir en recherche d'une symbiose amoureuse. Les veuves portent souvent deux alliances à ce doigt dont celle de leur mari, en souvenir de lui.
- *Le majeur gauche ou doigt n° 3.*
- Doigt de l'image de soi, de l'hérédité, du rang social, du clan ou de la famille. Les bagues qui ornent ce doigt identitaire révèlent soit une perturbation de l'image de soi, soit un forçage de l'identification à une classe sociale supérieure à la sienne, soit un besoin d'appartenance à un clan pour échapper à la solitude. Le sujet est à la recherche de la reconnaissance des autres sans laquelle il ne pourrait exister à ses propres yeux.
- *L'index gauche ou doigt n° 4.*
- Doigt de la soumission apparente, il représente a priori l'image maternelle mais il trahit parfois la jalousie, la possessivité ou le caractère envieux d'un sujet qui orne ce doigt d'une bague, à l'exclusion de tout autre doigt.

- *Le pouce gauche ou doigt n° 5.*
- Le pouce gauche est le support symbolique de la créativité, de l'imaginaire, de la sensibilité et de la sensualité. Doigt du plaisir *largo sensu*, par opposition au pouce droit qui est le doigt du désir. Le port d'une bague au pouce n'est pas aussi rare qu'on peut l'imaginer. Nombre de jeunes filles ou de jeunes femmes y sont abonnées, affichant ainsi leur besoin insatiable de câlins, caresses, compliments ou gratifications de tous ordres mais pas forcément de sexe, trahissant ainsi une forme d'immaturité en quelque sorte, dans certains excès de comportement

- *Le pouce droit ou doigt n° 6.*
- Doigt de la motivation ou du désir sexuel, le pouce droit est étroitement associé à l'index dans ses mouvements mais pas forcément dans ses parures. Une bague à ce doigt est une véritable publicité qui clame l'insatisfaction sexuelle de sa propriétaire. Insatiable, elle affichera toujours cette carence dans le reste de son habillement ou en potentialisera le message en combinant un anneau au pouce droit avec une bague sur l'annulaire gauche comme celui d'une affirmation de son droit au plaisir.

- *L'index droit ou doigt n° 7.*
- Doigt qui accuse, doigt de l'image paternelle, de la domination, du despotisme, de l'orgueil ou de l'autorité, l'index droit du droitier est la star des doigts. Chargé d'une bague, il trahit souvent un tempérament dominant, la jeune femme en recherche d'un substitut de l'image du père ou la femme surinvestie dans sa carrière au détriment de sa vie amoureuse.

- *Le majeur droit ou doigt n° 8.*
- Doigt de l'organisation mentale ou intellectuelle et des talents cachés. Le majeur bagué en solitaire affiche une perturbation de l'organisation mentale ou intellectuelle bien plus qu'un intellect raffiné ou un équilibre psychique. Il trahit aussi une culture des préjugés ou un individu négligent.

- *L'annulaire droit ou doigt n° 9.*
- Doigt des schémas volontaires, de la volonté d'aboutir, de la ténacité, de la persévérance, du volontarisme et de la velléité. Ce doigt bagué en solitaire trahit a contrario une structure de personnalité dépressive, donc une ténacité ou une persévérance handicapée.
- *L'auriculaire droit ou doigt n° 0.*
- L'auriculaire droit est le doigt de la vanité, de la curiosité frisant l'indiscrétion, des ambitions et de l'arrivisme sous tous ses aspects. Mais c'est aussi le doigt de la curiosité, de l'avenir, de la projection sur son environnement, des rêves et des projets qui parfois se réalisent. Orné d'une bague, il révèle un personnage plus ambitieux que la moyenne des gens et parfois aussi plus vaniteux, voire prétentieux et indiscret.

Bâiller. Action motrice. Si l'on exclut le bâillement sonore qui appelle le marchand de sable de ses vœux, le bâillement répétitif d'un interlocuteur ne signale pas forcément que son organisme a besoin d'un repos mérité. La répétition intempestive du bâillement signifierait plutôt que son inconscient le pousse à exprimer un sentiment d'agacement, voire d'agressivité refoulé. Il ne bâille pas parce qu'il s'ennuie mais parce que son vis-à-vis l'ennuie. En tout état de cause, si votre auditeur se met à bailler, il faut envisager de suspendre le débat dans les meilleurs délais. Il aura beau s'excuser platement de n'avoir pas eu son compte de sommeil, si votre discours l'assomme ou si vos arguments l'énervent, préparez votre sortie dans l'urgence. En règle générale, le bâillement est un signe de fatigue. Il s'affiche quand la journée se termine et détend les mâchoires contractées. Mais il arrive aussi que l'on bâille pour d'autres raisons. Par exemple, quand l'appétit se manifeste ou quand la colère est inhibée par l'éducation. Sachez, cependant, qu'il vaut toujours mieux savoir à quoi s'en tenir avec ceux qu'on est amené à fréquenter professionnellement que de gober tout cru leurs madrigaux. « Je trouve votre idée tout à fait géniale », dit-il en réprimant un bâillement. Le sens totalement méprisant du bâillement associé à un compliment ne devrait plus vous échapper dorénavant.

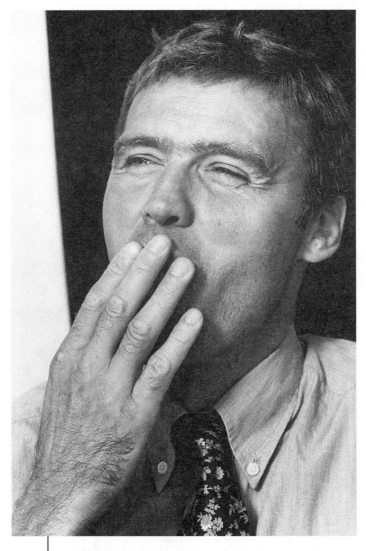

Il bâille souvent en dissimulant sa bouche du bout de ses doigts et en tapotant ses lèvres.

- *Votre interlocuteur/trice a du mal à réprimer ses bâillements à répétition.*
- Votre présence rend votre interlocuteur/trice agressif(ve), à moins que vos propos ne lui déplaisent.
- *Il/Elle bâille la bouche fermée.*
- Ce type de bâillement est souvent réflexe. Il trahit le scepticisme militant de tous ceux qui bâillent sans desserrer les lèvres.
- *Il bâille la bouche grande ouverte.*
- Le bâillement sans voile est soit une attitude de mépris soit un manque d'éducation.
- *Il/Elle bâille souvent en dissimulant sa bouche du bout de ses doigts et en tapotant ses lèvres.*
- Comme si les doigts intimaient l'ordre à la bouche de se taire pour ne pas relancer le débat.
- *Il/Elle bâille à plusieurs reprises en couvrant sa bouche du dos de l'une de ses mains à demi refermée.*
- Ce mode de bâillement s'assimile à une attitude hostile dans la mesure où la paume est tournée vers l'interlocuteur.
- *Il/Elle bâille en dissimulant sa bouche de son poing à demi fermé.*
- La fermeture de la main est toujours un code gestuel marquant le besoin d'assommer l'autre.

Baiser. Action motrice. Le baiser fait partie de la panoplie des conventions sociales de notre époque. On embrasse ses amis, les amis de ses amis quand on les rencontre ou quand on les retrouve, et on finit, dans la foulée, par embrasser tout le monde quand on s'en va. Le sens primaire du baiser social ou amical indique, en théorie, un élan de sympathie d'une personne envers une autre, qu'elle soit de même sexe ou de sexe opposé. Vous remarquerez que vous n'embrasserez pas, en principe, une personne avec laquelle vous venez de passer la soirée, si celle-ci ne vous a témoigné aucun intérêt ou si elle vous est antipathique. Le baiser amical est avant tout une marque de sympathie adressée à un(e) inconnu(e) ou à une connaissance.

Hiérarchiquement, ce baiser représente le degré au-dessus de la poignée de main. Cependant, certains baisers sociaux, dont on peut considérer qu'ils font partie de contraintes professionnelles ou familiales, sont des signaux de rejet. D'autres en revanche sont à ce point ambigus qu'on peut se poser des questions quant aux intentions effectives de celui ou celle qui embrasse. Le bisou dans le vide, par exemple.

Ainsi Desmond Morris note-t-il que « *Si vous avez d'aventure l'occasion d'être embrassé par un chimpanzé affectueux, le baiser qu'il peut vous appliquer vigoureusement sur le cou ne laisse aucun doute sur la faculté qu'il a d'émettre avec ses lèvres un signal tactile. Pour le chimpanzé, il s'agit là d'un signal de salutation plutôt que d'un signal sexuel, mais dans notre espèce on l'utilise, dans l'un et l'autre contexte, le contact par baiser devenant particulièrement fréquent et prolongé durant la phase précopulatoire.* » (Desmond Morris, *Le Singe nu*).

- *Elle vous embrasse chastement, les lèvres trop serrées.*
- Elle feint d'être une ingénue, férue de potions magiques et de liaisons romantiques !
- *Elle vous embrasse subrepticement au coin des lèvres.*
- La voie est balisée comme une autoroute à quatre bandes.
- *Elle vous embrasse discrètement dans le cou.*
- Cette jeune femme est amoureuse. Le cou est une zone érotique chez tout le monde, sans distinction de sexe, de culture ou de religion.
- *Elle se penche vers vous pour vous embrasser, tout en vous empê- chant de vous lever de votre siège.*
- Elle a probablement envie de vous mais elle ne sait pas ce qu'elle ferait si vous l'invitiez à aller plus loin. Elle est tellement imprévisible et extravagante qu'il est difficile de savoir ce qui se trame sous son joli crâne.
- *Elle se pend à votre cou pour vous embrasser ostensiblement sur les deux joues.*
- Elle cherche à vous plaire en testant son pouvoir de séduction sur vous. Au moment stratégique des baisers sonores, il vous suffit d'exercer une pression discrète dans son dos ou sur ses flancs pour savoir si elle est prête à dépasser les frontières de la bienséance. Si elle répond à la

pression, tout sera pour le mieux dans le plus charnel des mondes.

- *Elle vous embrasse tout en vous serrant les mains.*
- Chaleureuse mais rien de plus. Si elle ambitionne de vous séduire, ce n'est certainement pas pour en passer aux actes mais plutôt pour des raisons plus amicales.
- *Elle vous embrasse les mains ou le bout des doigts.*
- Elle exprime un sentiment fondé sur le respect ou la reconnaissance.
- *Elle vous embrasse sagement sur la joue.*
- Un baiser de consolation : elle se faisait sans doute des illusions sur votre compte.
- *Elle vous embrasse sur le front.*
- Il faut bien commencer quelque part avant de s'aventurer plus loin mais ce n'est pas un baiser très « séducteur ».
- *Elle vous embrasse sur le bout du nez.*
- C'est gentil tout plein, mignon comme un chaton, pas du tout destiné à vous séduire mais à se faire pardonner par le minou castré de son plaisir de chat de gouttière.
- *Elle vous embrasse sur les cheveux ou sur votre crâne quelque peu dégarni.*
- Elle vous domine et ne se prive pas de vous le faire savoir.
- *Elle vous embrasse sur les paupières.*
- Elle n'est pas pressée de conclure. Elle tâte le terrain. C'est plutôt tendrement maternel comme premier baiser.
- *Elle vous embrasse sur les tempes.*
- Elle doit vous confondre avec son papa ou son papy, s'il est encore jeune d'apparence.
- *Elle introduit le bout de sa langue dans le creux de votre oreille.*
- Cette intromission signifie que votre séductrice est très impulsive et libérée de tous les tabous qui ont fait la fortune des sex-shops. En tout état de cause, ce type de baiser signale son envie d'être conquise sans attendre.
- *Elle lèche les traces de café qui ornent les poils de votre moustache ou de votre barbe d'une petite langue pointue.*
- « Moi, Tarzan et vous, Jane ! » À consommer tout de suite et sans salamalecs préliminaires ! Soit elle est loufoque et elle pourrait changer d'avis dans l'heure, soit vous êtes *le*

mec le plus nec plus ultra qu'elle ait jamais rencontré de toute son existence. Pourquoi pas ? Ce sont des choses qui arrivent aussi dans la vie de tous les jours.

■ *Elle vous mordille le lobe de l'oreille tout en vous embrassant.*

● Épicurienne, obsédée par ces petites choses qui font qu'une femme plaît aux hommes.

■ *Elle attend, offerte les yeux mi-clos, que vous vous décidiez à passer aux choses sérieuses.*

● Vous lui donnerez tout tandis qu'elle ne vous donnera rien en échange. Et quand elle aura tout et que vous n'aurez plus rien, elle vous laissera choir comme une épluchure.

■ *Son baiser sur la joue s'accompagne d'un enlacement spontané de votre cou.*

● Que veut-elle ? Rien ! Une vague d'enthousiasme l'a jetée contre vous mais si vous ne répondez pas dans l'instant, elle se retirera comme si rien ne s'était produit.

■ *Son baiser sur votre joue est humide.*

● Chez le chien et chez l'homme, la salivation abondante est un signal d'appétit, qu'il soit sexuel ou gastronomique.

Barbe. Site anatomique. Initialement symbole de la sagesse et de la connaissance dans notre culture judéo-chrétienne, la barbe est devenue un moyen de changer de vie en changeant de visage. C'est aussi, pour certains, une manière de se libérer de la contrainte ou du carcan qu'ils ont subis durant des années dans un job dont ils ont été « débarqué ». À la faveur de ce bouleversement de carrière, il arrive qu'ils ressentent le besoin de *se refaire le portrait* pour aborder une tranche de vie nouvelle. Quoi de plus normal ! La barbe chronique devient, dès lors, une sorte de passeport pour l'avenir. La barbe revient d'ailleurs à la mode. Privilégiée, il a quelques années encore, par certaines professions intellectuelles, elle exerce une percée dans tous les milieux. Quel est le sens de ce retour du système pileux longtemps dédaigné par la plupart des hommes de la génération *Gilette-contour* ? L'une des raisons les plus évidentes repose sur le fait qu'une barbe embellit souvent un visage aux angles trop aigus ou aux traits asymétriques, mais l'hypothèse évoquée selon laquelle un homme se laisserait pousser la barbe pour re-naître dans une autre tranche de vie ne manque pas de sens. Il rompt avec son passé en changeant de faciès. Or, crise de croissance sociétale oblige, nous vivons une époque où le changement est devenu la norme et la stabilité professionnelle, l'exception. Il est aisé de se laisser pousser la barbe quand on navigue entre deux boulots. L'espace de remise en question représenté par le chômage est aussi un temps de deuil et de relative liberté du look. Les hommes se laissent pousser une barbe « de vacances » en attendant de retrouver un job et finissent parfois par conserver cette barbe de manière définitive. Peut-être ce nouveau visage qu'ils aperçoivent dans leur miroir leur donne-t-il l'illusion d'être des hommes neufs. Et cette illusion-là peut s'avérer parfaitement roborative pour leur ego disqualifié. *L'autre est mort, vive moi !* Enfin, la barbe a pour objet de transformer le visage de l'homme dans un but de séduction, un besoin de s'affirmer ou de retrouver une confiance en soi quelque peu chahutée.

Il pince les poils de sa barbe entre le pouce et l'index.

- *Votre interlocuteur fourrage distraitement dans sa barbe.*
- C'est l'expression d'une colère rentrée.
- *Il pince les poils de sa barbe entre le pouce et l'index.*
- La barbe est souvent sollicitée pour exprimer silencieusement des sentiments hostiles.
- *Il tire sur les poils de sa barbe.*
- Ce geste particulièrement courant trahit un individu possessif qui se martyrise pour se punir d'un sentiment de dépossession.

Bas-ventre. Site anatomique. Le bas-ventre est le siège principal de l'angoisse de castration, sur le plan symbolique.

Battre (la cadence). Action motrice. Attitude marquant un enthousiasme ou une conduite agressive, selon le contexte de la production du mouvement.

Beauté (Gestes de la). Thème gestuel. Comment peut-on imaginer qu'un geste, une attitude corporelle ou une mimique du visage puisse avoir un effet plus valorisant pour la beauté d'une femme qu'un artifice de maquillage ou ce fabuleux petit tailleur qui lui va si bien ?

Il existe des gestes particuliers qui sont susceptibles de modifier partiellement ou totalement le physique d'un individu. Ce sont les gestes de la beauté qu'aucune femme ne devrait ignorer. Ils agissent comme un maquillage naturel des mimiques du visage, transformant souvent les petits défauts en atout et dissimulant les traits d'un visage asymétrique en lui offrant un écrin gestuel valorisant. Orientation du regard, utilisation efficace des doigts ou des jambes, attitudes qualifiantes pour le corps ou le buste, choix du profil, etc., il suffit de peu de choses pour métamorphoser son image et offrir à son entourage un look rénové à peu de frais.

Le corps humain est un volume en mouvement perpétuel. La manière dont il bouge est bien entendu fonction du mode de déplacement de ce volume mais aussi, et surtout, des pensées qui animent la conscience. De la même manière que la coupe d'un vêtement qui vous convient ou pas, chaque geste que vous reproduisez installe un décor mobile qui favorise ou non l'image que vous offrez aux autres. Une image qu'il est difficile de dissimuler !

Les photographes de mode connaissent, par cœur, les règles qui leur permettent d'exploiter la beauté naturelle d'une femme. Ils en usent pour mettre en valeur les atouts plastiques de leurs modèles, au même titre que le vêtement dont elles sont le support incontournable. Les comédiens ou les personnages publics choisissent sciemment des attitudes ou des mimiques faciales dont ils maîtrisent l'impact qu'elles produisent. La cote d'amour du public qui les apprécie en dépend inévitablement.

Ainsi donc, le physique le plus banal peut se métamorphoser en y inscrivant une série d'attitudes, de mimiques ou de gestes composés intégrés à la personnalité gestuelle de toute femme qui en éprouve l'envie ou le besoin. Certains codes gestuels expriment une sensualité refoulée ou proscrite par une éducation trop rigide, d'autres dévoilent un charme censuré par des postures dévalorisantes. À l'instar d'une coiffure, d'un style de vêtement ou d'un maquillage subtil, les gestes sont en mesure de modifier votre look sans que vous soyez obligée de vous soumettre à des séances de maintien. Le choix des gestes qui vous valoriseront est fonction de deux critères exclusifs : votre ressenti et un miroir.

Les gestes, contrairement aux langues étrangères, s'apprennent avec une facilité déconcertante, puisqu'ils s'intègrent par imitation. Vos enfants ne font rien d'autre quand ils vous copient instinctivement pour vous ressembler et s'identifier à l'idole que vous représentez à leurs yeux.

Biceps. Site anatomique. Symboles de la force masculine, les biceps participent au langage gestuel en tant que figurants de l'attitude des bras croisés. Réactivité, hostilité et apprentissage, tels sont les trois concepts symboliquement représentés par ces deux outils corporels très pratiqués par les culturistes.

Bijou. Objet incorporé. Voir aussi *Bague*. La panoplie des bijoux disponibles pour habiller le corps n'est pas uniquement liée au besoin de plaire ou de paraître. Les bijoux que vous portez vous

« trahissent » plus que vous ne le voudriez et ce, au-delà des significations conventionnelles que la tradition leur accorde. Aucune femme ne portera jamais un bijou qui lui déplaît, fût-il hors de prix. La relation qu'elle entretient avec ses bijoux est souvent plus passionnelle que celle qu'elle est susceptible d'entretenir avec les vêtements qu'elle porte ou, parfois, les hommes dont elle tombe amoureuse.

Les bijoux appartiennent aux grandes familles d'ornements que privilégient la plupart des femmes, et dont je vous livre quelques significations symboliques, seulement, tant il vrai que la diversité de ces ornements mériterait à elle seule un ouvrage entier.

- *Bracelet de poignet*
  - Ornements ou parures temporaires destinées à mettre en valeur les mains, les poignets et les avant-bras. Les bracelets de poignet n'ont pas d'autres significations particulières, sauf celles que leur accorde certaines cultures. Ils sont surtout prisés dans les cultures africaines et arabes dans lesquelles les femmes les portent en batterie.
- *Bracelet de cheville*
  - Longtemps considéré comme un signe de soumission à l'homme, le bracelet de cheville est principalement porté par les femmes et souvent attaché à la cheville gauche de préférence. L'origine de cette mode n'est pas clairement établie. Elle pourrait provenir des Indes où le langage du bijou est fortement codifié. Une autre hypothèse voudrait que le bracelet de cheville soit une représentation symbolique du fer qu'on attachait aux pieds des esclaves africains.
- *Boucles d'oreilles*
  - Plus les boucles d'oreilles sont grandes, plus la frustration affective, voire sexuelle qu'elles trahissent est grande. Le désir est au rendez-vous mais le plaisir lui a posé un lapin, en quelque sorte.
- *Broche*
  - La broche est le bijou de prédilection des personnes à l'esprit étroit, m'a affirmé un vieux bijoutier. Bijoux de vieux ou de celles qui se passionnent pour le passé, la

broche est investie d'un pouvoir magique : elle protège
son porteur d'un mauvais destin ou du mauvais œil,
paraît-il.

- *Chaîne autour du cou*
- Pourquoi ce bijou a-t-il autant de succès ? La chaîne en or
ou en argent est portée par une large majorité d'individus,
hommes ou femmes, comme si ce type d'ornement pouvait les distinguer de leurs voisins. À l'origine, la chaîne
autour du cou était une distinction sous la forme d'une
décoration pour services rendus (la Toison d'or). Elle s'est
muée en signe de réussite à tous les échelons de la société
contemporaine.

- *Chaîne large*
- Besoin d'agrandir son territoire pour échapper à l'étouf-
foir affectif d'une mère trop envahissante ou d'un père
trop possessif, et vice versa.

- *Chaîne ras de cou*
- Indicateur d'une carence affective comblée en partie par
une attitude narcissique.

- *Chaîne de taille*
- Sorte de chaîne aussi fine qu'un bracelet de poignet mais
qu'on porte autour de la taille. À l'instar du bijou dans le
nombril, c'est assez peu courant sous nos latitudes mais
fortement prisé dans les pays de soleil. La taille est ceinte
quand une femme a été traumatisée par sa grossesse et
souhaite retrouver virtuellement la taille de guêpe qu'elle
avait étant jeune fille.

- *Chevalière*
- Blason de grande famille qu'on porte généralement à l'auriculaire gauche, le doigt du passé, et que les arrivistes
arborent à l'auriculaire droit, peut-être pour que leurs des-
cendants puissent un jour le remettre à l'auriculaire
gauche.

- *Collier de perles*
- Le collier de perles est investi du pouvoir magique de
fécondité, peut-être à cause de la similitude entre les
perles et les ovules.

- *Diamant ou boucle dans la narine*
  - Narine gauche pour les filles ou les fils à maman, narine droite pour les fils et filles à papa ? Le fait est que cette mode de la narine percée se remarque plus souvent du côté gauche que du côté droit mais jamais des deux côtés à la fois. Il s'agit bien d'une identification latéralisée à l'un des deux parents mais elle indique plus le rejet inconscient de l'image parentale désignée (voir Percing).
- *Gourmette (avec ou sans plaque de prénom)*
  - Ce bijou répond à un défaut d'identification. Le sujet se situait mal dans la structure familiale au cours de son enfance, il réagit inconsciemment en affichant la seule appellation qu'il ne partage avec personne au sein de sa famille : son prénom.

La gourmette est un bijou typiquement occidental qu'on destine souvent à des enfants en bas âge, voire à des nourrissons. Prisée par les ados des deux sexes, la gourmette devient un bijou exclusivement masculin à l'âge adulte. Elle fait partie des artifices identificatoires de l'individu masculin, sorte de signe de virilité détourné de son objectif primaire qui lui permet d'afficher son prénom comme un badge. La mode des gourmettes est aujourd'hui remplacée par celle des chaînes en or à gros maillons que les hommes portent autour du cou, signe d'aisance ou de richesse dans certains milieux, d'affaires notamment. L'identité (ou le contenu du bijou et sa raison d'être) a disparu au profit de l'emballage ; c'est dire que l'être a cédé la place au paraître.

- *Il/Elle mâchonne sa chaîne ou le pendentif qui lui sert d'ornement.*
  - La chaîne lui sert de tétine, donc de moyen de se rassurer dans certaines situations qui le/la mettent mal à l'aise.
- *Il/Elle tend continuellement sa chaîne avec son index.*
  - Il/Elle étouffe symboliquement. La situation qu'il/elle doit endurer lui pèse et restreint son territoire.
- *Il/Elle tripote constamment le pendentif de sa chaîne.*
  - Il/Elle se tâte, comme on dit, tout en exprimant un besoin de tendresse inassouvi.

Boire. Action motrice. Voir aussi *Cuillère*. Les manières dont vous sirotez votre petit café le matin ou dont vous videz votre verre de vin ou de bière et dont vous utilisez la cuillère pour faire fondre le sucre sont d'autant plus révélatrices qu'il s'agit de refrains gestuels, donc de gestes que vous répétez toujours sur le même mode.

- *Il/Elle soulève sa tasse de café en maintenant l'anse du pouce et de l'index et en relevant son auriculaire de manière affectée.*
- Adepte du mépris comme arme défensive, la polémique est son champ de bataille de prédilection. L'horizon de votre interlocuteur/trice du jour se situe à moins de trente centimètres de son nez ; tout ce qui se situe au-delà ne mérite que son mépris.
- *Il/Elle boit son café alternativement de la main droite ou gauche indifféremment.*
- Signal d'instabilité ponctuelle. Généralement, on utilise toujours la même main pour vider sa tasse de café.
- *Il/Elle tient sa tasse ou son verre de la main droite.*
- Trahit un tempérament plus autoritaire que consensuel.
- *Il/Elle tient sa tasse ou son verre de la main gauche.*
- Typique d'un tempérament sociable ou relationnel.
- *Il vide son verre de bière d'un trait.*
- La manière de vider son verre ou de siroter son café est révélatrice de la façon dont votre interlocuteur gère son temps dans la vie. Il n'existe pas de classification précise en la matière, tout est question d'observation. En tout état de cause, celui qui vide son verre de bière d'un trait est plutôt pressé d'arriver au but sans prendre le temps d'y parvenir. C'est le lièvre ambitieux de la fable. Il franchit la distance sans se soucier de l'évaluer au préalable. Celui qui prend le temps de savourer sa bière ou son verre de vin mesure la distance avant de la franchir. Cette interprétation ne s'applique évidemment pas à l'individu observé qui avale sa bière à grandes gorgées, en cas de forte chaleur.
- *Il boit sa bière ou son soda à la bouteille.*
- Attitude régressive typique de l'adulte qui retourne au biberon.

Bouche. Site anatomique. Les attitudes significatives dans lesquelles la bouche est seule sollicitée sont relativement peu nombreuses. On l'associe plus souvent à d'autres parties du corps, doigts ou mains en particulier.

La bouche est le siège de la possession et aussi un orifice destiné à se donner du plaisir en absorbant la nourriture (ou à (se) donner du plaisir par le baiser, par exemple). Ce qu'on sait moins, c'est que le degré de confiance en soi est lié aux expressions mimiques de la bouche et des lèvres qui en représentent la beauté esthétique. Bouche tordue, lèvres pincées, commissures affaissées sont autant d'indicateurs d'une confiance en soi polluée par la haine, l'amertume ou la méfiance. En revanche, la bouche d'un individu qui a confiance en lui-même se distingue immédiatement, quelle que soit la morphologie de ses lèvres, sa bouche s'harmonise toujours avec le reste du visage en toutes circonstances.

Quand la main dissimule carrément la bouche...

- *Quand la main dissimule carrément la bouche...*
- Le saviez-vous ? Votre degré de confiance en soi est fonction de la fréquence des mouvements de vos lèvres, donc liée à leur richesse mimique. Plus les lèvres sont figées quand vous vous exprimez, plus cela trahit un manque de confiance en soi, et entraîne inconsciemment le besoin de cacher sa bouche derrière sa main. N'ayez pas peur d'articuler quand vous parlez, vous éviterez ainsi spontanément de dissimuler vos lèvres, votre degré de confiance en soi reprendra très vite du poil de la bête.
- *Votre interlocuteur/trice appuie sa bouche contre le dos de ses doigts, la paume tournée vers l'extérieur, coude en appui.*
- Imaginez ce geste dans un contexte tout différent ! L'enfant qui craint d'être giflé. Attitude hésitante de la part d'un individu qui peine à faire un choix. « Perplexité » pourrait être le sens synthétique de cette attitude. Attitude souvent reproduite par les conducteurs indécis bloqués dans des bouchons !
- *Coude en appui, le menton est posé dans la paume ouverte, le bout des doigts dissimule la bouche.*
- Le geste traduit un besoin d'envisager l'avenir à court terme tout en cherchant à se protéger contre les retours de flammes éventuels.
- *Il/Elle a tendance à resserrer sa bouche en cul de poule.*
- Mimique de refus caractéristique.
- *Il/Elle a tendance à écouter la bouche légèrement entrouverte.*
- La bouche entrouverte dans un contexte professionnel révèle un manque de fermeté, voire de caractère. Les sujets immatures conservent souvent la bouche entrouverte ainsi que les séductrices, d'ailleurs. Ce qui ne signifie pas automatiquement que ces dernières soient immatures.
- *Sa bouche grimace constamment.*
- Il affiche son malaise de manière très mimique tout en objectant mentalement son désaccord. Louis de Funès excellait dans le genre pour les besoins de la cause cinématographique.

- *Votre interlocuteur, coudes en appui, couvre l'une de ses mains avec l'autre, les pouces en soutien du menton. La bouche s'appuie sur les index tendus en travers des lèvres.*
- Geste récurrent chez les hommes de pouvoir ou les décideurs. Il prend vos mesures avant de vous évacuer ou de vous mettre dans une position difficile.
- *Il/Elle dissimule sa bouche derrière sa main refermée en cornet (droite ou gauche), coude en appui.*
- La main en cornet est une sorte d'entonnoir destiné à empêcher les pensées de se traduire en paroles.
- *Il/Elle, coude en appui, dissimule et écrase sa bouche avec la paume de l'une de ses mains.*
- Premier cas de figure : le bâillon symbolique obture toute possibilité de dialogue. Il/Elle ferme littéralement le poste en s'empêchant d'ouvrir la bouche. Second cas de figure : l'audace de rompre un silence protecteur (ou d'interrompre un ou plusieurs interlocuteurs inconnus) s'accompagne automatiquement d'une auto-répression gestuelle de la bouche ou des lèvres. C'est là une règle qui ne souffre pratiquement aucune exception. Cette séquence gestuelle provient de la prime enfance et de l'index caricatural qui était censé souder les lèvres trop bavardes. Utilisé dans un contexte différent, ce geste indique une auto-censure verbale doublée d'une activité mentale réfractaire (objection mentale) aux propositions ou aux arguments énoncés... « Je n'ose pas vous interrompre mais je n'en pense pas moins... »
- *Il/Elle dissimule sa bouche sous la pince pouce-index ouverte, comme s'il bâillonnait le bas de son visage, coude en appui.*
- Il s'agit d'une attitude défensive sur fond de méfiance. La pince pouce-index soude les lèvres les contraignant au silence. Cette attitude courante trahit l'aspect calculateur, voire le petit côté démoniaque de votre interlocuteur/trice.
- *Il/Elle garde généralement la bouche fermée.*
- Il/Elle refuse inconsciemment de se livrer et conserve souvent les lèvres pincées.

- *Il/Elle dissimule sa bouche quand il/elle confie quelque chose à l'oreille de son voisin.*
- Les hommes politiques qui souhaitent se confier discrètement certains détails, en public ou sous le feu des caméras de télévision, sont des personnages imprudents.

Boucher (Se, les oreilles ou le nez). Action motrice. On fait mine de se boucher les oreilles ou le nez quand on doute ou quand on souhaite se démarquer de l'environnement, de ses cris, de ses bruits ou de ses mauvaises odeurs symboliques.

Boutonner. Action motrice. Les actions les plus banales que vous répétez au quotidien sont généralement les plus révélatrices dans la mesure où il s'agit de refrains gestuels que vous reproduisez toujours de la même manière quel que soit le contexte de leur apparition.
- *Il reboutonne son manteau de la main gauche.*
- Il est manifestement contrarié ou considère qu'il n'est pas à la hauteur.
- *Il reboutonne son manteau de la main droite.*
- Il quitte la réunion avec le sentiment d'avoir été à la hauteur.
- *Il reboutonne son manteau en s'aidant des deux mains.*
- Il est manifestement déstabilisé.

Bras. Site anatomique. Le bras droit (chez le droitier) symbolise l'ambition et l'agressivité. Il appartient au territoire paternel du Surmoi. Le bras gauche est celui du cœur, de la sensibilité et de la peur. Il appartient au territoire maternel du Surmoi. On attaque en général avec le bras moteur, le bras droit pour les droitiers, et on se protège avec le bras gauche pour éviter symboliquement les coups.
- *Son avant-bras est replié sur le bras, main à hauteur de l'épaule, la joue repose sur le dos de la main, coude en appui. La main opposée tient le coude du bras qui sert de support.*
- Le geste est complexe et est fortement prisé par les tempéraments despotiques et les personnages machiavéliques.

- *Votre interlocuteur, en position assise, lève souvent ses bras en extension au-dessus de sa tête en affichant un air nonchalant.*
- Tempérament simulateur doublé d'un esprit fantaisiste. C'est un gros menteur mais un excellent vendeur.
- *Ses bras virevoltent à la même hauteur pour conforter son discours.*
- Les deux aires cérébrales sont en harmonie. Il ne privilégie pas plus son imagination que son esprit logique. Il domine son sujet.
- *Ses bras s'envolent tandis que son discours s'anime, le bras droit est souvent plus haut que le gauche.*
- Individu plus analyste et cartésien que branché sur ses émotions ou son imaginaire.
- *Ses bras s'envolent tandis que son discours s'anime, le bras gauche est souvent plus haut que le droit.*
- Individu très émotif et très expansif, captivé par son imaginaire plus que par son esprit logique.
- *Il se gratte ostensiblement sous les bras, au niveau des biceps.*
- Ce code gestuel est un signe de stress, lié peut être à un manque d'action ou d'activité. « J'ai envie d'agir », dit le corps mais l'esprit demeure passif.
- *Il se gratte sous les bras, à l'angle qui sépare le bras de l'épaule.*
- « Je me moque de vous » est le sens littéral de cette attitude.
- *Il pince son biceps gauche de la main droite.*
- Attitude de soumission. Plus vous le complexerez, plus il vous suivra comme votre ombre.
- *Il pince son biceps droit de la main gauche.*
- Attitude craintive. Il est alarmiste, anxieux, susceptible comme un amoureux éconduit et sensible au moindre écart verbal.
- *Votre interlocuteur assis pose curieusement son bras (gauche ou droit) en équilibre en travers de son crâne.*
- Il espère que vous serez rentable à court terme ou qu'il retirera rapidement des bénéfices de l'aide qu'il pourrait vous apporter. Attention ! Si les bénéfices tardent à montrer le bout de leur nez, il pourrait bien jeter le bébé avec l'eau du bain.

- *Il écarte les deux bras tout en parlant.*
- On n'écarte pas les bras pour rassembler mais pour exclure.
- *Ses bras en pattes d'araignée sont accrochés au lutrin.*
- Ils expriment une agressivité larvée. Les yeux baissés en permanence sur le texte de son discours, le tribun refuse d'affronter le problème évoqué autrement qu'en paroles.
- *Il/Elle croise les bras sur la poitrine.*
- Le croisement de bras est un geste typique de défense du territoire. Votre sens territorial ou votre capacité à défendre votre espace vital est une qualité essentielle héritée de votre père (croisement du bras droit prépondérant) ou de votre mère (croisement du bras gauche prépondérant). Le bras droit prépondérant, que nous appellerons BDR, est généralement plus offensif que le bras gauche prépondérant ou BGA, qui lui est défensif.
  Le second a plus de recul face à l'événement que le premier. Le BDR réagit d'abord aux événements et se pose des questions ensuite mais se retrouve souvent le nez sur le carreau car dans l'impossibilité de prévoir leur avènement. Il est aussi plus franc du collier dans le cadre de ses relations sociales que le BGA. Ce qui ne signifie pas qu'il est plus sociable. En revanche, le BGA est proactif et prudent, il spécule et réfléchit plus que le premier avant de s'engager dans une entreprise ou d'ouvrir son territoire à un inconnu.

Briquet. Objet incorporé. Voir aussi *Allumette, Cigarette, Fumer.* Pour le fumeur, son briquet est une représentation du pouvoir d'accéder au plaisir de fumer. Il le cédera volontiers ou le tiendra fermement dans sa main pour offrir du feu à un inconnu. Deux attitudes qui trahissent des tempéraments antagonistes : le premier est extraverti et plutôt sociable ; le second est introverti et communique plus difficilement avec des inconnus. En règle générale, le briquet fait partie de la panoplie des outils nécessaires, utiles et indispensables du fumeur en phase de communication. Il est une prolongation naturelle de la main motrice. La relation entre le fumeur et son briquet est, en général, révélatrice de son climat mental. Les gestes décrits ci-dessous s'attachent surtout à la manipulation des briquets jetables.

- *Il/Elle allume régulièrement son briquet sans raison valable.*
  - La confusion règne dans son esprit ou dans son cœur, suivant le contexte.
- *Il/Elle allume son briquet en utilisant son pouce gauche.*
  - La personne est investie dans ses émotions plus que dans sa raison.
- *Il/Elle allume son briquet du pouce droit.*
  - Personne logique et ambitieuse qui tente de dominer l'entretien.
- *Il allume son briquet de l'index droit.*
  - Cette manière d'allumer sa cigarette révèle un tempérament instable. Il s'agit d'un séducteur mais d'humeur changeante, donc difficile à cerner ! Geste récurrent chez les séducteurs prédateurs, l'index appuie sur la détente du « briquet revolver » pour « abattre » sa victime.
- *Il/Elle allume son briquet de l'index gauche.*
  - Ce geste trahit un tempérament envieux.
- *Il/Elle allume son briquet du majeur gauche ou droit.*
  - Si cette manière d'allumer sa cigarette s'avère comme un refrain gestuel, ce geste révèle un tempérament abandonnique (qui fuit pour ne pas être abandonné), c'est-à-dire un individu sur lequel on ne peut compter en aucun cas.
- *Il/Elle allume son briquet en protégeant machinalement la flamme de sa main libre dans un endroit clos.*
  - Ce geste trahit un tempérament simulateur. S'il s'agit d'un ou d'une inconnue qui vous séduit, vous avez affaire à un(e) vilain(e) menteur(se).
- *Il/Elle rassemble ses deux mains pour allumer sa cigarette tandis que vous tenez le briquet dans un endroit clos.*
  - On cache le feu pour dissimuler son hostilité ou ses gros défauts.
- *Il/Elle manipule sans cesse son briquet.*
  - Signe d'un individu caractériel, voire d'une personne perturbée par une situation frustrante.

- *Il/Elle allume son briquet, flamme dirigée vers le fumeur avec le pouce à l'intérieur.*
- Attitude projective ! La personne a tendance à projeter son ego sur l'autre, ce qui signifie qu'il/elle monologuera volontiers mais éprouvera des difficultés à écouter son interlocuteur.
- *Il/Elle dirige la flamme vers l'interlocuteur, avec le pouce à l'extérieur.*
- Attitude narcissique ! La personne se met en lumière, en quelque sorte, mais n'éprouvera aucune difficulté à communiquer s'il est gratifié par son interlocuteur. Le geste précédent comme celui-ci sont deux refrains gestuels antagonistes dans la mesure où vous remarquerez qu'il est difficile d'en changer.
- *Il/Elle dirige la flamme du briquet vers la gauche, pouce à droite.*
- L'individu est nostalgique.
- *Il/Elle oriente la flamme du briquet vers la droite.*
- L'individu est proactif et ambitieux.
- *Il/Elle tient son briquet entre ses deux mains pour allumer votre cigarette.*
- Ce geste révèle un besoin d'être materné.
- *Il/Elle vous offre son briquet pour allumer votre cigarette.*
- Ce geste est un signe de générosité.
- *Il/Elle vous tend son briquet à bout de bras pour allumer votre cigarette.*
- « Ne franchissez pas la distance qui nous sépare », est le sens premier de cette attitude.
- *Il frotte son briquet bras au corps vous obligeant à vous pencher vers lui pour allumer votre cigarette.*
- En situation de séduction, il s'agit d'une invite à violer le territoire de votre coup de cœur. Dans un contexte différent, votre interlocuteur cherche à vous soumettre.

C comme...

Cacher. Action motrice. L'action de cacher traduit évidemment un tempérament simulateur.

Carapace musculaire. Thème gestuel. Votre attitude mentale est en mouvement perpétuel. Que vous soyez seul ou accompagné, elle puise dans votre imagination les contenus nécessaires à son fonctionnement. De la pensée parasite à la réflexion structurée, elle influence constamment vos comportements et les attitudes de votre corps et, par voie de conséquence, les muscles qui prolongent les remous de votre mental à la surface de votre corps. Il semble évident que nombre d'attitudes corporelles sont à l'origine de nœuds ou kystes d'énergie bloquée dont votre musculature et vos articulations sont percluses. Ne suffit-il pas de serrer les poings pour contracter les muscles du dos ou plus particulièrement les trapèzes inférieurs et les angulaires situés entre les omoplates et le haut du dos ? Serrez donc les vôtres en vous concentrant sur les réactions discrètes de votre corps ! La carapace musculaire accompagne chacune de vos pensées, de vos paroles ou de vos gestes. Pourquoi une attitude corporelle inappropriée offrirait-elle une image qualifiante à votre interlocuteur alors qu'elle entérine la racine d'une gêne musculaire ou renforce certaines douleurs déjà existantes ? Toute situation de stress trouve automatiquement un écho dans vos chaînes musculaires ou articulaires par le truchement des postures d'autoprotection, de refus ou de rejet. Quand l'esprit dit *non « à son corps défendant »*, le corps en souffre. Les attitudes oppositionnelles ont des répercussions sur les muscles et les articulations dont les effets nocifs se manifestent inévitablement tôt ou tard sur le plan psychosomatique. Moins vous les fréquenterez, mieux vous vous porterez.

Caresse (Langage de la). Action motrice. La caresse est la première de toutes les marques d'estime ou d'amour que chaque individu intègre dans son cadre de références, dès la naissance. On observe souvent des personnes se caressant distraitement l'une ou l'autre partie du visage ou du corps. Ce geste tellement commun n'est pas forcément lié à une carence affective. La caresse que l'on se prodigue à soi-même est plus souvent celle que la bienséance nous empêche de faire à son interlocuteur. Caresse et créativité sont cousines dans l'inconscient. La première enclenche souvent le processus qui éveille la seconde. Or, de la créativité à la sensualité, le chemin est vite franchi.

■ *Il/Elle ne cesse de se tripoter le visage ou les bras ou de se caresser tout en parlant avec ses ami(e)s.*

◦ Phénomène tellement courant qu'on y prête rarement attention, la caresse qu'on se prodigue à soi-même est un véritable appel du pied au partenaire négligent. C'est également un puissant signal d'ouverture dans le contexte d'une parade amoureuse entre deux inconnus.

■ *Elle se caresse distraitement les cuisses d'un mouvement régulier d'aller-retour.*

◦ Le geste parle de lui même. La mimique de la pénétration est ici évidente.

■ *Elle se caresse ou fait mine de se caresser les fesses en passant les mains à plat sur son jeans.*

◦ Il s'agit bien entendu d'une invitation inconsciente.

■ *Il se caresse le dos de la main gauche de la main droite, et vice versa.*

◦ Séquence gestuelle d'évaluation.

■ *Il se caresse la joue gauche ou droite l'air pensif.*

◦ Séquence gestuelle d'évaluation.

■ *Elle se caresse la nuque.*

◦ Une autre manière de prendre du recul.

Cartes (Jouer aux). Objet incorporé. Nous avons tous nos refrains gestuels, sorte de rituels corporels qui échappent au contrôle de la conscience. Ainsi, la plupart des joueurs de poker tiennent leur jeu de la même main et tirent leurs cartes de l'autre, sans relation aucune avec le fait qu'ils soient droitier ou gaucher. On a pu constater que celui qui tient son jeu de la main gauche et tire ou entre une carte dans son jeu de la main droite est un joueur au tempérament offensif, contestataire et revendicateur. Nous dirons, a priori, qu'il est yang. Dans l'option inverse, il s'agit d'un joueur plus défensif, plus réservé ou plus secret qui prendra du recul avant d'étaler son jeu, il est plutôt yin. Le contexte du jeu de poker est particulier car on y joue toujours pour gagner ou perdre beaucoup d'argent. Ce qui signifie que la carapace musculaire de chaque joueur participe totalement et inéluctablement à l'atmosphère tendue de la partie. Chaque joueur est sous pression, son corps ne peut pas ne pas suivre le mouvement, quelles que soient les apparences derrière lesquelles il dissimule sa vraie/fausse nonchalance. En observant les joueurs assis autour de la table, un observateur attentif constatera très vite que certains codes gestuels se reproduisent plus souvent que d'autres chez chacun d'entre eux. Ce sont ces codes ou refrains gestuels qui trahissent les chances du jeu qu'ils tiennent en main mais qu'aucun de leur adversaires ne remarque. Ce ne sera pas le meilleur bluffeur qui gagnera mais celui qui aura appris à décrypter les signaux subtils dont l'expression passe inaperçue parce que noyée dans un fatras de gesticulations destinées à tromper l'adversaire.

- *De sa main droite, le droitier tient son jeu en éventail.*
- Sa main droite joue donc un rôle passif et délègue le rôle sélectif à la main gauche exploratrice. Ce type de joueur est imprévisible.
- *De sa main gauche, le droitier tient son jeu en éventail.*
- Sa main gauche tient le rôle passif et laisse la main droite agir à sa guise. Le joueur est très à cheval sur les règlements. Il n'acceptera aucune entorse ou fantaisie de la part de ses partenaires.

Cercle digital. Site anatomique. Le pouce étant opposable aux autres doigts de la main, la reproduction du cercle digital était fatale dans l'expression gestuelle conventionnelle et/ou inconsciente.

- *Votre interlocuteur/trice réunit son pouce aux quatre autres doigts en agitant les bras.*
- Ce geste signifie « Patience » dans les pays méditerranéens. C'est un geste dit conventionnel.
- *Il réunit son pouce et son index de la main gauche en cercle digital. Les autres doigts sont étalés en plumes de sioux.*
- Ce geste signifie que le locuteur « garantit que... ». Si ces autres doigts restent collés, la signification change et trahit

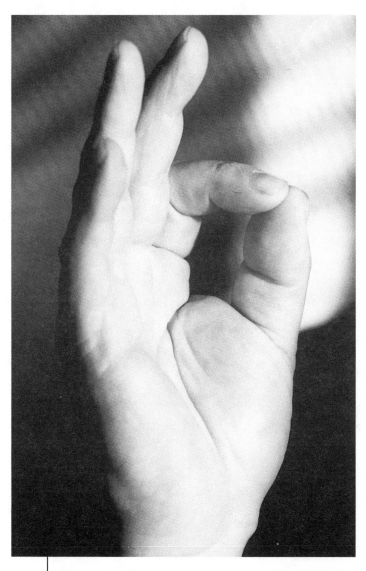

*Il réunit son pouce et son index de la main gauche en cercle digital
Les autres doigts sont étalés en plumes de sioux.*

le manque de conviction du locuteur par rapport à ce qu'il affirme sans trop y croire.

■ *Il recroqueville l'index et le majeur sur son pouce gauche et replie l'annulaire et l'auriculaire sur sa paume.*

● « Croyez-moi ! » dit la gestuelle du menteur.

■ *Il réunit le pouce et l'index de ses deux mains en cercle digital.*

● Ce geste renforce le message : simulation, moquerie ou imposture dans tous les cas de figure.

■ *Sa main est posée sur un support quelconque, la pulpe du pouce a tendance à être rejointe par celle de l'index, pour former un cercle digital.*

● Ce geste indique que votre interlocuteur a ou aura des exigences impossibles à satisfaire.

■ *Le cercle digital réunit le pouce au majeur.*

● Il s'agit d'un code gestuel qui indique l'amour du dialogue et de l'effet théâtral. Signe conventionnel, le cercle pouce/majeur est hiérarchiquement plus valorisant que le cercle pouce/index.

■ *Il exécute un cercle digital étrange de l'annulaire gauche (les affects) qui rejoint le pouce, faisant mine de catapulter son erreur dans le vide.*

● Ce geste signifie symboliquement : « Je me suis fait avoir par mes émotions mais je m'en dégage. » Cela signifie aussi que votre bonhomme fait dans la démesure.

Cerveau (gauche et droit). Site anatomique. Comme vous le savez déjà, sans doute, le cerveau gauche contrôle la moitié droite du corps tandis que le cerveau droit en contrôle la moitié gauche. Du cerveau gauche dépend la parole. Il est rationnel, fonctionnel et pratique. Le cerveau gauche est donc droitier. Quant au cerveau droit, il est considéré comme étant le siège des intuitions, du sens spatial, temporel, de l'imaginaire et du sens créatif. Il est gaucher. Chaque culture dans le monde, que ce soit sur des bases physiologiques ou non, a mis en évidence cette séparation fondamentale des choses. Notez que le droit représente la loi et l'ordre et un héritier de la main gauche est un héritier illégitime.

Les aborigènes australiens portent un bâton « mâle » dans la main droite et un bâton « femelle » dans la main gauche. Le côté droit représente le père ou l'activité et le côté gauche représente la mère, l'aspect passif, chez nombres de tribus primitives, que ce soient chez les Mohaves, les Bédouins ou les Bantous. Partant de ces constats, entre autres, nous posons l'hypothèse suivante : la partie droite du corps d'un sujet masculin et droitier appartient à une image paternelle intégrée dans le Surmoi. La partie gauche, en revanche, serait symbolique de l'image maternelle. L'homme droitier qui s'identifie à son image paternelle, dans la mesure où il est un homme comme son père, intégrera ses énergies positives dans la partie droite de son corps et ses énergies négatives dans la partie gauche. La femme droitière, en revanche, intégrera ses énergies positives dans la partie gauche de son corps. N'est-elle pas une femme comme sa mère ? Pour les hommes gauchers, les images parentales sont inversées : l'image du père se situera à gauche et celle de la mère à droite. Pour les gauchères, même inversion mais dans le sens contraire.

C'est de ce postulat que proviennent les règles gestuelles suivantes : pour les hommes, le croisement de la jambe droite sur la gauche correspond à un besoin d'affirmation de soi. Mais si la jambe gauche couvre la jambe droite le sujet se renferme, il n'est plus réceptif. Cuisses, jambes ou chevilles parlent la même langue. Pour les sujets masculins gauchers, il suffit d'inverser les rapports. Pour les femmes, le croisement de la jambe gauche sur la droite indique un climat mental réceptif à la discussion ou à toute proposition d'un autre ordre. Mais la jambe droite vient-elle à couvrir la gauche, il sera toujours temps d'ouvrir votre parapluie même s'il fait soleil, votre interlocutrice vient de virer de bord, et pas dans le sens qu'on accorde en général à cette expression (voir notamment *Jambes*).

Cervelet. Site anatomique. Partie occipitale du crâne, le cervelet et le siège des automatismes qui soulagent les schémas volontaires. Il se situe à l'arrière du crâne. Le fait de se gratter l'occiput indique un climat mental envahi par le doute. Ce code gestuel accompagne également le calcul mental ou le travail de réminiscence, sous tension.

Chance (et gestes). Thème gestuel. La chance est en chacun de nos gestes au même titre que l'intuition électrise notre intelligence. La magie du geste vient de ce qu'il exprime la vérité que le mot ne peut appréhender, car il est censuré par la conscience. La vérité est toujours belle même si elle trahit parfois le mensonge des mots. La créativité n'est pas possible sans les mains qui font et défont et sans le corps qui les accompagne, un corps qui ne perd jamais son temps à déguiser ses élans ou à simuler ses transports. Il est toujours beau de ses mouvements alors que sa rigidité et son inertie le transforment en galerie de clichés mécaniques. La chance vue sous cet angle est l'héritière de la vérité corporelle et de la liberté de ses mouvements. La vraie liberté, à mon sens, consiste à habiter pleinement son corps, des pieds à la tête, sans jamais oublier que ce corps communique aussi à travers les gestes qui le représentent. Cette liberté-là est la seule porte à laquelle la chance frappe volontiers, quand elle vient à passer. Ce qui, en gros, signifie qu'un investissement particulier consacré à votre gestuelle stimulera votre image publique et l'attrait qu'elle représente pour votre environnement, social, affectif ou professionnel. La chance tient souvent à peu de choses.

Chaussure. Objet incorporé. Même l'usure des talons de nos chaussures est révélatrice.
- *Usure des bords extérieurs des semelles*
- C'est l'usure due à la démarche du cow-boy. Le sujet observé est soit caractériel, soit très combatif.
- *Usure des bords arrière des semelles*
- Le sujet observé est plutôt influençable, d'où le besoin inconscient de freiner la marche.
- *Usure des bords intérieurs des semelles*
- Il s'agit d'un individu timide et/ou renfermé.
- *Les chaussures à talons aiguilles*
- Le port de chaussures à talons hauts, qui déforme la position habituelle de marche, accroît le balancement de la région postérieure lors de la locomotion et ce, dans un but de séduction évident.

Cheveux. Site anatomique. Voir aussi *Coiffure*. Les cheveux font partie de l'arsenal de séduction du visage. La relation entre l'individu et sa chevelure est à la fois narcissique et sensuelle. Plus un individu accorde une importance gestuelle prépondérante à ses cheveux, plus il appartient à la catégorie des personnes dont la sensibilité, centrée sur le Moi, est à fleur de peau. En un mot comme en cent, plus votre interlocuteur est concerné par son image publique.

Siège de l'image de soi, qu'on peut revaloriser à l'infini grâce à de fréquentes visites chez le coiffeur, les cheveux améliorent l'aspect esthétique du visage en lui offrant un cadre capable d'en gommer certains défauts morphologiques. La chevelure est aussi considérée comme un moyen de rajeunir ou de conserver cette jeunesse qui nous fuit inéluctablement. On y investit ses émotions en les perdant parfois ponctuellement en cas de deuil affectif ou de manière définitive pour les hommes, quand la vie devient un parcours du combattant au quotidien et une source de stress majeur. Contrairement à ce que l'on croit, un homme ne perd pas toujours ses cheveux parce que cette perte est inscrite dans sa programmation héréditaire. Cette perte peut aussi être la traduction d'une injonction familiale doublée d'une fragilité capillaire constitutionnelle. Le plus souvent la perte de cheveux précoce découle d'un tempérament marqué par une dévaluation constante de l'image de soi.

- *Il ébouriffe les cheveux de son collègue.*
- On ébouriffe les cheveux d'un enfant pour marquer l'affection qu'on éprouve pour lui. Ce geste signifie la même chose et indique le degré d'amitié ou de complicité qui lie deux personnes.
- *Elle enroule une mèche de ses cheveux autour de l'un de ses index.*
- Séquence gestuelle révélant qu'elle a quitté le présent pour se projeter dans un avenir ou un passé à la carte.
- *Elle enroule une mèche autour de ses doigts réunis, vous épie de temps à autre, à travers ses cheveux, sans vraiment vous voir.*
- L'attitude rêveuse est plus introvertie. Le regard est rentré et non dirigé vers l'interlocuteur. Moins suggestive

que la séquence gestuelle qui précède, votre interlocutrice est plongée dans ses pensées.

- *Le front posé sur sa main gauche, coude en appui, il/elle se gratte la naissance des cheveux.*
- Le lieu se situe au-dessus du front. Il/elle fait appel à son esprit logique.
- *Il se passe régulièrement la main sur le crâne comme s'il lissait ses cheveux défunts.*
- Tempérament frauduleux. Il vit dans l'heure et tire ses décisions à la courte paille. Ce geste est typique d'un individu qui n'a pas la conscience tranquille.
- *Il se masse constamment le crâne ou le cuir chevelu.*
- Cette séquence appartient au vocabulaire gestuel des perdants. Le geste évoque une bosse virtuelle dont il tente d'apaiser la douleur tout aussi virtuelle que la bosse.
- *Il/Elle rejette sa tête en arrière compulsivement pour replacer une mèche de cheveux rebelle.*
- Il ne lui viendrait pas à l'idée de faire couper cette mèche chez son coiffeur, comme si ce tic se fondait dans une image publique qui le/la rassure. Cette manie trahit un individu scotché à ses préjugés et dont les conduites standardisées ne devraient pas vous échapper.
- *Il/Elle souffle régulièrement sur la mèche de cheveux qui lui tombe sur le visage.*
- Personnage désordonné qui se cache derrière une mèche de cheveux rebelle.
- *Il/Elle plonge sans arrêt la main dans ses cheveux.*
- Individu narcissique qui recoiffe son image publique ou son moral.
- *Il/Elle n'arrête pas de tripoter ses cheveux en faisant mine de les recoiffer.*
- Manie très courante chez les personnes impatientes d'aboutir.
- *Elle relève ses cheveux en chignon au sommet de sa tête.*
- Geste séducteur popularisé par Brigitte Bardot dans le film culte *Et Dieu créa la femme*, il sous-entend une offrande érotique du corps. Les seins jaillissent et la taille s'affine donnant au bassin un aspect d'amphore romaine.

Elle relève ses cheveux en chignon au sommet de sa tête.

L'élévation du corps révèle toujours un mode d'action contrairement au tassement qui trahit un mode de démission. L'attitude est surtout séductrice parce qu'elle procède d'un calcul cousu de fil blanc. Intelligemment mise en scène au moment ad hoc, elle provoque une montée d'adrénaline suffisante pour faire craquer les dernières résistances de la victime que vise le geste.

- *Elle rejette sèchement une mèche de cheveux indisciplinée de la main droite.*
- Elle se rappelle à l'ordre. Le geste est le fac-similé d'une gifle.
- *Elle rejette la tête en arrière pour replacer avec une certaine grâce une mèche de ses longs cheveux.*
- Une femme d'âge mûr qui porte les cheveux longs appartient au clan de celles qui refusent de vieillir et investissent temps et argent pour entretenir leur image de femme éternellement jeune. C'est un choix dicté par le contexte professionnel ou par la volonté personnelle. Dans les deux cas, nous aurons affaire à des séductrices de haut vol : donc des femmes qui se servent de leur beauté pour arriver à leurs fins.
- *Il/Elle se tripote les cheveux sans arrêt.*
- Plus un individu accorde une importance gestuelle à ses cheveux en se les tripotant ou en replaçant continuellement une mèche rebelle, plus il appartient à la catégorie des personnes dont la sensibilité est à fleur de peau. L'attitude à laquelle nous faisons référence est rêveuse et introvertie. Le regard est rentré et non dirigé vers l'entourage. Mais il arrive aussi, quand il s'agit d'une femme, que ce geste soit accompli pour envoyer un message de séduction à l'homme qui lui fait face, comme une demande larvée d'affection ou de reconnaissance professionnelle, suivant le contexte.
- *Elle s'abîme dans la contemplation d'une longue mèche de cheveux qu'elle triture à quelques centimètres de son visage.*
- Voilà une manière bien féminine de créer une distance focale propice à l'installation d'une barrière entre elle et le reste du monde.

Il/Elle se tripote les cheveux sans arrêt.

- *Il/Elle ramène régulièrement ses cheveux derrière ses oreilles.*
- Geste typique des individus calculateurs. Il faut dégager les oreilles pour mieux saisir le passage des opportunités.

Cheville. Site anatomique. Les chevilles étant l'un des sièges somatiques de la motivation, si vous avez mal aux chevilles, il y a fort à parier que votre motivation professionnelle a subi quelques revers récents ou que, tout simplement, vous êtes en période d'instabilité professionnelle ou d'échec. Symboliquement, si on vous fait remarquer que vous avez les chevilles enflées, vous pourrez considérer que votre contempteur considère que votre motivation dépasse largement vos possibilités. Soyez, néanmoins, attentif à vos chevilles et à leur mode d'expression somatique ou gestuel ! Les chevilles, terminées à l'arrière des jambes par les tendons d'Achille, sont souvent considérées comme un point faible du corps. Les tendinites d'Achille sont une pathologie articulaire fréquemment rencontrée dans les cabinets des kinésithérapeutes. J'ai observé à plusieurs reprises que des étudiants souffrant de troubles des schémas volontaires avaient tendance à entrecroiser leurs doigts sur leur cheville droite tout en croisant les jambes en équerre. À l'opposé, les individus de sexe masculin, victimes d'une sexualité peu performante ou peu gratifiante, ont plutôt tendance à effectuer le même geste en entrecroisant leurs doigts sur la cheville gauche. Existe-t-il un rapport indirect ou symbolique entre la cheville droite et la volonté humaine ? À l'inverse, la cheville gauche est-elle reliée psychologiquement aux difficultés sexuelles ? Ces questions restent ouvertes ! L'observation ne suffit pas à statuer. Elle permet tout juste de poser l'hypothèse que d'autres seront peut-être amenés, un jour, à vérifier.

En résumé : la cheville droite est le siège de l'échec. On la protège en croisant les doigts dessus ou en croisant systématiquement la cheville gauche sur la droite, en position assise. La cheville gauche est l'un des sièges de l'anxiété associée à une instabilité ponctuelle ou chronique.

- *Votre interlocuteur croise ses chevilles l'une sur l'autre, quelle que soit la position de ses jambes, en position assise.*
  - Cette attitude, au demeurant confortable, est un véritable aveu d'inefficacité dans le contexte d'un entretien professionnel ou d'une négociation.
- *Il/Elle croise ses chevilles sous sa chaise.*
  - Voilà une séquence gestuelle majoritaire dans les rendez-vous d'embauche ou les réunions de travail ardues. Elle traduit une atmosphère mentale noyée dans un sentiment de frustration. Le croisement de chevilles appartient au langage des refrains gestuels.
- *Sa cheville gauche retient la droite.*
  - La personne est contrariée.
- *Sa cheville droite retient la gauche.*
  - La personne est impatiente d'en finir.
- *Ses chevilles sont croisées, pieds posés sur les tranches, en position assise.*
  - Le simple fait de poser ses pieds sur les tranches révèle un fort sentiment d'infériorité ou une peur de paraître ridicule.
- *Il/Elle croise ses chevilles sous sa chaise, ses pieds sont posés sur la pointe des orteils.*
  - Ce n'est pas un chorégraphe refoulé mais un(e) excellent(e) vendeur(se) qui fait des pointes – ou le gros dos –

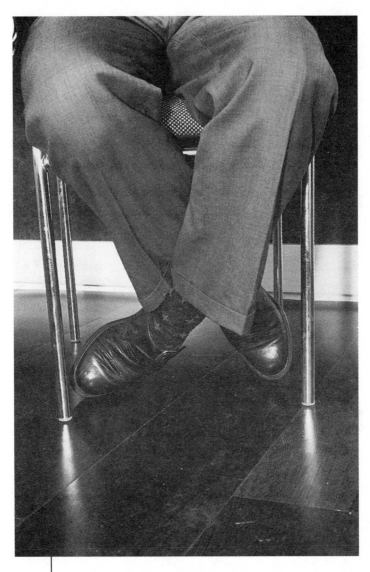

Il/Elle croise ses chevilles sous sa chaise.

en attendant que vous lui laissiez l'occasion de vous persuader qu'il/elle a raison et que vous avez tort.

■ *L'équilibre des jambes tendues de votre interlocuteur repose sur son talon gauche ou droit, chevilles croisées, en position assise.*
◦ Position de détente ou de non engagement.
■ *Pied posé sur le rebord de la chaise, il croise ses doigts sur sa cheville gauche ou droite.*
◦ Il veille jalousement sur ses prérogatives ou son territoire.

Cigarette. Objet incorporé. Voir aussi *Allumette, Briquet, Fumer.* La cigarette tient une place prépondérante dans le langage gestuel. Certains individus ne se sentent pas vraiment à l'aise si leurs doigts ne sont pas occupés par une cigarette en train de se consumer. À la limite, ils n'auraient pas besoin de l'allumer, épargnant ainsi une surcharge de nicotine à leur organisme. La relation gestuelle entre le fumeur et sa cigarette mérite qu'on s'y attarde longuement. Il existe, en effet, des centaines de gestes significatifs dont la cigarette est l'actrice principale. Il ne faut pas oublier que la relation fumeur-cigarette est une histoire de haine-amour avant de correspondre à un besoin. La cigarette est le prolongement des dix doigts du fumeur. Un onzième doigt qui s'en va en fumée, meurt et renaît chaque fois que le fumeur puise dans son paquet. Relation tactile, olfactive et gustative qui s'intègre totalement aux constantes comportementales du fumeur.

Toutes les relations que nous entretenons avec les objets « corporalisés » sont des prolongements du territoire corporel. Le type de relation gestuelle que nous tissons avec ces objets est totalement significatif. On ne fume pas n'importe comment en variant les manières mais en répétant inlassablement le même geste.

■ *Votre interlocuteur/trice allume ses cigarettes et les oublie systématiquement dans le cendrier.*
◦ Il/Elle commence tout mais ne finit jamais rien. Et remet tout au lendemain.
■ *Il/Elle aspire la fumée de sa cigarette avec un mouvement exagéré des lèvres en cul de poule.*
◦ Cet individu a peur que quelque chose lui échappe. Ce mode gestuel trahit un niveau d'exigence difficile à satisfaire.

- *Il/Elle aspire systématiquement la fumée de sa cigarette en relevant la tête.*
- Indicateur d'un trouble obsessionnel compulsif dit aussi TOC.
- *Il secoue la cendre de sa cigarette d'une pichenette du pouce du bas vers le haut.*
- Révélateur d'un individu peu concerné par autrui.
- *Il secoue plus la cendre de sa cigarette dans le cendrier qu'il ne songe à fumer.*
- Très patte de lapin ! Il vit pour parler et parle pour jouir de s'entendre parler.
- *Il tient sa cigarette entre le pouce et l'index avec les trois autres doigts libres en escalier.*
- Le geste est caricatural, il devrait être en congruence avec l'individu qui vous fait face. Un peu affecté donc très superficiel ! Signe évident de préciosité d'un individu très attaché aux apparences.
- *Il tient sa cigarette entre le pouce et le majeur et en tapote nerveusement le cône avec l'index.*
- Ce geste traduit un sentiment de malaise. Il se sent persécuté, incompris ou crucifié.
- *Sa cigarette est étranglée entre les phalanges de son index et de son majeur, à l'angle que forment les deux doigts.*
- Rien ne doit lui échapper. Un individu colérique qui coince le cône de sa cigarette comme il doit probablement stresser ses doigts quand il écrit.
- *Sa cigarette est coincée entre le pouce et l'index, le majeur, l'annulaire et l'auriculaire sont côte à côte sur le dessus du cône. Un peu comme s'il tenait une flûte à bec minuscule entre les doigts.*
- Attitude affectée qui traduit un besoin de domination.
- *Il tient sa cigarette entre l'index et le majeur. Les deux autres doigts sont repliés contre la paume et bloqués par le pouce.*
- Cette manière de tenir sa cigarette indique que la personne est confinée dans un territoire exigu. Elle cherche à plaire mais ne rencontre pas toujours le succès espéré, d'où le pouce geôlier des autres doigts.

- *Sa cigarette est coincée entre son majeur et son annulaire.*
- Il joue souvent les figurants quand il ne fait pas carrément tapisserie.
- *Sa cigarette est coincée entre son annulaire et son auriculaire.*
- Cette manière de tenir sa cigarette est rarissime et trahit un besoin d'originalité d'un personnage manifestement caractériel qui tourne en orbite autour de son nombril. Les modes gestuels atypiques et/ou inconfortables sont toujours le fait d'individus marginaux cherchant à se démarquer du commun des mortels par des attitudes choquantes au sens large du terme.

Sa cigarette est coincée entre son annulaire et son auriculaire.

Cil. Site anatomique. Siège du narcissisme primaire de l'enfant dont on vante la longueur des cils et qui débouche sur un adulte très concerné par son image publique.
- *Elle tire délicatement et constamment sur ses cils.*
- Ce mode gestuel est typique des femmes pour lesquelles trop n'est jamais assez.
- *Elle recourbe ses cils d'un index aérien.*
- Il s'agit d'un sujet très préoccupée par l'image qu'elle dispense.

Claquer (les doigts). Action motrice. Il s'agit évidemment d'un signe patent d'insatisfaction ou d'impatience.

Climat mental. Thème gestuel. Le climat de votre attitude mentale domine l'atmosphère de vos sentiments, obligeant parfois votre corps à se plier à des attitudes inconfortables pour satisfaire la tyrannie de certaines impressions désagréables. En repérant, à la longue, les refrains gestuels qui vous caractérisent, vous serez en mesure de séparer les bonnes attitudes de celles qui trahissent un climat mental morbide, voire simplement négatif. Vous apprendrez dès lors à les déprogrammer d'instinct au profit de celles qui vous valorisent. La météo de vos humeurs n'est pas qu'une vue de l'esprit. Chaque sentiment qui apparaît dans votre conscience se répercute automatiquement sur le plan gestuel ou mimique, chaque pensée entraîne un geste. Si vous envisagez de quitter votre job pour vous joindre à l'élaboration d'un projet en devenir, vous pourriez reproduire le geste suivant : main gauche à hauteur du visage, paume retournée contre la bouche, comme pour éviter une gifle virtuelle. Ce code gestuel dévoile une peur de l'avenir parfaitement légitime, en l'occurrence. Le climat mental est donc le chef d'orchestre qui dirige ces gesticulations. Les grands comédiens expriment à merveille ces multiples changements de météo en ayant recours à des mimiques ou des gestes appropriés au contexte imposé.

Clin d'œil. Action motrice. Le clin d'œil n'a pas toujours un sens de connivence ou de complicité. Tout dépend du contexte qui prélude à son usage et de la personne à laquelle il est destiné.

De quel œil clignez-vous le plus facilement ? Ce mode gestuel
est un refrain invariable. On cligne toujours du même œil.

Essayez de cligner d'un œil, en toute discrétion ! De l'œil
gauche et puis de l'œil droit ! Quel est le clin d'œil qui vous
paraît le plus confortable ? Bien que nous soyons capable de cligner des deux yeux, un œil est privilégié instinctivement. Si
votre interlocuteur abuse de clins d'œil complices, cela dénote
un tempérament extraverti. Très paternaliste, il vous ouvrira la
porte sans pour autant vous offrir son appui sans condition. Pour
votre gouverne, le clignement de l'œil gauche est la marque d'un
homme de cœur qui privilégie la créativité à la logique. Pour
l'œil droit, il suffit d'inverser, il s'agit plutôt d'un individu cartésien (voir aussi *Refrain gestuel*).

- À *droite (l'œil droit est fermé, le gauche reste ouvert)*
  - Vous êtes marqué par votre adolescence et le besoin
    incoercible d'être contre tous ceux qui sont pour ou pour
    tous ceux qui sont contre. Vos émotions priment sur votre
    raison. C'est le clin d'œil juvénile de l'éternel ado, un peu
    dragueur sur les bords et très séducteur à défaut d'être
    séduisant !
    Votre degré d'investissement socio-affectif est réduit à
    une ou quelques personnes de votre entourage immédiat,
    ce qui vous amène à préférer le cocon familial à la foule
    des relations professionnelles ou des copains d'enfance.
- À *gauche (l'œil gauche est fermé, le droit reste ouvert)*
  - Le clin d'œil est plus paternel ou plus maternant. Il révèle
    un individu investi dans ses amitiés et/ou dans sa vie pro-
    fessionnelle. Homme ou femme de pouvoir dont les ami-
    tiés passent par un jeu de dominance et/ou de hiérarchie
    des sentiments. Ce n'est pas un clin d'œil séducteur mais
    une attitude dominante. Le clin d'œil gauche est plus
    sociable en apparence que son alter ego, le clin d'œil
    droit. Il sera aussi plus respectueux des règles de vie ou
    du code de conduite qui prévaut dans son milieu.

Coiffure. Site anatomique. Voir aussi *Cheveux*. Puissant signal de
séduction, la coiffure féminine est aussi un moyen de détecter
le climat mental ponctuel dans lequel baignent les sentiments

de votre sujet ou l'état de ses sentiments au quotidien. De même en ce qui concerne la brillance du cheveu et l'état général de son apparence. En règle générale, la coiffure que vous adoptez est fonction de ce qui se passe dans votre tête. Ce qui signifie que votre coupe de cheveux trahit vos sentiments malgré vous. Alors, attention à leur longueur, aux coupes soi-disant à la mode que vous conseille votre coiffeuse. Elle pourrait vous envier votre magnifique chevelure et vous imposer une image qui ne vous colle pas parfaitement à la peau.

■ *Ses cheveux sont artificiellement bouclés.*

◦ Que ne ferait-on pas pour exister aux yeux des aveugles qui nous entourent ? Coiffure sensuelle qui suggère un aspect sauvage, les cheveux longs et bouclés ne passent jamais inaperçus en société. Les femmes qui privilégient ce type de coiffure appartiennent à cette catégorie de personnes très susceptibles et dont la sensibilité s'exprime à fleur de peau ; des femmes épidermiques préoccupées par leur équilibre psychologique et les petits bobos qui pourraient venir troubler leur santé. Ce ne sont pas des séductrices mais des femmes séduites par leur propre image : des narcissiques, en somme. Ce qui ne les empêche pas d'être romantiques et sentimentales à souhait quand elles tombent amoureuses. Bien entendu, si les cheveux sont bouclés naturellement et non artificiellement, ce qui précède ne s'applique pas au plan comportemental, sauf peut-être pour ce qui est du romantisme.

■ *Ses cheveux mi-longs s'arrêtent aux épaules ou au niveau des omoplates.*

◦ Si c'est la longueur délibérément choisie, la personne vit peut-être une période de remise en question. Mais le plus intéressant concerne la frange qui mange le visage et qu'on rejette d'un mouvement de la tête ou de la main. Il s'agit d'une tactique de séduction. La frange en rideau n'est donc pas là pour dissimuler mais pour dévoiler le regard espiègle d'une femme. Les cheveux accrochés derrière les oreilles offrent en revanche un privilège à la beauté des traits du visage.

- *Elle dégage ses cheveux derrière l'oreille droite et la frange cache son œil gauche.*
- Une femme plutôt fille à papa.
- *À l'inverse, son oreille gauche est dégagée et son œil droit est caché.*
- Cette femme est identifiée à l'image maternelle.
- *Les cheveux sont teints dans des couleurs voyantes.*
- Ce type de coiffure marque un besoin de révolte et d'originalité propre à une adolescence qui n'a pas encore rendu son tablier.
- *Elle tire ses cheveux en arrière en queue de cheval ou en chignon, dégageant le front.*
- Le besoin de tirer les cheveux en arrière pour dégager le front dévoile le besoin d'afficher son ambition.
- *Ses cheveux sont très longs.*
- Laissons de côté les mannequins et actrices dont la longue chevelure nous laisse souvent rêveur et pour lesquelles cet artifice représente un atout, sinon un outil de travail ! Le besoin de paraître supplante le besoin d'être. Une femme d'âge mûr qui porte les cheveux longs appartient au clan de celles qui refusent de vieillir et investissent temps et argent pour entretenir leur image de femme éternellement jeune. C'est un choix dicté par le contexte professionnel ou par la volonté personnelle. Dans les deux cas, nous aurons affaire à des séductrices de haut vol. Tout est une question de génération ! Les cheveux longs d'une très jeune femme jouent le rôle d'une coiffe modifiable à merci qu'elle utilise pour transformer sa personnalité encore fragile. La plupart des jeunes femmes qui s'installent dans la vie de couple les raccourcissent comme si elles faisaient le deuil de leurs vertes années. S'il faut en croire les psychanalystes, la femme qui conserve de très longs cheveux jusqu'à l'âge mûr cherche à plaire inconsciemment à tous les hommes qui lui rappellent son père. On peut aussi considérer que tenir à conserver une longue chevelure est un moyen de conserver une éternelle jeunesse.

- *Elle coiffe ses cheveux en chignon occasionnellement.*
- Coiffure pratique quand on n'a pas le temps de démêler ses longs cheveux, c'est une manière occasionnelle de se créer une succursale cérébrale. Le chignon grandit la femme qui le porte de quelques centimètres. Plus curieusement, il peut aussi trahir un attrait pour les biens matériels de ce monde.
- *Son chignon est chronique – par opposition au chignon occasionnel.*
- La femme qui adopte un chignon chronique tente d'exorciser inconsciemment les pensées parasites qui meublent son mental. D'où l'air de sévérité qu'elle affiche parfois et qui n'est que l'écho des reproches qu'elle s'adresse en son for intérieur.
- *Sa coiffure est trop apprêtée, comme si elle sortait à peine de chez son coiffeur.*
- Le besoin de discipliner une chevelure rebelle, ou non, est la marque d'un caractère dissimulateur.
- *Elle porte des couettes.*
- Les couettes à la Sheila sont passées de mode. Elles trahissent un retard affectif de la part d'une jeune femme qui regrette l'Eden de son enfance trop vite envolée.
- *Elle porte une coupe au carré dite aussi à la Mireille Mathieu.*
- La mise au pas de cheveux rebelles est une manière de remise en ordre d'une vie désorganisée.
- *Elle se coupe les cheveux en brosse.*
- Hérisson ou carrément à la brosse ? Quand on est décidée à changer de look, il est évidemment indispensable de changer de tête. C'est la raison pour laquelle les cheveux coupés très court, à la garçonne, signalent une femme qui s'est libérée de son passé. Elle a fait le deuil de la tranche de vie qui vient de se terminer. Ce deuil peut être lié à un chagrin d'amour ou à un besoin de dégager son visage après un bouleversement récent, comme une maladie ou une séparation. Et la coupe du hérisson ? Ce sont les cheveux courts qui se révoltent et se dressent dans tous les sens ! Ce genre de coiffure est un signal de refus. Le refus de s'enfermer dans le moule imposé par une éducation un

peu trop rigide. Cette coiffure peut aussi indiquer que la personne vit une période de deuil psychologique.

- *Ses cheveux blonds sont très décolorés.*
- Les cheveux décolorés adoucissent souvent les traits du visage mais ils indiquent aussi que la femme vit sur un plan plus virtuel que réel. Marilyn Monroe en était un exemple frappant.
- *Elle coiffe ses cheveux en deux nattes sagement tressées.*
- Les nattes sont comme les cordes qui emprisonnent ceux qui s'y frottent d'un peu trop près. À l'âge adulte, elles révèlent un caractère possessif, voire jaloux jusqu'à la tyrannie.
- *Elle tire ses cheveux blonds en arrière en queue de cheval.*
- Si on se fie au rapport mimique, on peut voir la queue de cheval comme le signe d'un tempérament craintif et fugueur. « Suis-moi, je te fuis et fuis-moi, je te suis ! » sera le mode de comportement de la femme qui adopte cette coiffure de manière régulière.
- *Il/Elle attache ses cheveux en queue de rat.*
- La queue de rat permanente, cheveux tirés en arrière, est la marque d'un personnage négligent et/ou versatile.
- *Elle arbore des tresses africaines…*
- Pour visages pâles ! Signal de séduction hard, même si les femmes qui les arborent s'en défendent farouchement.
- *Elle rassemble ses cheveux en une tresse unique dans le dos.*
- Un style de petite fille dans un corps de vieille demoiselle de province.
- *Elle sépare ses cheveux d'une raie artificielle, à droite.*
- Cette raie à droite trahit un individu au caractère bien trempé qui refuse de jouer son rôle de femme sur un look de poupée glamour. C'est une séductrice combative.
- *Elle sépare ses cheveux d'une raie artificielle au milieu.*
- Une raie qui révèle un personnage charmant mais non charmeur, plus influençable, voire plus délicat, qui s'évertue à plaire mais non à séduire.
- *Elle sépare ses cheveux d'une raie artificielle à gauche.*
- Cette femme cherche sans doute à adoucir son petit côté masculin qui fait, à la fois, sa grâce si particulière et l'ori-

ginalité de son personnage, ou bien elle est franchement femme jusqu'au bout des ongles.

En résumé, la raie à droite révèle un tempérament masculin, féminin à gauche et hypersensible au milieu.

Communication gestuelle. Thème gestuel. C'est le verbe qui a fait l'homme et non l'inverse.

L'être humain est un animal social qui a besoin des autres pour exister à ses propres yeux. Ayant compris cette vérité première, il a commencé à investir dans sa communication dès l'aube de l'humanité. L'art primitif fut l'un des premiers médias utilisés, suivi du langage articulé, pour transmettre la connaissance. Et puis, vinrent d'autres moyens plus prosaïques, tel l'écriture ou le mot dessiné. De nos jours, la maîtrise de la communication est devenue un atout tellement indispensable qu'aucune action professionnelle n'est plus envisageable sans une stratégie de communication adaptée au marché visé. D'où le besoin de plus en plus fréquent de mieux comprendre l'autre à travers toutes les formes de communication qui servent de support ou de camouflage à son discours.

Il faut comprendre que l'homme est, à la fois, émetteur et récepteur de phénomènes vibratoires. Les vibrations en question sont de deux ordres : attractives ou répulsives. Le carburant ou le support de ces vibrations sont, respectivement, l'angoisse et la dépression, deux émotions antagonistes qui s'équilibrent mutuellement quand tout va bien. Des émissions attractives trop puissantes submergent les cibles qu'elles sont censées atteindre, exactement comme le commercial qui use d'arguments redondants pour convaincre son client de plus en plus réticent. L'émission attractive aspire au double de ce qu'elle souhaite mais récolte en règle générale moins de la moitié de ce qu'elle espère. A contrario, l'émission répulsive est mieux acceptée et mieux récompensée de son manque d'empressement. Il ne faut pas prendre ici le terme répulsif dans son sens psychologique. Il ne s'agit pas d'un refus mais d'un frein opposé à l'énergie contraire lorsque cette dernière s'emballe un peu trop. Ce jeu vibratoire pourrait se résumer en une seule phrase :

« Suis-moi, je te fuis ! Fuis-moi je te suis ! » Chacun sait que la femme qui succombe trop vite est souvent bien moins récompensée que celle qui se refuse de prime abord. Une vibration doit entrer en résonance affective avec la cible qu'elle souhaite pénétrer. L'adéquation de cette résonance est essentielle. C'est la loi fondamentale du succès de toute communication visant à créer un climat d'offre et de demande équilibré.

Cou. Site anatomique. Voir aussi *Gorge* et *Nuque*. Si l'on se réfère au langage symbolique du corps, le cou, ainsi que la nuque d'ailleurs, abrite le siège symbolique de la confiance en soi. En réalité, la partie du cou identifiée à ce climat mental idéal que nous recherchons tous se situe exactement au niveau des sept dernières cervicales de la colonne vertébrale. C'est dire que toute la gestuelle impliquant le cou et la nuque ne peut être reléguée au second plan.

- *Votre interlocuteur tend le cou de manière exagérée.*
- Attitude que l'on retrouve communément dans le registre gestuel des premiers de classe qui rêvent de se hisser à la hauteur du prof ou de dépasser le restant de la classe d'une bonne tête.

Couchée (Position). Action motrice.

- *Couché sur le côté droit*
- La position couchée varie avec les époques de la vie. On se couche sur le côté droit dans le contexte d'une époque de remise en question. Cette conduite installée se traduit aussi par une versatilité des conduites. Les choix sont plus difficiles à faire et l'appel à l'image de l'autorité que représente le père (côté droit du corps) est sans doute la raison qui justifie l'interprétation de cette position.
- *Couché sur le côté gauche*
- Le besoin de se coucher sur le côté gauche correspond à une demande d'affection de la part du partenaire ou une carence affective si le dormeur est seul dans son lit. Pour mémoire, le côté gauche du corps est identifié à l'image maternelle et au registre des émotions et des affects.

- *Couché sur le dos*
  - S'endormir que le dos est un signe d'équilibre psychique. En tant que conduite installée, cette manière de se coucher favorise également la fluidité intellectuelle et une production d'énergie plus roborative.
- *Couché sur le ventre*
  - Conduite spécifique des adolescents en proie à des sentiments d'instabilité émotionnelle. En tant que conduite installée, on ne se couche sur le ventre que pour combler un manque ou une frustration sur le plan sensuel ou sexuel.

Coude. Site anatomique. Au-delà de son rôle d'articulation des bras, le coude a le plus souvent pour mission de stabiliser le climat mental tout en servant de piédestal à la tête. Poser les coudes sur la table est une manière de se rassurer face à un interlocuteur. C'est aussi un moyen de remettre de l'ordre dans ses pensées. Ce registre gestuel évoque la statue célèbre de Rodin. Il est à noter, cependant, que la statue qui accueille les visiteurs au musée Rodin comporte une légère erreur gestuelle. En effet, l'artiste a créé sa sculpture en obligeant son modèle à poser le coude droit en appui sur la cuisse gauche. Cette position incongrue est un *geste décalé*.

Pour en revenir aux coudes en appui, aussi remplie qu'elle puisse être, la tête ne risque pas de se détacher du corps mais il faut croire qu'elle pourrait tomber symboliquement, si nous ne faisions pas appel régulièrement à nos mains et à nos coudes pour la soutenir. Il va de soi qu'il existe un nombre incalculable de variantes, aussi communes que courantes, d'attitudes corporelles sollicitant les coudes en appui comme support. L'homme ne peut s'empêcher de chercher à reposer sa tête pour se protéger de l'instabilité de son climat mental ou de la masse de ses pensées.

Fondamentalement, on repose les coudes sur un support (table, accoudoirs) pour retrouver une stabilité en situation de stress ponctuel.

Le coude est le siège de la force d'inertie. Une douleur atypique à ce coude révèle un refus ou une incapacité d'évoluer. Le coude gauche serait le siège des mécanismes de pénalisation. Il n'en reste pas moins que les coudes en appui renforcent l'indécision au détriment de l'action et de l'esprit d'initiative.

- *Il/Elle prend généralement appui sur son coude droit.*
- Il/Elle n'est pas prêt(e) à s'engager.
- *Il/Elle prend généralement appui sur le coude gauche.*
- Il/Elle craint de rater une occasion.
- *Il/Elle prend généralement appui sur les deux coudes.*
- Il/Elle recherche un équilibre mental pour focaliser son attention.
- *Debout, il/elle agrippe son coude droit de sa main gauche.*
- Individu impulsif qui commence tout mais ne finit jamais rien.

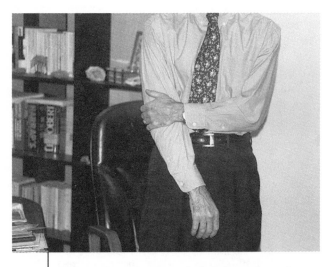

Debout, il/elle agrippe son coude droit de sa main gauche.

- *Debout, il/elle agrippe son coude gauche de sa main droite.*
- Il/Elle craint d'être victime de ses mécanismes de pénalisation pour toutes les fautes imaginaires qu'il/elle s'attribue.

■ *Il/Elle repose son coude droit dans la paume de sa main gauche.*

● Geste efféminé mis en scène avec beaucoup de naturel par Michel Serrault dans La Cage aux folles, il trahit une peur viscérale du changement.

■ *Il/Elle repose son coude gauche dans la paume de sa main droite.*

● Peur irrationnelle de l'échec.

■ *L'avant-bras gauche est posé sur les cuisses comme une barre transversale de soutien, le coude droit calé dans la paume de la main gauche, la joue droite est soutenue par la main correspondante ou la figure inverse.*

● Cette attitude gestuelle complexe traduit une implication sans réserve. Elle est souvent reproduite par des supporters passionnés par une rencontre sportive.

■ *Il/Elle appuie son front contre le pouce et l'index tendus de l'une de ses mains, coude en appui, dans une attitude d'intense réflexion. Les autres doigts sont repliés.*

● L'attitude révèle un esprit peu porté sur une réflexion créative mais plutôt stéréotypé et nourri exclusivement de ses préjugés.

■ *Coude en appui, ses doigts sont repliés contre sa joue, excepté l'index, collé à l'oreille, qui pointe vers le crâne.*

● Il/Elle semble réfléchir intensément à vos propos alors qu'il/elle cherche en réalité un moyen de s'éclipser.

Couple (Langage gestuel du). Action motrice. Tout se rapporte à un problème de latéralité ! La partie corporelle droite de l'homme droitier est identifiée à l'image paternelle. La partie gauche, à l'image maternelle. C'est la règle élémentaire d'observation dont il faut essentiellement tenir compte pour décoder le niveau d'affection qui lient ou délient les amants. Les gestes décrits concernent de couples en mouvement ou en position debout, côte à côte.

■ *L'avant-bras de l'homme est posé en équilibre instable sur l'épaule de sa partenaire, la main dans le vide.*

● Signe de non engagement.

■ *L'homme donne le bras à sa partenaire.*

● Il affiche un sentiment d'insécurité.

- *La femme donne le bras à son partenaire.*
- Elle affiche un sentiment d'appartenance.
- *La main droite de l'homme est accrochée au cou de sa partenaire.*
- Geste typique d'un tempérament possessif et autoritaire.
- *La main gauche de l'homme est accrochée au cou de sa partenaire.*
- Il manifeste un besoin de fusion affective.
- *Les doigts du couple sont entrelacés.*
- Ce geste exprime un besoin de se rassurer mutuellement sur les sentiments éprouvés.
- *La main droite de l'homme enveloppe l'épaule droite de sa partenaire.*
- C'est une attitude protectrice paternaliste.
- *La main gauche de l'homme enveloppe l'épaule gauche de sa partenaire.*
- C'est une attitude protectrice maternante.
- *La main de l'homme est posée sur les fesses de sa partenaire.*
- Il suggère que ses sentiments passent par une entente sexuelle préalable.
- *La main de la femme est glissée dans la poche arrière du jeans de son partenaire.*
- Elle suggère la même chose.
- *La main droite de l'homme prend la main gauche de sa partenaire.*
- Il recherche une complicité tout en affirmant son rôle dominant.
- *La main gauche de l'homme prend la main droite de sa partenaire.*
- Il attend qu'elle le sécurise sur le plan affectif.
- *La main de l'homme se réfugie dans la paume gauche de sa partenaire.*
- Il confond sa mère et sa partenaire.
- *La main de l'homme se réfugie dans la paume droite de sa partenaire.*
- La femme domine le couple.
- *La main de l'homme enlace manifestement le galbe de la poitrine de sa partenaire.*
- L'attitude est réductrice ! Il réduit sa partenaire à un objet sexuel dont les seins représentent le bristol visible et dont il tire une fierté, et qu'en général elle ne dissimule pas.

- *Le bras de l'homme enlace la taille ou le bassin de sa partenaire.*
- Il situe le niveau de sa relation amoureuse.
- *L'homme et la femme se tiennent mutuellement par le bassin ou la taille.*
- Même combat que pour l'attitude décrite ci-dessus.

Craquer (les articulations). Action motrice. Un moyen comme un autre de se débarrasser d'un stress en le faisant endurer à l'entourage. Les individus qui jouent à ce jeu sont curieusement de grands amateurs de films gore.

Cravate. Objet incorporé. Accessoire vestimentaire hautement symbolique du standing social, la cravate partage le tronc en deux parties égales. Elle est la glotte bis du statut masculin. Le fait de rectifier ponctuellement sa position appartient au registre des gesticulations associées à un climat mental anxieux et un besoin de toilettage.

- *Il attrape sa cravate et la lisse de la pince pouce-index.*
- Il envisage de changer de camp ou de credo !
- *Il remet constamment le nœud de sa cravate en place.*
La situation qu'il vit chahute sa confiance en soi.
- *Il ressent toujours le besoin de desserrer son nœud de cravate en réunion.*
- Il craint de perdre la main, son territoire ou son autorité.
- *Il n'arrête pas de triturer sa cravate.*
- Souvenez vous d'Oliver Hardy, le gros ! Il s'agit d'un geste décalé destiné à faire rire. En fait, ce code trahit un besoin de plaire ou de séduire.

Crayon. Objet incorporé. Voir aussi *Stylo*. À l'instar de la cigarette, le crayon ou le stylo à bille sont un onzième doigt dont le rôle consiste à rassurer le locuteur, à la manière de la tétine de l'enfant.

- *Il/Elle lève son stylo pour remettre son interlocuteur à sa place.*
- Le stylo préfigure, ici, le fouet destiné à flageller l'impudent. Votre interlocuteur/trice cache sa susceptibilité sous un vernis de fausse bonne humeur.

- *Il/Elle serre son stylo en travers de sa paume, le bloquant inévitablement avec son pouce tout en se justifiant.*
- Celui/celle qui a besoin de conserver un stylo dans la main pour donner du poids à son discours révèle ainsi son degré d'intolérance.
- *Il/Elle mordille son crayon.*
- À chacun sa tétine quand l'angoisse montre le bout de son nez.
- *L'air renfrogné, voire buté, il/elle torture deux crayons de sa main gauche ou droite.*
- Geste typique de rage contenue ! Il/Elle s'est probablement emparé de deux crayons à la fois pour éviter de les briser.

Crise (Gestes en communication de). Action motrice. Toute attitude gestuelle significative est toujours prédictive. Elle annonce un changement de climat mental de l'interlocuteur bien avant que ce dernier ne prenne conscience de son attitude oppositionnelle. En situation de négociation, la compréhension des signes annonciateurs d'un revirement des positions de l'adversaire est un véritable moyen préventif. Il permet, soit d'orienter le débat, soit de se retrancher sur une position de repli tactique pour éviter l'affrontement. Gestes signifiants et gesticulations insignifiantes qui animent le corps sont une traduction, en temps réel, des mouvements incessants de la pensée manipulée par l'émotion. Cette vision de la communication à deux vitesses peut se traduire ainsi : « Un échange verbal, ce sont deux inconscients qui s'épient à l'insu des consciences qui s'expriment. »

Le dialogue gestuel d'un couple en crise ressemble à s'y méprendre à une scène de théâtre muet dans laquelle prolifèrent les gestes décalés par rapport au discours. Il est relativement aisé de mesurer le niveau des sentiments qui lient un couple qu'on croise dans la rue ou qu'on peut observer à loisir dans un restaurant. Les refrains gestuels, les attitudes corporelles récurrentes qui représentent le substrat de leur communication infraverbale sont facilement identifiables. Ce qu'on sait moins, c'est qu'il existe aussi des attitudes corporelles qui permettent de désamorcer ces situations de crise et favoriser ainsi un rapprochement entre les conjoints, sans qu'un mot ne soit exprimé. Il n'y a aucune communion gestuelle dans le style du miroir. Chacun produit généralement le geste antithétique de l'autre. *Pierre croise les doigts sur sa nuque tout en basculant sa chaise en arrière. Il fait semblant d'écouter Marie, sa compagne depuis des lunes, qui lui raconte par le menu les dernières facéties de ses collègues de bureau. Marie entortille sa jambe gauche dans sa jambe droite sans y prêter attention. Son discours non verbal inconscient pourrait se traduire de la manière suivante : « Je voudrais que tu me remarques, que tu m'écoutes, que tu t'occupes de moi. J'ai besoin de ta tendresse... » Pierre est agacé mais il ne peut l'exprimer verbalement. Son attitude gestuelle parle pour lui. Si les consciences de nos deux protagonistes ignorent superbement les messages respectifs de leurs corps, les inconscients ne se gênent pas pour exposer les racines d'un conflit en devenir. Pierre et Marie finiront par perdre de vue l'essentiel de ce qui constituait leur couple. L'homme a bien remarqué que sa compagne entortillait ses jambes quand elle lui adressait la parole. La femme a constaté que son compagnon croisait souvent ses doigts sur sa nuque quand elle tentait de l'intéresser avec l'histoire de son quotidien. Mais comment pourraient-ils se comprendre au-delà des mots ? Comment s'imaginer que ces attitudes sont des signaux-barrière ? Pourtant tout le monde vous dira que Pierre et Marie forment un couple aussi uni que les doigts de la main. Qui oserait dire le contraire ? Ils sont toujours si amoureux l'un de l'autre... en public.*

Croiser. Action motrice. L'action de croiser les doigts, les jambes, les bras traduit un besoin de se protéger contre ses angoisses ou celles des autres. Une manière de les fuir sans obligation de bouger, tout en se refermant comme une huître.

On songe immédiatement au bon élève qui croise sagement les bras pour exprimer sa soumission à l'autorité (l'instituteur). Le croisement des bras est un code gestuel générique dont le sens varie suivant le contexte de sa production.

C'est un geste pare-chocs dans tous les cas de figure. Personne ne croise les bras en toute liberté ! Essayez et vous constaterez que, soit votre bras gauche couvre le droit, soit votre bras droit couvre le gauche. Il vous sera d'ailleurs impossible d'en changer sans devoir vous y reprendre à plusieurs reprises. Si vous êtes gauche sur droite, vous êtes quelqu'un de prudent, vous réfléchissez avant d'agir. Droite sur gauche, vous êtes audacieux ou combatif, vous suivez votre instinct et agissez souvent avant de réfléchir.

L'enfermement du thorax ôte à l'individu toute possibilité de communication sociale ou affective vers l'extérieur. C'est un refrain gestuel typique de protection du territoire corporel. Il y aurait six manières différentes, au moins, de croiser les bras. En fait, il en existe bien plus si l'on considère le croisement des bras dans ses diverses manifestations. Les bras croisés apparentés à l'image scolaire de l'enfant sage sont un geste censé apaiser la révolte qui gronde au sein de la classe. Il faut verrouiller de manière la plus hermétique possible le besoin de liberté de l'enfant en lui imposant une attitude caractéristique proche de l'enfermement. Ce faisant, on introduit un automatisme de protection dont l'adulte se servira involontairement pour signaler sa soumission à son interlocuteur. Cette pseudo-soumission est souvent additionnée d'un refus du dialogue et d'un sentiment de méfiance clairement affiché. L'attitude en question est aussi polluante pour le climat mental que le fait de croiser les jambes à tout bout de champ l'est pour les chaînes musculaires de la partie inférieure du corps. On constate que cette posture est souvent absente du langage gestuel des artistes, des créatifs. En tout état de cause, quand il vous arrive de croiser les bras alors que votre entretien semble se dérouler dans les meilleures conditions possibles, redoublez de vigilance. Votre inconscient vous signale qu'une fausse note s'est glissée dans vos rapports.

Elle croise les bras, mains à plat contre les flancs.

- *Elle croise les bras, mains à plat contre les flancs.*
- Ce type de posture révèle un besoin d'être reconnue affectivement, que ce soit sur un plan purement amical ou plus intime.
- *Il/Elle croise les bras en pinçant fortement ses biceps.*
- Le fait de se pincer est une manière de demeurer vigilant.
- *Il croise les bras, la main gauche agrippe le biceps droit et la main droite se cache sous le biceps gauche, contre la poitrine (et vice versa).*
- Vigilance pour une main et dissimulation pour l'autre. Il est totalement réfractaire à vos suggestions.
- *Bras croisés, la main droite agrippe le coude gauche et la main gauche enveloppe le biceps droit (et vice versa).*
- Le déséquilibre des prises est une manière d'exprimer inconsciemment son manque de conviction.
- *Il/Elle enveloppe ses coudes lorsqu'il croise les bras.*
- Il/Elle vous signifie ainsi que vous vous donnez beaucoup de mal pour rien. Attitude typique de protection du territoire.

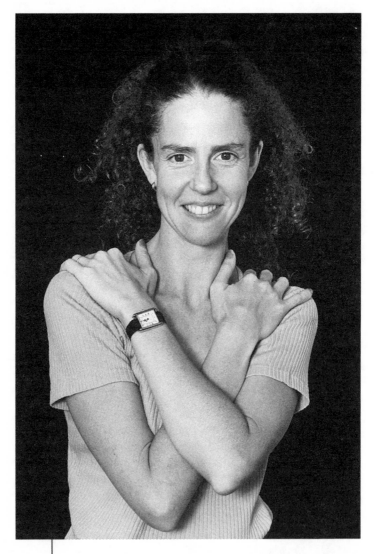

Il/Elle croise ses bras contre la poitrine, ses mains s'accrochent aux épaules comme dans un geste de pudeur d'une femme surprise à moitié nue.

- *Il/Elle croise les bras en serrant les poings contre ses flancs.*
- Le simple fait de serrer les poings dans un cadre professionnel est en soi un signe d'agressivité latente.
- *Il/Elle croise ses bras contre la poitrine, ses mains s'accrochent aux épaules comme dans un geste de pudeur d'une femme surprise à moitié nue.*
- Dans un contexte banal, cette séquence gestuelle révèle que votre interlocuteur tire parfois des plans sur la comète. S'il prête foi à votre discours, il vous appuiera sans réserve et sans en mesurer les conséquences éventuelles.

  Dans un contexte de séduction, il s'agit pour une femme d'une invite sans détour adressée à l'homme qui lui fait face. Les bras préfigurent ceux de son interlocuteur.
- *Il pince son biceps gauche de la main droite tout en croisant les bras.*
- Cette attitude exprime un sentiment d'infériorité.
- *Il pince son biceps droit de la main gauche, bras croisés.*
- Attitude craintive. Il retient symboliquement la force de son bras moteur, geste qui exprime une crainte ou un découragement.

Cuillère. Objet incorporé. Si vous avez l'habitude de tourner votre cuillère dans une tasse de café de la main gauche, vous utiliserez rarement la main droite et vice versa. Mais dans quel sens tourne votre cuillère ? Dans le sens des aiguilles d'une montre ou dans le sens contraire ? Six cas de figure classiques se présentent :

- *Il/Elle tient sa cuillère de la main gauche et tourne dans le sens contraire des aiguilles d'une montre.*
- Ce code gestuel est révélateur d'un tempérament sceptique.
- *Il/Elle tient sa cuillère de la main gauche et tourne dans le sens des aiguilles.*
- Ce geste trahit un individu sensible interpellé par l'aspect esthétique ou intellectuel de son environnement.

- *Il/Elle tient sa cuillère de la main droite et tourne dans le sens contraire des aiguilles.*
- Il s'agit d'un créatif contrarié que son instinct dirige souvent sur une voie de garage.
- *Il/Elle tient sa cuillère de la main droite et tourne dans le sens des aiguilles.*
- La personne sait ce qu'elle veut et où elle va.
- *Il/Elle fait tourner machinalement le manche de sa cuillère entre son pouce et son index gauches ou droits tout en remuant son café.*
- Personne au tempérament autoritaire, investie dans son besoin de contrôler les événements ou d'en diriger les conséquences.
- *Il/Elle remonte et redescend la cuillère dans la tasse de café, comme s'il s'agissait d'une pelleteuse.*
- Personne au tempérament exigeant et insatisfait par définition de tous les « plus » qui concurrencent le « bien assez bon » auquel elle se raccroche.

Cuisse. Site anatomique. Zone érogène par excellence, les gestes impliquant les cuisses entraînent parfois une traduction de type sexuel. La recherche du plaisir est privilégiée par l'individu qui entretient une relation gestuelle particulière avec cette partie de son corps. Les enfants non pubères affectionnent cette zone corporelle. Ils s'endorment volontiers en insérant entre leurs cuisses leurs mains pressées l'une contre l'autre. Selon Desmond Morris, il s'agirait là d'un code gestuel destiné à protéger l'enfant de son complexe de castration ; il y aurait beaucoup à dire sur le sujet. Il n'en reste pas moins que les cuisses sont des zones érogènes avant de se transformer en valeurs refuges. Mais les cuisses ne sont pas uniquement les ambassadrices de nos plaisirs charnels. Peut s'en faut ! Dans le contexte d'une négociation, elles auraient plutôt tendance à sous-entendre que la rencontre est mal engagée. Si votre interlocuteur, en position assise, a pour habitude de poser ses mains sur ses cuisses ou sur l'une d'elles, de les serrer dans les pinces pouce-index dans le cadre d'un entretien, prenez garde ! Sachez qu'il s'agit-là d'attitudes de rejet ou de refus.

La cuisse droite est le siège de la méfiance, quand elle surplombe la jambe gauche et que votre interlocuteur plonge une main entre ses jambes, il vous signale qu'il se méfie de vous. La cuisse gauche est le siège de l'échec. La cuisse gauche est fortement sollicitée pour exorciser la peur de l'échec. Dans le cas d'un croisement de la cuisse gauche sur la droite accompagné d'une main glissée entre les deux, votre interlocuteur confirme sa peur d'échouer en tentant de conjurer ce sentiment à l'aide de ce geste purement rituel.

- *Votre interlocuteur étrangle ses cuisses de ses deux mains, en position assise.*
- En gros, il s'agit d'un individu qui se frustre plus facilement de son plaisir qu'il ne songe à le prendre.
- *Votre interlocutrice droitière, assise, croise une jambe sur l'autre tout en glissant l'une de ses mains entre ses cuisses.*
- Attitude fondée sur un sentiment d'instabilité ou une impossibilité de maîtriser la situation dans laquelle elle se trouve. Il se peut aussi que sa volonté ou ses espoirs soient tendus vers un objectif complètement utopique. Elle attend, cependant, de votre part une potion magique ou une solution qui lui permettrait de se rassurer quant à la réalisation de ses rêves. S'il s'agit d'un sujet masculin, cette posture trahit un tempérament immature ou une incapacité de maîtriser une situation de stress ponctuel du type situation d'examen. Il se peut également que votre interlocuteur confirme sa peur d'échouer en tentant de conjurer ce sentiment à l'aide de ce geste purement rituel.
- *Il est assis, les pieds à plat sur le sol, les bras en torsion en appui sur les cuisses, les mains à l'envers (doigts tournés vers l'intérieur des cuisses et pouces à l'extérieur) enserrent les cuisses.*
- Le geste évoque une posture de détente soudaine, comme s'il n'attendait qu'une occasion pour bondir que son adversaire. Il vous trouve envahissant. Il se peut aussi qu'il soit simplement jaloux de votre prestige. L'attitude est aussi oppositionnelle qu'envieuse. On la remarque souvent chez des subalternes qui entretiennent avec leurs supérieurs hiérarchiques des rapports pseudo-amicaux.

Curer (Se). Action motrice. Conduite de toilettage dont l'objectif inconscient consiste à se débarrasser de ses pensées « impures » dites aussi psychotoxiques.

D comme...

Debout. Action motrice. Les bureaux de poste, les comptoirs de bistrot ou les guichets de banque sont un champ d'observation idéal pour examiner les multiples attitudes gestuelles de ceux auxquels on demande de la patience, encore de la patience, toujours de la patience. Il est difficile d'imaginer à quel point le simple fait de se tenir en équilibre sur ses pieds est un exploit en soi. Avez-vous jamais comparé la surface qui supporte le corps par rapport au volume total de celui-ci ? Il existe nettement moins de manières de rester en équilibre sur ses deux pieds que de s'asseoir tant il est vrai que la position assise tend à prendre l'avantage sur la station verticale, d'une part. D'autre part, le registre professionnel favorise la position assise au détriment de l'effort sportif que représente de nos jours la station verticale.

- *Votre interlocuteur, debout, appuie régulièrement son bas-ventre contre le bord de la table ou du bureau qui vous sépare, tout en conservant son équilibre en prenant appui sur ses mains.*
- Ce type d'attitude trahit une motivation frauduleuse.
- *Il est debout en danseuse, l'une de ses jambes croise le muscle jambier de l'autre et repose sur la pointe du pied.*
- Elle est fréquente chez des individus qui passent leur temps à dissocier l'être du paraître ou à fausser les règle du jeu. C'est-à-dire, beaucoup de monde ! Attitude corporelle typique des consommateurs de bistrot qui s'appuient sur le comptoir pour assurer leur équilibre. La différence entre la gauche et la droite n'est pas vraiment significative. Nous adoptons tous ce genre de posture quand un sentiment d'angoisse se manifeste, comme si nous recherchions un équilibre sur le plan physiologique, qui nous manque momentanément sur la plan mental. Il est remarquable de constater que ce type de posture typiquement masculine se manifeste aussi quand un individu s'ennuie.
- *Debout, il inverse la position de ses jambes tout en les croisant, pieds à plat sur le sol. Il s'appuie éventuellement contre un mur ou un parapet pour conserver son équilibre.*
- Signe de timidité constitutionnelle de la personnalité. Cet individu est un grand timide.

- *Il se tient debout en appui contre un mur, jambe gauche ou droite repliée pied à plat contre le mur.*
- Indicateur d'un tempérament craintif.
- *Elle est debout, ses pieds forment un angle droit sur le sol, le talon de l'un tourné vers la voûte plantaire de l'autre.*
- Reproduit par une femme, ce code gestuel est un signal de disponibilité amoureuse, même si la demoiselle est accompagnée.

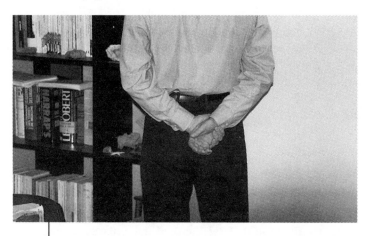

Il est debout et croise ses mains dans son dos, tout en continuant à vous parler ou à vous écouter.

- *Il est debout et croise ses mains dans son dos, tout en continuant à vous parler ou à vous écouter.*
- Il est très, très mal à l'aise ou mal dans sa peau. On ne cache jamais ses mains quand tout est le pour le mieux dans le meilleur des mondes.

Décalé (Geste). Thème gestuel. Le décalage gestuel s'observe surtout dans des situations de stress intense. Les gestes ne sont plus appropriés au discours du sujet. L'effet est souvent comique à observer, même si celui qui est victime ne le vit pas tout à fait de gaieté de cœur. Les gestes décalés induisent un sentiment de mal-être qui se traduit chez les psy par la phrase : « Je me sens mal dans ma peau. » Ce sentiment de décalage entre le corps et l'esprit est un signe avant-coureur de la multiplication des gestes qui sonnent faux et du sentiment d'échec qui les accompagne.

L'humour gestuel n'est pas la grimace du clown, mais le geste en décalage avec la parole, dont les très bons comiques de scène se servent avec brio. Un exemple fameux est l'attitude corporelle adoptée par Marc Jolivet pour imiter le « gnou », sorte de nouveau beauf'.

La production de gestes en décalage intervient quand la réalité ne s'adapte plus aux désirs ou aux espoirs surinvestis du sujet observé. Le climat émotionnel chaotique exprime ainsi le sentiment d'échec qui frappe le sujet de plein fouet. Le château de cartes s'écroule, et comme la programmation gestuelle dépend étroitement du climat mental, la métamorphose non verbale qui s'opère trahit immédiatement le malaise. Le taux de gesticulation mimique augmente dans des proportions considérables, surtout au niveau du visage tandis que le corps se fige. Les bras n'interviennent plus comme inducteurs d'éloquence (effets de manche) mais se mettent à suivre le discours au lieu de le précéder, ce qui donne aux gestes un aspect de décalage. La synchronisation n'est plus assurée.

- *Il/Elle situe la droite à gauche.*
- Cette erreur de latéralité peut trahir autre chose qu'une distraction ou un simple réflexe dyslexique. Le sens de l'orientation est perturbé.
- *Il/Elle remue la tête de gauche à droite et vous répond : « Oui ! Bien entendu ! »*
- « Oui, mais non ! » Vous connaissez l'expression, je suppose ?
- *Un petit rire ponctue chacune des phrases de votre interlocuteur/trice au téléphone.*
- Cette manie courante révèle un personnage complexé et surtout incapable de s'affirmer.

Déchirer. Action motrice. Besoin inconscient d'effacer le passé alors que le fait de chiffonner correspond à un besoin de conserver ce passé après l'avoir détruit symboliquement.

Démarche. Action motrice. En observant la démarche des gens, on remarque très vite que coexistent plusieurs styles d'allure, de port ou de cadence auxquelles il faut bien ajouter la participation obligée de certaines parties du corps, les mains enfoncées dans les poches, par exemple. Nous distinguons ici la démarche de la station verticale. Notre façon de marcher est étroitement liée à notre personnalité de base. Elle peut être influencée par le contexte mais la variation n'intervient que sur la cadence et le port. Il vous est certainement arrivé de reconnaître un ami de dos rien qu'à sa démarche particulière. La démarche d'un individu est unique dans la mesure où elle demeure libre de toute entrave, de toute uniformisation ou de toute contrainte.

- *Votre interlocuteur marche les mains nouées sur son bas-ventre.*
- Cette démarche est un grand classique des attitudes d'échec. Les mains nouées sur le ventre ou plus bas (tout dépend de la longueur des bras) représentent symboliquement une entrave à la marche. Attitude corporelle courante chez les personnes retraitées ou désœuvrées, elle devient un véritable virus de l'inertie pour ceux qui le reproduisent comme un refrain gestuel.
- *Il marche en balançant exagérément les bras.*
- Le geste indique que l'individu règne sur un territoire mental exigu. Il rêve de sortir du lot ou de se faire remarquer. Cette attitude rapelle les gamins qui marchent au pas en imitant les soldats lors des défilés militaires.
- *Il/Elle marche les bras collés au corps.*
- On colle généralement ses bras au corps quand on court. D'où le besoin permanent de fuir qui tenaille la personne observée.
- *Il marche les bras croisés sur le torse.*
- Il se protège contre toute rencontre inopinée. L'enfermement est manifeste et dénote une peur latente de la foule ou des grands espaces. L'agoraphobie n'est pas absente du tableau.

- *Il/Elle donne l'impression que son corps va tomber en avant lorsqu'il/elle marche.*
  - Cette démarche révèle un personnage asocial toujours pressé d'en finir et qui rate toutes les occasions par excès d'impatience.
- *Il/Elle donne l'impression que son corps va tomber en arrière lorsqu'il/elle marche.*
  - Il/Elle progresse dans la vie à contre-courant. S'il/elle pouvait marcher à reculons, son bonheur serait complet.
- *Elle marche en se déhanchant de manière appuyée.*
  - Attitude caricaturale de séduction, évidemment ! Elle se croit irrésistible, insubmersible, irréfragable et vit pour, par, dans et à travers la galerie.
- *Il/Elle marche en jetant des regards inquiets autour de lui/d'elle.*
  - Style de démarche qui découle d'un tempérament méfiant. On dirait qu'il/elle marche la peur au ventre. C'est souvent un signe patent d'agoraphobie.
- *Il/Elle marche en regardant droit devant lui/elle, comme s'il/elle portait des œillères.*
  - Cette rigidité trahit un climat mental dépressif, voire un chagrin. Il se pourrait qu'il s'agisse d'un individu en proie à des difficultés personnelles.
- *Il/Elle marche le nez en l'air.*
  - On dit parfois de ce genre de personnage qu'il est souvent dans la lune. Les rêveurs adoptent ce genre de démarche.
- *Votre interlocuteur marche en roulant des épaules.*
  - Démarche caricaturale très prisée par les sociopathes. Ce type d'attitude réactionnelle ne se rencontre que chez certains individus frustes, pas forcément sociopathes, et qui se sentent mal à l'aise en société.
- *Il marche à vos côtés les mains accrochées dans le dos.*
  - Il promène son chien mais comme il n'en a pas, il se contente de vous écouter d'une oreille distraite. Les bras démobilisés trahissent une attitude d'indifférence.
- *Il marche au pas cadencé.*
  - Démarche d'un individu souvent bête et discipliné.

- *Il marche à vos côtés avec les poings serrés.*
- Le taux d'agressivité est refoulé et ne s'exprime qu'aux travers des poings. Un individu revendicateur, contradictoire, dialectique et forcément polémique !
- *Il marche avec les deux pouces coincés dans la ceinture de son pantalon.*
- Les pouces sont les sièges de la motivation (pouce droit) et de la créativité (pouce gauche). L'entrave des pouces signifie que ces deux fonctions émotionnelles sont pénalisées au profit de l'agressivité et de l'inaffectivité. L'attitude est aussi oppositionnelle qu'envieuse, voire asociale.
- *Il/Elle marche à vos côtés en baissant les yeux sur ses chaussures.*
- Démarche trahissant un tempérament de faux self et une tendance à vivre par procuration !
- *Il/Elle marche les bras cassés en angles droits.*
- Démarche typique des adolescentes en train de frimer devant leurs petits amis. On la retrouve chez les adultes qui ont oubliés de grandir.
- *Il/Elle marche en retenant son poignet gauche de sa main droite ou l'inverse.*
- Il/Elle se tient par la main, pour ainsi dire. Insécurisé(e), il/elle a besoin de se rassurer en mimant une scène de son enfance : sa maman ou son papa l'attrape par le poignet pour lui éviter de faire une bêtise.
- *Il marche avec les poignets cassés, dit mous.*
- Démarche caricaturale des homosexuels singeant certaines attitudes féminines tout aussi caricaturales.
- *Il marche avec une main dans la poche et fait tinter sa petite monnaie.*
- Indicateur d'une angoisse liée à la peur d'une perte financière. Les individus prodigues reproduisent souvent ce tic gestuel.

Démangeaison. Action motrice. Voir aussi *Gratter (Se)*. Le fait de se gratter fréquemment est à l'évidence un signe de tension nerveuse ou de stress. Un individu sous pression peut être pris sans préavis de démangeaisons circulaires sur toute la surface de son corps aux endroits les plus incongrus. Les barbus se grattent souvent avec un certain plaisir sans pour autant ressentir consciemment l'aiguillon de la nervosité. Ce qui ne signifie pas qu'ils sont automatiquement des individus calmes et posés. On observe également des personnes qui se grattent le cuir chevelu en signe de perplexité ou quand ils sont confrontés à un problème. Il faut savoir que la démangeaison sous-cutanée représente le signal par excellence d'une perturbation ponctuelle du climat mental, perturbation qui peut se résoudre spontanément ou se pérenniser. Dans ce dernier cas de figure, la démangeaison se réplique toujours au même endroit et devient dès lors signifiante sur le plan gestuel. C'est ainsi que les lieux de démangeaisons récurrents sont d'excellents agents d'information sur les troubles psychologiques qui altèrent la qualité de votre vie. En résumé, la démangeaison est un signal fort du système nerveux et non un simple dérèglement (sous) cutané. Or, ce système nerveux est le mode de transmission qui innerve l'entièreté du corps humain. Le psychisme s'en sert pour évacuer le stress accumulé dans le système nerveux en provoquant ces gesticulations peu élégantes que sont les grattages.

Petite information à valeur ajoutée à l'attention des lecteurs superstitieux ! Le chatouillement de la paume gauche ne signifie pas automatiquement que vous allez gagner de l'argent et celui de la paume droite que vous allez en perdre. Le chatouillement topique qu'on peut parfois ressentir dans le creux de la main ne se manifeste jamais, si la malice n'est pas convoquée par la conscience. Ainsi, le chatouillement perçu dans la paume gauche pourrait indiquer que l'inconscient cherche à affiner les perceptions esthétiques de l'individu ou sa créativité, tandis que le chatouillement dans la paume droite lui signale qu'il ferait mieux de suivre le mouvement au lieu de se révolter contre les événements qui le contrarient.

Dent. Site anatomique. Les dents sont un attribut essentiel du sourire. Pourtant peu d'individus s'en soucient vraiment, s'il faut en croire certains auteurs ; 20 % des Français ne se laveraient jamais les dents, les autres n'utiliseraient en moyenne qu'une brosse à dents et trois tubes de dentifrice par an et par habitant.

Ces informations proviennent de l'Association dentaire française qui précise qu'en Belgique et au Portugal, la moyenne par habitant est d'une demi-brosse par an. Dont acte ! Cependant, les gestes dans lesquels les dents sont associées sont significatifs et concernent souvent des individus profondément investis dans leur pouvoir de séduction, sourire oblige !

- *Votre interlocuteur aspire l'air par l'écartement de ses incisives supérieures.*
- Aspirer équivaut à absorber pour détruire. C'est un réflexe de rejet, voire un tic qui trahit un personnage présomptueux
- *Il insère ses incisives sous l'ongle de son pouce.*
- L'attitude de rejet vient de ce que le geste trahit une protrusion symbolique des dents en direction de l'interlocuteur.

Il insère ses incisives sous l'ongle de son pouce.

- *Il se cure les dents en dissimulant sa bouche d'une main pudique.*
- Manière peut élégante de faire durer le plaisir avant de vous annoncer que votre projet ne l'intéresse en aucune façon, histoire de vous faire baisser vos prétentions. L'individu qui se cure systématiquement les dents après un bon déjeuner est un manipulateur.
- *Il aspire l'air d'une dent creuse.*
- Ce tic agaçant correspond au profil d'un individu sceptique par fidélité à ses préjugés.
- *Il frotte ses dents du bout de l'index, coude en appui.*
- Ce geste trahit un individu marqué par une ambition dévorante.
- *Il tapote ses incisives du bout de l'ongle de l'index.*
- Geste typique de rejet, tout comme celui qui consiste à pianoter d'impatience sur une table. Votre interlocuteur ne vous entend plus. Il a décroché au moment même où il a commencé à s'intéresser à ses dents.
- *Il se lèche les dents du haut.*
- Attitude typique d'un individu qui n'a pas la conscience tranquille.

Il se lèche les dents du haut.

Disponibilité gestuelle. Thème gestuel. Gestes d'ouverture ou de fermeture s'opposent au discours de diverses manières. Ainsi, tout homme (droitier) dont la jambe gauche couvre la droite en situation d'échange verbal ou de séduction n'est pas disponible. Le langage des jambes est hautement révélateur du niveau d'ouverture ou de fermeture sociale ou sentimentale d'un individu. Mais les jambes ne sont pas les seuls sites anatomiques qui trahissent les sympathies ou les antipathies instinctives. Une femme peut être disponible ou se préparer à le devenir sans en avoir clairement conscience. Elle exprimera alors cette disponibilité virtuelle par une série de postures ou de gestes mécaniques parfaitement innocents à ses propres yeux, comme le fait de « masturber » une bouteille de Coca Cola ou son verre de scotch les yeux dans le vague et l'esprit dans les nuages ou encore de présenter son profil gauche de trois quart à un inconnu qui l'observe un peu trop attentivement. Deux manières parmi des centaines d'autres de signaler que le feu est passé au vert ou que cela ne saurait tarder.

Il existe bien entendu des invitations directes à figurer sur le carnet de bal d'une belle inconnue : le regard appuyé qui ne se dérobe pas en cas de confrontation visuelle, ou encore le sourire « Pepsodent » en voie d'apparition. Tout est dans la subtilité du geste, l'évanescence de la posture, l'apparence générale ou les signaux vestimentaires. Sans vade-mecum non verbal, vous passerez à côté de vos chances sept fois sur six. Car la disponibilité de cet(te) inconnu(e) qui vous fait craquer est parfaitement extemporanée. Elle ne dure parfois que quelques secondes pendant lesquelles tout peut basculer. Vous hésitez, le temps d'un battement de cils et l'huître se referme. Le geste d'invite subtil disparaît au profit d'un signal barrière pur et dur. Elle sait ce qu'elle veut : vous ! Mais vous n'avez pas été assez attentif pour décrypter le message.

— DIGITAL TEST —

Comment évaluer la force digitale des différentes composantes du psychisme ? En utilisant tout bêtement un pèse-personne ! Il s'agit là d'un moyen idéal de mesurer l'état des différentes composantes du climat mental sur le plan professionnel (voir *Doigt* ci-après).

Vous le posez sur une table, vous vous asseyez et vous appuyez chacun de vos doigts sur la balance sans prendre appui sur la table. Notez le poids que vous obtenez pour chaque doigt.

Les correspondances idéales sont les suivantes : les pouces valent 1 ; les index valent 0,7 ; les majeurs 0,8 ; les annulaires 0,5 et les auriculaires 0,3. Ce qui signifie que la force d'un auriculaire doit normalement représenter 30 % de celle du pouce. Si la force de poussée de votre pouce droit représente 10 kilos, le score normal de votre auriculaire droit devrait être de 3 kilos. Si vous dépassez ce score, vous êtes plus ambitieux que la moyenne, si la force de votre auriculaire droit est plus ou moins égale à 3 kilos, vous êtes normalement concerné par votre avenir professionnel. Si ce score est inférieur, vos ambitions professionnelles sont plutôt derrière vous. Et ainsi de suite avec tous les doigts et leurs traductions symboliques.

Digitale (Symbolique). Thème gestuel. Voir aussi *Doigt*. Étant donné l'hyper-spécialisation dont sont dotés nos doigts, il était fatal qu'on cherche à leur attribuer une symbolique associée aux caractéristiques psychologiques majeures du tempérament. Ces attributions sont évidemment empiriques et ne sauraient être acceptées au pied de la lettre. Elles sont la conséquence d'observations dont j'ai extrapolé le sens en écoutant mes patients, vingt années durant, sur les deux plans d'analyse verbale et non verbale.

- L'AURICULAIRE GAUCHE OU DOIGT N° 1
  Doigt de poids du passé et de l'enfance, de la nostalgie et du besoin de régresser.
- L'ANNULAIRE GAUCHE OU DOIGT N° 2
  Doigt de l'implication vitale ou de l'investissement socio-affectif.

- LE MAJEUR GAUCHE OU DOIGT N° 3
  Doigt de l'image de soi et de l'hérédité.
- L'INDEX GAUCHE OU DOIGT N° 4
  Doigt du territoire, du pouvoir maternel, de la possession ou de la jalousie.
- LE POUCE GAUCHE OU DOIGT N° 5
  Doigt de la créativité, du potentiel imaginaire et du degré de sensualité.
- LE POUCE DROIT OU DOIGT N° 6
  Doigt de la motivation et de la sexualité.
- L'INDEX DROIT OU DOIGT N° 7
  Doigt du pouvoir paternel, de la maîtrise de soi, de l'autorité.
- LE MAJEUR DROIT OU DOIGT N° 8
  Doigt des automatismes, de l'organisation mentale et/ou intellectuelle.
- L'ANNULAIRE DROIT OU DOIGT N° 9
  Doigt des schémas volontaires et de la colonne vertébrale.
- L'AURICULAIRE DROIT OU DOIGT N° 0
  Doigt des ambitions, de l'avenir et du besoin de progresser.

Doigt. Site anatomique. Voir aussi *Digitale (Symbolique)*. Sans les doigts, les mains n'existeraient pas. Et où en serions-nous, en termes d'évolution ? Le langage des doigts est incontestablement le plus riche de tout le langage gestuel. De l'auriculaire au pouce en passant par toutes les combinaisons possibles de deux ou trois doigts associés, les gestes digitaux se déclinent à l'infini ou presque.

- *Votre interlocuteur, coudes en appui, presse les pulpes de ses doigts les unes contre les autres en forme de toit immobile.*
- Séquence gestuelle à la mode chez les politiciens et les personnes ambiguës qui font semblant de comprendre ce qu'ils ignorent.
- *Il joint les pulpes des doigts tout en vous parlant et agite ses mains dans votre direction.*
- Il aime jouer au petit professeur ou à l'étudiant pénétré de connaissances qu'il maîtrise mal ou pas du tout.

- *Il joint les pulpes de ses doigts tournés vers l'avant, pouces vers le haut.*
- Révisionnisme et langue de bois, tel est le sens synthétique de ce geste particulier et surtout très politique. Quand un tribun écarte les paumes pulpes jointes, cela signifie qu'il parle sans filet d'un sujet qu'il ne maîtrise pas ou qu'il tente de noyer le poisson.
- *Les pulpes de ses doigts dirigés dans votre direction se touchent comme l'ossature d'une calandre automobile.*
- La consistance de ses idées est certainement aussi virtuelle que la couche d'air qu'il tient entre ses mains. Ce geste symbolise l'aspect désossé de son discours.
- *Il joint la pulpe de ses index et de ses pouces en extension.*
- Geste tabou d'un inconscient sexiste qui préfigure le graveleux vis-à-vis du sexe féminin.
- *Il/Elle claque (ou fait mine de claquer) des doigts de manière compulsive.*
- Ce geste trahit le tempérament obsessionnel d'un individu agacé.
- *Il/Elle appuie ses paumes sur ses cuisses, en position assise, tandis que ses doigts sont recroquevillés.*
- Le geste signifie insignifiance. Il révèle aussi un sentiment de frustration indéracinable. Les doigts qui s'effacent indiquent une oblitération de la personnalité et des potentiels de l'individu. Les mains retrouvent leur fonction animale, pour ainsi dire.
- *Il/Elle emprisonne deux, trois ou quatre doigts de son autre main.*
- Il s'agit d'un geste décalé venant d'un personnage qui ne l'est pas moins. Ce code gestuel révèle un manque d'affirmation de soi, les doigts prisonniers ne sont qu'une représentation symbolique du climat mental qui prévaut dans l'esprit du sujet. C'est le genre de geste qu'affichent les comiques pour mimer les personnages en pleine régression.

- *Il/Elle replie l'index, le majeur et l'annulaire tout en tendant le pouce et l'auriculaire vers l'extérieur comme s'il/elle mimait une conversation téléphonique.*

- La capacité d'investissement, l'image de soi et le sens du territoire s'effacent au profit d'une créativité immature.

- *Les doigts de votre interlocuteur/trice tambourinent sans cesse sur la table.*

- Ce geste indique bien entendu qu'il/elle est toujours très pressé(e) de ne pas aboutir.

- *Il/Elle rassemble ses doigts de l'une ou l'autre main (ou des deux) en faisceau pour appuyer ses arguments.*

- Geste rituel répété par de nombreux politiciens, il marque une idée de rassemblement des moyens mis en œuvre pour aboutir au résultat.

- *Il tend trois doigts à plusieurs reprises pour poser ses questions, auxquelles il répondra lui-même évidemment.*

- Geste immature (l'auriculaire et l'annulaire sont rétractés) et surtout complètement décalé par rapport à l'intervention. Il exprime un sentiment de panique de la part d'un politicien partisan, incapable de nuancer son propos et d'accepter le débat avec un adversaire.

- *Il/Elle accroche ses doigts à la manière d'un engrenage.*

- Il s'agit d'un geste défensif et de protection du territoire qui révèle aussi un personnage contraignant à l'esprit polémique, voire tordu, qui affronte ses adversaires pour se faire étriper.

- *Il/Elle lève la main droite ; le pouce, l'index et l'auriculaire sont tendus comme une griffe de jardin ; le majeur et l'annulaire sont repliés.*

- Geste mystique ! Il/Elle voue son adversaire aux Gémonies.

- *Il/Elle pose les index et majeurs tendus en travers de sa bouche, les annulaires et auriculaires croisés.*

- Geste redoutable du débatteur qui cherche l'ouverture pour abattre son adversaire en le ridiculisant.

- *Il/Elle croise et décroise les doigts en contact à plusieurs reprises, les pouces toujours écartés.*

- Ce refrain gestuel est fortement prisé par tous les coupables qui se retirent derrière l'appareil pour motiver leurs actes. Geste limitant comme les mailles d'un filet dont ils se sentent prisonniers mais dont ils s'accommodent sans trop de scrupules.

Il/Elle croise et décroise les doigts en contact à plusieurs reprises, les pouces toujours écartés.

- *Il/Elle, coudes en appui, croise ses doigts devant sa bouche, les pouces côte à côte appuyés sur ses lèvres.*
- L'appui des lèvres sur les pouces est une marque d'affection symbolique. Le personnage est plutôt expansif et aussi malicieux.
- *Coudes en appui, il/elle presse ses paumes l'une contre l'autre, les doigts accrochés en épi.*
- Le geste est remarquable en ce sens qu'il trahit un individu tortueux.
- *Il/Elle entrecroise ses doigts en forme de herse, doigts tendus.*
- Le manque de franchise est ce qui caractérise le plus le sujet qui reproduit souvent ce code gestuel, très prisé des politiciens, par ailleurs. Geste pare-chocs ; la herse est difficile à franchir au propre comme au figuré.

Il/Elle, coudes en appui, croise ses doigts devant sa bouche,
les pouces côte à côte appuyés sur ses lèvres.

- *Ses doigts tendus sont entrecroisés horizontalement sous son menton formant une passerelle, les paumes dans le prolongement des doigts soulignent son visage sans le toucher expressément, coudes en appui.*
- Dans un contexte de séduction, c'est une attitude typique de mise en valeur du visage. Dans tout autre contexte, ce geste indique un personnage prétentieux, superficiel et quelque peu excentrique.
- *Votre interlocuteur assis entrecroise ses doigts sur sa tête dans l'attitude du potache puni ou du prisonnier.*
- L'attitude est oppositionnelle et non soumise comme on pourrait le croire.

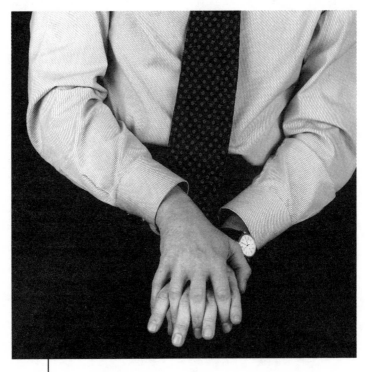

Il appuie ses doigts tendus sur la table, ses paumes dans le vide.

- *Debout, il croise ses doigts contre son ventre, paumes orientées comme s'il allait vous faire la courte échelle.*
- La courte échelle qu'il vous suggère ne servira qu'à une seule personne : lui en personne ! C'est un opportuniste et un imprudent.
- *Il appuie ses doigts tendus sur la table, ses paumes dans le vide.*
- Votre interlocuteur est sous pression.
- *Il croise ses doigts en mâchoires, pouces écartés.*
- Ce code gestuel trahit un individu psychorigide.
- *Il croise ses doigts, index pointés en avant et collés l'un à l'autre.*
- Geste inattendu trahissant un donneur de leçons capable de couper les cheveux en quatre dans le sens de la longueur.
- *Le croisement des doigts ressemble à un bouclier intégral, pulpes collées des pouces en triangle.*
- Le maillage des doigts est un véritable geste pare-chocs ou geste de refus. Ce code gestuel dresse une barrière de défense entre son point de vue et le vôtre.

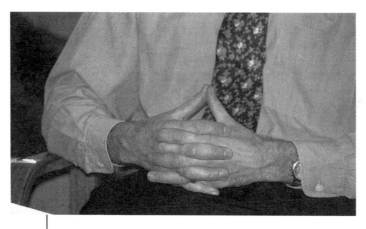

Le croisement des doigts ressemble à un bouclier intégral, pulpes collées des pouces en triangle.

- *Il énumère ses conditions à partir de l'auriculaire droit en se servant du pouce ou de l'index.*
- Ce mode d'énumération trahit l'arriviste surinvesti dans ses ambitions.
- *Il énumère à partir de l'auriculaire gauche en se servant du pouce ou de l'index.*
- Il tente d'influencer votre intelligence émotionnelle.
- *Il énumère à partir du pouce gauche en se servant de l'index droit.*
- Ses arguments ne tiennent pas la route.
- *Il énumère à partir du pouce droit en se servant de l'index gauche.*
- Il est très motivé à vous persuader
- *Il énumère à partir du majeur droit vers le pouce en se servant du pouce ou de l'index gauche.*
- Il tente de réorganiser sa pensée.
- *Il énumère à partir du majeur gauche vers le pouce en se servant du pouce ou de l'index droit.*
- Il fonde sa conviction sur ses connaissances ou ses préjugés.

Dos. Site anatomique. Le dos est le siège de toute sensibilité amoureuse, mais aussi de la capacité de s'impliquer dans une passion. Un dos dont on souffre est un signal qu'il ne faut jamais négliger. Il signifie que « vous en avez plein le dos » de votre situation actuelle. C'est somme toute un signal de frustration pur et dur.

- *Votre interlocuteur/trice appuie souvent sa main droite dans le bas de son dos.*
- Fils d'un mariage de raison entre ses préjugés et ses idées préconçues, il/elle ne vous suivra jamais au-delà de ses convictions. Immobiliste par vocation, la personne se méfie toujours de la nouveauté et se montre peu coopérative dès qu'il faut collaborer à un nouveau projet.
- *Il/Elle appuie souvent sa main gauche dans le bas de son dos.*
- Soit il/elle souffre de douleurs lombaires, soit il/elle fait semblant de vous écouter pour vous donner le change.

- *Il/Elle appuie ses deux mains dans le bas de son dos.*
  - Soit il/elle souffre d'une lombalgie, soit il/elle en a littéralement plein le dos de votre présence, surtout si le geste perdure.
- *Il/Elle vous adresse la parole en vous tournant le dos.*
  - Il/Elle refuse de vous voir mais accepte de vous parler, comme si vous n'étiez que le dernier des larbins. Signe de mépris de sa part, cette attitude a au moins l'avantage de permettre au visiteur de s'éclipser sans un mot d'excuse ou sans un au revoir.
- *Il envoie une tape d'encouragement dans le dos de son interlocuteur.*
  - « Touchez ma bosse, Monseigneur ! Ça porte bonheur ! » Taper dans le dos de quelqu'un pour l'encourager n'est que le sens premier du geste. Ce contact amical n'est pas désintéressé puisqu'il permet à celui qui en fait usage de subtiliser un peu de bonne fortune à celui qui est censé la recevoir du destin. Par voie d'extension, tous les gestes de contact associés à un esprit d'encouragement procèdent du même intérêt, même s'il est inconscient. La superstition a la vie dure !

Drague (Gestes de la). Thème gestuel. Il existe certaines postures gestuelles qu'il est utile de mémoriser. Elles mettent en valeur le visage ou le corps, révélant les atouts plastiques. Si vous voulez séduire, ne comptez pas trop sur votre beauté sauvage ou les produits de beauté qui dissimulent les petites imperfections. Les gestes décalés vous trahiront au moment le plus stratégique. Apprenez à bouger selon les règles de la séduction ! Ne craignez pas d'exagérer certains gestes qui vous plairont, tant il est vrai qu'il vaut mieux sonner faux que de ne pas sonner du tout. Et puis, tout geste est artificiel tant qu'il n'est pas devenu naturel. Et comment pourrait-il le devenir sans l'aide d'un apprentissage ?

Les gestes sont les notes d'une mélodie corporelle. Les paroles ne suffisent pas, et la beauté innée n'est qu'une image d'Épinal sans l'appui de l'harmonie gestuelle. Parlant de l'amour, Erich Fromm insiste particulièrement sur ce point : « *L'amour ne se transmet pas par des mots ou par des explications. Il s'exprime par des gestes plutôt que par des idées, par un ton de voix plutôt que par des paroles.* »

- *Il/Elle accroche sa main gauche à son cou.*
- Ce geste particulier peut révéler une conscience troublée par des désirs contradictoires.
- *Il/Elle pose sa joue contre le dos des doigts de sa main gauche, index en antenne vissé à la tempe, coude en appui.*
- Attitude affectée invitant le partenaire potentiel à faire appel à son sixième sens pour deviner la marche à suivre.
- *Elle souligne subtilement son décolleté en croisant ses bras sous ses seins.*
- Posture très courue par les séductrices qui sont fières, à juste titre, de leur décolleté.
- *Il/Elle appuie sa joue contre le dos de sa main gauche, coude en appui, avec la tête légèrement penchée du même côté.*
- Une tête penchée est toujours plus séduisante qu'une tête droite et guindée. Le dos de la main préfigure l'épaule virile contre laquelle elle rêve d'appuyer sa tête.
- *Coudes en appui, il/elle pose délicatement la paume de sa main droite sur le dos de sa main gauche tout en fixant son interlocuteur d'un regard en biais.*
- « Je sais exactement ce que je veux… » est le sens de ce geste dans ce contexte particulier de séduction. Cette signification tient aussi au regard en biais.
- *Ses doigts sont repliés contre le bas de sa joue et son menton repose sur la paume de sa main droite, coude en appui.*
- Posture classique d'une femme bien dans sa peau et ouverte à une entreprise de séduction.
- *Elle se tord les avant-bras pour permettre à ses doigts de s'entrelacer dans une position inconfortable.*
- Geste inconfortable certes mais ô combien suggestif ! Il indique une demande de relation amoureuse fusionnelle.
- *Elle repose le menton sur le dos des mains posées à plat l'une sur l'autre pour mettre le visage en valeur, coudes en appui.*
- Geste narcissique de mise en valeur d'un sourire ou d'un visage dont on peut être fière à juste titre, sans invitation.

■ *Elle croise les bras contre sa poitrine, mains accrochées aux épaules.*
◦ Geste d'une invite sans détour adressée à l'interlocuteur.

■ *Elle encadre son visage de ses doigts écartées à la manière d'une fleur de lotus.*
◦ Invitation claire et nette à admirer le modèle avant d'y goûter avec toute la délicatesse voulue.

■ *Il/Elle croise et replie ses doigts tandis que ses index, collés côte à côte, pointent vers les narines tout en croisant les lèvres, coudes posés sur la table.*
◦ Symboliquement, cette séquence gestuelle est un message à peine déguisé du désir éprouvé par son auteur pour sa future victime. Ce geste préfigure toujours une flèche décrochée par Cupidon. Bien entendu, le sens de ce geste change totalement dans un autre contexte.

■ *L'épaule gauche remonte contre le menton offrant au visage un air coquin.*
◦ Attitude puérile reprise par une jeune femme qui joue les ados amoureuses en situation de séduction active.

■ *Ses bras et sa poitrine remontent quand elle porte ses mains à ses cheveux.*
◦ Tous les modèles photos érotiques en usent et en abusent pour mettre leur poitrine en valeur. Un geste de séduction largement éprouvé.

E comme...

Éclaircir la voix (s'). Action motrice. Voir aussi *Toussoter.* Le chat dans la gorge est une manifestation physiologique du doute ou d'une gêne passagère face à un interlocuteur.

■ *Votre interlocuteur s'éclaircit régulièrement la voix, bruyamment ou non ; sa main couvre sa bouche.*

◦ Il ne sait pas très bien de quel côté se tourner pour ne plus vous apercevoir, et ce, même si cet éclaircissement de voix est destiné à vous interpeller discrètement. En règle générale, l'anxiété qu'il ressent, chaque fois qu'il doit faire un choix, provoque chez lui une réaction plus impulsive que réfléchie, comme s'il lui fallait agir dans un sens ou dans l'autre pour se libérer de l'oppression qui pèse sur son larynx.

Écraser. Action motrice. Écraser équivaut à empêcher une manifestation d'antipathie de s'exprimer, comme écraser son nez d'un index innocent ou une oreille entre le pouce et l'index ou un pied par l'autre.

Effacement (du corps). Action motrice. Le corps qui s'efface vers la droite signale une préparation à l'attaque. Le corps se ramasse à droite avant de bondir sur l'adversaire. L'effacement vers la gauche trahit une velléité de fuite.

Embrasser. Action motrice. Voir *Baiser.*

Encadrer. Action motrice. Attitude narcissique dans le contexte d'une mise en valeur du visage quand les mains lui servent de valeur ajoutée.

Enfant (Gestuelle de l'). Thème gestuel. Les enfants s'expriment par les gestes bien avant d'avoir la possibilité de se faire comprendre verbalement. Il existe des centaines de gestes typiques dont la traduction est connue, voire reconnue, par toutes les mamans. Le corps d'un enfant est animé d'une énergie extraordinaire qui s'exprime par une permanence des mouvements du corps. Ces mouvements ne sont pas des gesticulations, comme le croient la plupart des gens, mais de véritables codes gestuels (tels ceux des sourds-muets) qu'il faut apprendre à observer pour les comprendre.

Enfoncer. Action motrice. Attitude évoquant une pénétration sexuelle ou un viol symbolique.

Enlacer. Action motrice. L'étreinte est une conduite destinée à rassurer ou à consoler.

Épaule. Site anatomique. L'épaule gauche est le siège symbolique des affects. Ce qui pourrait signifier qu'une carence affective pourrait être à l'origine d'une arthrose articulaire de l'épaule gauche. Cette affirmation n'est bien évidemment qu'une hypothèse fondée sur de multiples observations cliniques. L'épaule droite est le siège symbolique de l'ambition (chez les droitiers). Une ambition réfrénée, pénalisée ou castrée pourrait entraîner des douleurs atypiques de type rhumatismal à l'épaule droite ou dans le deltoïde correspondant, voire une tendance aux torticolis.

- *Votre interlocuteur, assis, a les bras croisés sur sa poitrine, mains accrochées aux épaules.*
- Posture révélant un tempérament hyper-émotif. Ce geste particulier trahit un individu qui tire volontiers des plans sur la comète. Dans le registre de la séduction, ce geste est une invite sans détour à une valse à mille temps.
- *Il hausse souvent les épaules.*
- Il affirme son incertitude et une incapacité congénitale de prendre une décision quelconque dans la mesure où il a souvent recours à cette attitude.
Il s'agit souvent d'un signal de perplexité et non comme on pourrait le croire d'un aveu gestuel de désinvestissement ou de je-m'en-foutisme. Le haussement d'épaules est parfois moins théâtralisé, donc plus subtil et plus difficile à observer. En général, nous faisons mine de hausser les épaules pour amoindrir l'importance d'un événement ou pour effacer l'amertume d'une désillusion.
- *Sa main droite est accrochée à son épaule gauche.*
- Attitude déclarative et parfois très sensuelle dans un contexte amoureux, elle change de sens dans un contexte

professionnel et se traduit par un ou plusieurs pas en arrière.

■ *Sa main gauche est accrochée à son épaule droite.*

⁕ Il affiche la démesure d'une ambition qui l'obsède bien plus qu'il n'osera jamais l'avouer explicitement.

■ *Elle replie son bras droit sur l'épaule correspondante, la main gauche vient recouvrir le dos de la main droite ; la joue peut pencher ou s'appuyer sur le dos de la main gauche. Ce sont les bras en toge.*

⁕ Attitude complexe dont l'origine remonte à l'adolescence et se traduit, dès lors, comme un code gestuel de femme-enfant.

■ *Il/Elle rentre la tête dans les épaules.*

⁕ On rentre la tête dans les épaules quand on a peur que le ciel nous tombe sur la tête ou quand on craint les retours de manivelle de promesses impossibles à tenir.

Étaler (s'). Action motrice. Posture de détente pure et simple ! On ne s'étale que quand tout va bien.

Expirer. Action motrice. Le soupir marque souvent la conclusion d'une réflexion avant l'issue d'un entretien. Attention ! Ne pas confondre expirer et soupirer.

F comme...

Fessier. Site anatomique. Zone érogène par définition, les fessiers sont une zone corporelle très particulière. Plusieurs gestes et attitudes corporelles qui y sont associés sont hautement révélateurs du climat mental ponctuel de l'individu qui investit ses fessiers d'un pouvoir séducteur, notamment.

- *Votre interlocuteur, debout, pose souvent ses fesses sur le bord d'une table.*
- Attitude courante mais souvent mal interprétée comme étant familière. Il s'agit, en fait, d'une posture destinée à écraser l'adversaire en l'infériorisant.
- *Il se gratte souvent l'entre fesses.*
- La répétition de cette séquence est un signal anxiogène par excellence.
- *Elle se caresse le haut des fesses sans fausse pudeur.*
- Attitude provocatrice et, par voie de conséquence, calculatrice.

Flanc. Site anatomique. Zone symbolique du retrait ou du sentiment de déprime.

- *Votre interlocuteur se gratte les flancs.*
- « Il s'en bat les flancs ! » Expression toute faite qui signifie : « Faire des efforts vains ou inutiles sans obtenir le moindre résultat ». En clair, il commence peut-être à trouver le temps long.
- *Il plaque sa main gauche sur son flanc droit, sous le biceps.*
- Ce geste particulier a pour objectif de combattre les accès d'angoisse avec une rare efficacité sur le plan psychosomatique. Il appartient à la catégorie des gestes dit guérisseurs.
- *Il plaque sa main droite sous son flanc gauche, sous le biceps.*
- Même effet que le geste précédant, totalement anxiolytique mais sur un plan plus spécifiquement psychologique.

Fléchissement. Action motrice. Voir aussi *Genou*. On fléchit les genoux par déférence envers un interlocuteur sans même s'en rendre compte.

Votre interlocuteur plaque sa main droite sous son flanc gauche, sous le biceps.

Foulard. Objet incorporé. Voir aussi *Coiffure*, *Écharpe*. Substitut de la coiffure.

■ *Le foulard est accroché sous le menton de manière classique.*
◦ Révèle un tempérament écolo !
■ *Le foulard est noué en corsaire.*
◦ Cette coiffure dénote un besoin de marginalité ou d'originalité.
■ *Le foulard est noué avec un nœud de cravate autour du cou, style Lavallière.*
◦ Individu insécurisé et dépendant.
■ *Le foulard est plié en bandeau comme un serre-tête.*
◦ Exprime une certaine créativité.
■ *Le foulard est noué autour du cou comme une écharpe.*
◦ Indique une attitude mentale indécise.
■ *Le foulard est noué dans le chignon ou la queue de cheval et retombe sur les épaules.*
◦ Attitude narcissique.
■ *Le foulard est posé sur les épaules comme un châle, sans attache.*
◦ Révèle un climat mental élitiste autant qu'une personnalité fragilisée.

- *Le foulard est tressé avec les cheveux.*
  - Paradoxalement, cette intrication est typique d'un tempérament méfiant.
- *Le foulard cache les cheveux, à la mode paysanne mais est noué sous le chignon ou sous les cheveux.*
  - Tempérament simulateur ou tricheur.

Front. Site anatomique. Siège symbolique de l'inspiration et de la créativité, le front est surtout très utile à la main de celui qui se triture les méninges.

- *Votre interlocuteur/trice, coude en appui, pose ses doigts en visière sur le front, le pouce en appui sur la pommette.*
  - Faux geste de gêne de la part d'un individu moqueur. Si le sujet est seul à le reproduire, il signifie qu'il est plongé dans ses pensées. Et rappelez-vous toujours cette règle essentielle en matière de sémiotique gestuelle : l'action de cacher traduit évidemment un tempérament simulateur ou un discours frauduleux.
- *Il/Elle appuie son front sur son pouce, son index et son majeur de la main droite ou gauche, rassemblés en faisceau digital, coude en appui, l'annulaire et l'auriculaire sont repliés.*
  - Il puise son inspiration de la pulpe de ses trois doigts réunis. Cependant, le geste est quelque peu maniéré, ce qui me donne à penser qu'il pourrait bien s'agir d'un code gestuel reproduit par un individu au psychisme complexe.
- *Il/Elle appuie la paume de sa main contre son front, doigts pointés vers le haut du crâne, coude en appui.*
  - Geste de désespoir ou de tristesse quand il est reproduit devant témoin. On retrouve aussi ce code gestuel chez les étudiants focalisés sur un bouquin ardu.
- *Il/Elle appuie une main à plat sur son front, coude en appui.*
  - La main à plat sur le front symbolise la main qui frappe pour rappeler les idées en désordre.
- *Il/Elle, coudes en appui, plaque ses deux mains sur le haut de son front et sur la partie antérieure de son crâne tout en dirigeant ses yeux vers le sol ou la table.*
  - Attitude qui marque une forme de désespoir ou de lassitude.

- *Il/Elle plisse la peau de son front vers la racine de ses cheveux.*
- Mimique du doute chez un individu soucieux et surtout code gestuel reproduit par les pessimistes de tous bords.
- *Il/Elle appuie son poing droit refermé légèrement décalé sur son front, coude en appui.*
- Séquence gestuelle d'évaluation.
- *Il/Elle appuie son front sur son majeur et son index, le pouce s'appuie contre la pommette pour soutenir sa tête comme sur une sorte de trépied.*
- Ce code gestuel est courant chez les décideurs ou les entrepreneurs qui sont dans l'obligation de faire un choix rapide en situation de crise. Il indique une situation de stress.
- *Il/Elle plisse la peau de son front entre les sourcils.*
- Signal morphologique qui trahit un individu soucieux, à la limite de l'inquiétude de type névrotique.
- *Il/Elle plisse le front tandis qu'il soulève les sourcils.*
- Le front ridé est-il le signe des hommes qui portent de lourdes responsabilités ? Faux ! C'est en fait la conséquence d'un tic très courant chez ceux qui écarquillent systématiquement les sourcils chaque fois qu'ils essayent de masquer leurs sentiments.

Frotter. Action motrice. Action qui permet de produire de l'électricité statique pour réveiller une motivation assoupie, par exemple.

Fumer. Action motrice. Voir aussi *Cigarette.*
- *Votre interlocuteur visse sa cigarette au coin des lèvres et ne secoue presque jamais la cendre dans le cendrier.*
- Attitude typique du parvenu et des « moi, je sais tout sur rien ! ».
- *Il tète le mégot de sa cigarette jusqu'à l'extrême limite.*
- Indique un besoin de régresser en se soumettant à l'autorité.

- *Il écrase ou mord le bout filtre de sa cigarette entre ses dents.*
  - Il a besoin de se raccrocher à ses certitudes ou de les faire partager par ceux qui l'entourent. Il est sous pression, voire surmené.

Il écrase ou mord le bout filtre de sa cigarette entre ses dents.

- *Il jette son mégot dans le cendrier sans songer à l'écraser.*
  - Il jette le jouet qui a cessé de l'amuser. Individu abandonnique.
- *Il écrase le mégot de sa cigarette en soulevant le cendrier de l'autre main.*
  - On pourrait supposer qu'il ne sait pas viser mais ce n'est qu'une boutade. En fait, il est vite essoufflé dès qu'il se dévoue à une entreprise qui dépasse généralement son niveau de compétences. D'où peut-être le besoin d'amener la cible au projectile et non le contraire. Ce code particulier peut aussi se manifester quand votre interlocuteur est ébranlé psychologiquement ou nerveusement.

- *Il écrase son mégot avec acharnement dans le cendrier.*
- Imaginez que vous soyez à la place de ce mégot ! Il viole sexuellement le cendrier, en vérité, révélant du même coup sa frustration. C'est aussi une manière de clore un débat perçu comme étant stérile.
- *Il vous offre une cigarette de telle manière que vous soyez obligé de tendre la main pour puiser dans le paquet.*
- Il est important d'être attentif à la manière dont votre interlocuteur vous tend son paquet de cigarettes. S'il s'avance jusqu'à votre portée, c'est un signe de respect. S'il vous oblige à vous déplacer pour venir prendre la cigarette, c'est un signe de mépris, sauf si ce geste se situe dans une entreprise de séduction.
- *Il tient sa cigarette entre le pouce et l'index, bout incandescent pointé vers le sol.*
- Besoin de dissimuler. Il s'agit parfois d'un individu à la personnalité figée dans un complexe d'infériorité indélébile. Les tricheurs se trahissent de cette manière.

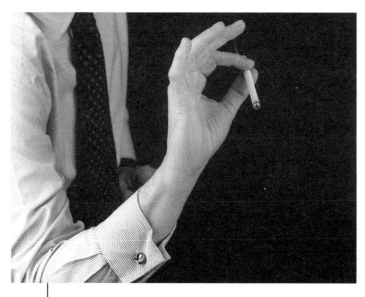

Votre interlocuteur tient sa cigarette entre le pouce et l'index, bout incandescent pointé vers le sol.

- *Votre interlocuteur tient sa cigarette entre le pouce et l'index, le bout incandescent est pointé vers lui, la cigarette est cachée par la main.*
- Un individu qui tient sa cigarette coincée entre le pouce et l'index droit signale, à son insu, qu'il serait victime de pannes sexuelles.
- *L'extrémité incandescente de la cigarette est pointée vers le ciel ou le plafond.*
- Il confond sa vanité avec de l'orgueil.
- *Il parle sans ôter la cigarette de sa bouche.*
- Indicateur du mépris qu'il éprouve pour ceux auxquels il s'adresse et de l'estime qu'il s'accorde.
- *Il pointe sa cigarette vers vous en vous adressant la parole.*
- Le besoin d'utiliser sa cigarette comme une baguette de chef d'orchestre révèle un manque d'autorité et/ou de crédibilité.
- *Il recrache la fumée de sa cigarette dans votre direction.*
- Attitude insolente, a priori, mais tout dépend de la manière. Souffler la fumée en direction de son interlocuteur est un signal olfactif puissant qui, opéré subtilement, rejoint la symbolique du dragon subjuguant sa victime.
- *Il recrache systématiquement la fumée de sa cigarette vers le haut sans pour autant relever la tête.*
- Il est toujours gêné d'être là.
- *Il recrache souvent la fumée de sa cigarette par les narines.*
- Le sujet est resté très adolescent dans ses conduites sociales. L'exaspération est à la fois son credo et le carburant de ses actions. Il est aussi susceptible qu'un dragon.
- *Il recrache la fumée sur le côté.*
- Il a peur de s'affirmer.
- *Il tient sa cigarette entre l'index et le majeur tandis que son pouce s'appuie sur ses lèvres ou s'insère entre ses lèvres.*
- Il fume son pouce en même temps que sa cigarette. En fait, il recherche un angle d'attaque propice pour reprendre l'avantage sur son interlocuteur et le convaincre. C'est un mode gestuel de manipulateur.

Le fumeur tient sa cigarette entre l'index et le majeur
tandis que son pouce s'appuie sur ses lèvres ou s'insère entre ses lèvres.

- *Il tient une cigarette entre les doigts mais oublie systématiquement de l'allumer.*
- Il a besoin de manipuler un objet quelconque pour se rassurer.

Il tient une cigarette entre les doigts mais oublie systématiquement de l'allumer.

G comme...

Genou. Site anatomique. Voir aussi *Fléchissement*. Le fléchissement des genoux est associé à une attitude de soumission, pour
la révérence ou pour l'agenouillement devant les hauts personnages dans le passé. Les genoux ne sont significatifs qu'en compagnie d'autres parties anatomiques plus mobiles, qui les recou-
vrent comme les mains ou les doigts. Le genou droit est le siège
symbolique de la mobilité et du progrès. Le genou gauche est le
siège symbolique de la fuite. On s'enfuit toujours par la gauche
face au danger.

- *Votre interlocuteur assis croise ses doigts sur l'un de ses genoux,
relevé à hauteur de sa poitrine.*
- Posture peu courante en dehors d'un contexte amical. Il
serre sa jambe dans ses bras comme l'enfant pourrait le
faire avec une poupée ou un doudou.

*Votre interlocuteur assis croise ses doigts sur l'un de ses genoux,
relevé à hauteur de sa poitrine.*

- *Il/Elle se gratte le genou gauche.*
  Manie courante chez les individus qui se cherchent une porte de sortie dans un débat qui s'enlise ou un entretien qui les ennuie.
- *Il/Elle interlocuteur se gratte le genou droit.*
  Il/Elle vous signale implicitement son manque d'enthousiasme.
- *Il/Elle, en position assise, retient l'un de ses genoux de sa main correspondante, en position assise.*
  Si votre exposé lui paraît trop simpliste, il le trouvera moins crédible que s'il saisit difficilement le sens de vos propos, car il s'agit d'un type d'individu qui a besoin d'être impressionné sur le plan intellectuel.
- *Il/Elle, en position assise, tend les bras dans le prolongement de ses cuisses, ses mains cachent ses genoux.*
  Attitude de stress associée à une crainte physique de recevoir un coup de pied virtuel. Il/Elle se réfugie dans une attitude gestuelle sécuritaire. Le recours à cette posture se double souvent d'un visage aux traits figés.

Gesticulation. Thème gestuel. Gesticulations, attitudes, postures instinctives, gestes conventionnels, qu'ils soient insignifiants ou non, les signaux corporels sont la manifestation de la recherche d'une harmonie psycho-corporelle. Les gestes ont pour rôle primordial d'assurer l'évacuation immédiate des crispations articulo-musculaires générées par l'environnement. Le moindre stress provenant de l'environnement (thriller télévisuel, bruits nocturnes, cris des voisins, etc.) engendre une série de crispations musculaires qui ne sont que le reflet physiologique des événements qui nous agressent. Ces stress innombrables sont donc dilués au quotidien, comme un goutte-à-goutte dans toute la carapace musculaire. S'ils n'existaient pas, nous n'aurions pas besoin de nous mouvoir sans objectif ou de gesticuler sans raison pour les évacuer. Car il semble que nous gesticulions à 80 pour cent de manière insignifiante et ne produisons des gestes significatifs que pour les 20 pour cent restants.

Si les gestes n'étaient que de simples fantaisies acrobatiques produites par un corps stupide, comme le prétendent certains, ils n'auraient pas lieu d'être. La nature à laquelle nous appartenons ne fait jamais rien pour rien. Comme le dirait Jacques Monod, les intentions de la nature sont téléonomiques, elles ont toujours une origine et un objectif. Elles ne sont donc jamais gratuites. Combien de gestes instinctifs différents exécutons-nous sans en avoir conscience en l'espace d'une petite heure ? Une dizaine au moins à la minute ! Chaque partie de notre corps est sollicitée, certaines plus fréquemment que d'autres, comme les muscles du visage, par exemple. Au cours d'une réunion de travail d'une demi-heure, j'ai observé qu'une personne croisait et décroisait ses jambes à raison d'un mouvement toutes les quatre-vingt-dix secondes en moyenne. Soit, vingt changements en l'espace de trente minutes ou encore vingt basculements de l'énergie qui anime les hémisphères gauche et droit du cerveau. Il serait d'ailleurs aisé de prouver ce qui est avancé ici. Il suffit d'enregistrer l'activité électrique des deux hémisphères en fonction du croisement de jambes effectué par un sujet masculin droitier, soumis à l'expérience. Si sa sensibilité, son imagination ou sa créativité sont mises à contribution, il croisera la jambe gauche sur la droite. La jambe gauche est commandée par l'hémisphère droit du cerveau et correspond à la partie féminine du corps humain : l'anima ou le côté yin, ce qui signifie « lune » en chinois. Si l'intervention de son esprit critique, de ses mécanismes de défense ou de son intellect est sollicitée, il croisera d'office sa jambe droite sur la gauche car le relais nerveux sera repris par l'hémisphère gauche du cerveau qui commande à la partie droite du corps : l'animus ou côté yang qui signifie « soleil » en chinois. En matière de gestes, le soleil n'a jamais rendez-vous avec la lune.

Pourquoi tous ces gestes aussi gratuits qu'inutiles ? A priori, pour évacuer l'acide lactique qui submerge les muscles ! Dans l'exemple cité plus haut nous ne faisions pas référence à des individus plongés dans des occupations de type manuel mais à des débatteurs. Pour une part importante, ces gestes peuvent être des réponses nerveuses à des états d'excitation ou d'objection mentale. Mais il en reste beaucoup qui n'entrent pas dans cette catégorie particulière. Le corps est animé de mouvements aussi divers qu'inexplicables. Les jambes, les mains, le visage sont le siège d'une multitude de tics, d'attitudes mimiques, de postures réactionnelles, de gestes ou de grimaces qui ne trouvent aucune explication logique et demeurent intraduisibles mais dont la fréquence répétitive est remarquable. Le même geste revient à intervalles irréguliers. Il est alors essentiel d'écouter ce qui est dit ou d'observer les rapports de force existants entre les parties en présence pour découvrir que ces gestes auraient peut-être bien une raison d'être. Voilà pourquoi il me semble évident qu'il existe une signification analogique au ballet exécuté le corps humain.

Gorge. Site anatomique. Siège caractéristique de nos peurs infantiles qui reviennent en force quand la main s'y retrouve.

- *Votre interlocuteur pose son index en travers de sa pomme d'Adam.*
- Il se coupe la gorge, littéralement.
- *Il pose souvent l'une de ses mains sur sa gorge.*
- Il a peur de perdre ce qu'il possède ou croit détenir.
- *Il/elle pose ses deux mains superposées sur sa gorge.*
- Ce type de geste trahit un individu craintif, voire superstitieux à souhait. La gorge est le siège caractéristique des peurs infantiles. La main qui couvre la gorge indique que votre interlocuteur est en difficulté, soit parce que votre intervention le démoralise, soit parce qu'il ne sait plus par quel bout vous prendre pour vous faire admettre le bien-fondé de ses arguments.
- *Votre interlocuteur coince sa glotte dans le pouce et l'index, comme s'il craignait de se faire couper la gorge par son adversaire.*
- Ce geste trahit toujours le sentiment de s'être fait piéger par celui qui le reproduit.

Gratter. Action motrice. Voir aussi *Démangeaisons*. Si votre interlocuteur se gratte un peu trop souvent en votre présence, sachez que vous en êtes la cause et qu'il vaut mieux le quitter en bons termes que de lui imposer stupidement votre présence.

L'individu se gratouille le visage avec une préférence pour...
- *Le pouce droit*
  * Il/Elle solde son enthousiasme.
- *L'index droit*
  * Il/Elle révèle son indécision.
- *Le majeur droit*
  * Il/Elle recherche un moyen stratégique pour contrer vos arguments.
- *L'annulaire droit*
  * Il/Elle cherche à se défiler.
- *L'auriculaire droit*
  * Il/Elle avoue sa curiosité mais pas son intérêt.
- *Le pouce gauche*
  * Il/Elle affiche un sentiment d'échec.
- *L'index gauche*
  * Il/Elle trahit sa concupiscence.
- *Le majeur gauche*
  * Il/Elle a l'impression qu'on l'ignore.
- *L'annulaire gauche*
  * Il/Elle a l'impression d'être rejeté.
- *L'auriculaire gauche*
  * Il/Elle se sent infantilisé.
- *Votre interlocuteur se gratte sous les bras, à l'angle qui sépare le bras de l'épaule.*
  * Il se méfie de vos assurances ou des promesses qu'il vous a extorquées (voir aussi *Démangeaisons*).

Griffer. Action motrice. Besoin de se punir pour se défaire d'une culpabilité trop envahissante.

Griffonner. Action motrice. Cette manie compulsive de dessiner n'importe quoi sur une feuille de papier est le propre d'un sentiment d'insatisfaction globale sur le plan professionnel. Le sujet estime qu'il n'est pas à sa place dans la hiérarchie de l'entreprise ou que les « dieux » ne sont pas favorables à ses initiatives. Le phénomène peut apparaître chez chacun d'entre nous par période et disparaître tout aussi soudainement. Être averti de sa signification vous aidera à faire un examen de conscience avant qu'il ne soit trop tard pour remonter dans le train de vos ambitions. Il peut aussi arriver que vous vous mettiez à griffonner quand l'interlocuteur qui vous fait face ou celui que vous avez au téléphone vous agacent ou quand la situation que vous vivez ne cadre pas avec votre ressenti.

Grimacer. Action motrice. La grimace correspond plus à un besoin de détendre les structures musculaires figées du visage qu'à un besoin de se moquer des autres. La grimace la plus relaxante restant le sourire, comme nul ne l'ignore.

H comme...

Hanche. Site anatomique. La posture des mains sur les hanches passe pour un signal d'agressivité, de résistance, d'impatience ou même de colère. C'est sans doute exact dans un contexte maraîcher mais pas dans celui de la séduction... Les hanches sont à la séduction féminine ce que la pluie est à la terre : un fertilisant. Il n'en reste pas moins que les hanches de la danseuse du ventre sont au moins aussi importantes que son ventre ou que ses seins. Quant aux hanches de la danseuse de flamenco, elle s'arrangera toujours pour les marquer avec un carré de tissus ou un foulard à franges. Le sweater de l'adolescente, noué sur les hanches, prodigue le même message. Il est l'équivalent du capitonnage des hanches aussi employé par les femmes à diverses époques et, grâce à des ceintures serrées, on peut exagérer les courbes de la hanche et du sein. C'est pour cela qu'on a toujours une préférence marquée pour la taille étroite chez les femmes et le port du corset a été fort largement pratiqué. Cette tendance a atteint son sommet avec les « tailles de guêpe » du début du siècle dernier, époque à laquelle certaines femmes n'hésitaient pas se faire ôter les côtes inférieures pour augmenter l'effet. La position des mains sur les hanches est généralement caractéristique d'un sentiment d'exaspération et d'irritation, et on la retrouve dans plusieurs occasions de ce genre.

- *Elle pose ses poings sur ses hanches.*
- Attitude pseudo-hostile.
- *Votre interlocuteur, debout, pose une main sur la hanche correspondante.*
- Geste typique d'un individu qui abuse de cette attitude pour rehausser son image publique. De manière ponctuelle, il signifie aussi que ledit individu se sent diminué.
- *Elle pose ses deux mains en appui sur ses hanches.*
- Mise en avant de l'image sociale, associée à un manque d'assurance, pour autant que ce geste revienne couramment dans le vocabulaire gestuel de votre interlocuteur.
- *Il/Elle pose le dos de ses mains ouvertes en appui sur ses hanches.*
- Attitude du volatile fier de son plumage.

Votre interlocuteur, debout,
pose une main sur la hanche correspondante.

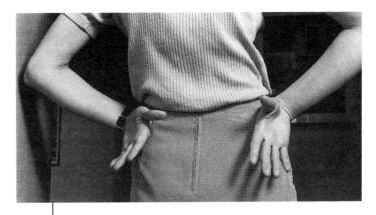

Elle pose le dos de ses mains ouvertes en appui sur ses hanches.

Hocher (la tête). Action motrice. Façon de saluer un collègue significative d'un individu imbu de son pouvoir hiérarchique dans la société. Dans une autre approche, certains individus en font un véritable refrain, voire un tic. Le hochement de tête est souvent souligné par des interjections ou des onomatopées aussi diverses que bizarres (écholalie ou répétition des fins de phrases). Ce besoin d'approuver ainsi son interlocuteur est un signe d'anxiété majeur et qui appartient au tableau clinique de la névrose obsessionnelle.

Humour gestuel. Thème gestuel. Voir aussi *Décalés (gestes)*. L'humour gestuel n'est pas la grimace du clown, mais le geste en décalage avec la parole, dont les très bons humoristes de scène se servent avec brio. Les contrepèteries gestuelles amplifient des attitudes corporelles totalement inadéquates à la situation vécue. La qualité du texte ne suffit pas à faire rire le public. Tout bon comique trouvera d'instinct ces gestes décalés qui provoquent ce rire.

I comme...

Image (publique, ou de soi). Thème gestuel. L'image publique est celle que les autres voient à travers les artifices qui l'embellissent. Elle est généralement très différente de l'image que l'individu perçoit de lui-même et qui est l'image de soi. Cette image sociale est forcément un reflet tronqué de l'image de soi dans la mesure où le sujet observé ne montre jamais que l'endroit du décor. Cependant, certains refrains ou tics gestuels peuvent contredire ses sourires, ses affirmations ou ses professions de foi. Plus le fossé entre l'image de soi et l'image publique s'élargit, plus l'individu sonne faux, en quelque sorte. Son degré de charisme ou sa cote de popularité en souffrira fatalement, quelle que soit la valeur intrinsèque du personnage.

L'image qui vous représente aux yeux des autres n'est pas qu'un look uniforme sec et sans glace. Au-delà de vos choix vestimentaires, de la qualité de votre discours ou de la forme d'intelligence qui vous différencie de votre voisin de palier, demeure un décor gestuel qui vous particularise au point qu'un proche peut vous reconnaître de dos rien qu'à votre démarche. Les mouvements privilégiés par votre corps, c'est-à-dire vos refrains gestuels propres, appartiennent à la catégorie sociale ou professionnelle à laquelle vous vous identifiez, mais pas seulement. Vous avez d'abord acquis votre empreinte gestuelle à l'intérieur du cercle familial restreint représenté par vos parents, frères et sœurs aînés qui ont marqué vos comportements de leur influence par imitation. Par la suite, le processus d'absorption gestuelle s'est élargi à votre groupe social de prédilection pour enfin aboutir à la catégorie professionnelle à laquelle vous vous êtes identifié. En résumé, toutes les postures que vous adoptez ne sont que des choix d'imitation intégrés à l'insu de votre conscience.

Chaque mouvement du corps répond à une sollicitation bien avant que la conscience ne se manifeste à son tour en formulant ses états d'âme au moyen de la parole. L'observation attentive du ballet gestuel permet de repérer des refrains gestuels communs à certaines catégories d'individus. Que ce soit dans la manière de croiser les jambes ou les chevilles, le mode de croisement des doigts ou des bras, etc., ces refrains se reproduisent toujours de la même manière dans des contextes souvent différents. En observant précisément des catégories sociales ou professionnelles distinctes, le constat permet d'affirmer que cette répartition gestuelle des rôles socio-professionnels est tellement évidente que certains cadres reconnaissent instinctivement des confrères du même secteur d'activité, avant même de leur adresser la parole. Ils ne se doutent évidemment pas que certains signaux inhérents à cette reconnaissance procèdent de codes gestuels propres à leur milieu professionnel. Quelle coïncidence, pensent-ils, sans penser plus loin que le bout de leur nez. Les hommes de pouvoir se distinguent entre eux sans avoir besoin d'être présentés l'un à l'autre. Le corps d'un créatif ne réagit pas comme celui d'un communicateur. Le premier reproduit une gestuelle introvertie et le second une gestuelle extravertie, comme vous vous en doutiez. L'homme de savoir s'effacera toujours devant l'homme de pouvoir. Et ainsi de suite !

Au risque de me répéter, je vous rappelle que nous avons tous une image publique, anonyme ou célèbre, noyé dans la foule ou membre de la Jet Set. Elle se confond avec l'image de soi, ce fameux reflet que la belle-mère de Blanche-Neige exigeait de son miroir magique. Il ne s'agit pas de savoir si vous êtes le plus beau ou la plus belle mais de situer le degré de cohérence entre votre apparence physique et votre manière de bouger. L'image de soi est un tout reposant sur les multiples aspects empruntés par votre personnalité pour s'exprimer. Elle est aussi l'image globale que vous offrez aux autres, et, à ce titre, une image publique sur laquelle on vous juge.

Index. Site anatomique. Indiscret, menaçant, hostile, agressif, l'index désigne, dénonce, embroche l'adversaire quand il ne se transforme pas en canon de revolver virtuel, de l'enfant turbulent à l'adulte en colère. L'index anticipe, prévient, accuse, admoneste, pénalise. C'est un doigt sans nuance, parfois franchement antipathique, mais tellement pratique pour sous-titrer des propos qu'il vaut mieux éviter de verbaliser, langue de bois oblige.

En revanche, dans *E.T.*, le film culte de Stephen Spielberg, l'index est le doigt dont se servent la créature extra-terrestre et l'enfant pour échanger leurs sentiments, doigt considéré ici comme celui de l'énergie vitale. Pourquoi pas ? Il est aussi l'élément moteur de la pince de précision qu'il forme avec le pouce quand il faut se saisir d'un objet. C'est sans doute cette vision utilitaire qui a justifié le choix symbolique de l'index dans le scénario du film. Comment exister, comment se défendre sans se servir de ce doigt magique ? Comment imposer ses vues sans faire appel à ce procureur gestuel ? Doigt impératif du pouvoir et de l'autorité ! Tel est donc le rôle prépondérant de l'index moteur du droitier ! Et pourquoi pas l'index de la main gauche ? Car la main gauche n'est pas la main droite, évidemment. C'est l'hémisphère droit du cerveau qui la commande, celui qui préside à l'imaginaire et aux émotions, irrationnelles par définition. L'index gauche ne peut donc logiquement symboliser le pouvoir ou l'autorité, comme l'index droit commandé par l'hémisphère gauche ou le cerveau dit logique. Si l'index droit du droitier est le représentant de sa puissance, que représente alors son index gauche ? Un sentiment ? Mais lequel ? Un pas de deux en arrière ! Imaginons que la main droite appartienne symboliquement au champ de conscience paternel du Surmoi, à l'instar de la partie droite du corps humain. Le père est l'image de l'autorité dans l'imaginaire de l'enfant. L'index droit en dépendrait donc et représenterait le pouvoir paternel. En revanche, l'index gauche ferait partie du champ de conscience maternel du Surmoi, à l'instar de la partie gauche du corps humain. Il symboliserait dès lors le pouvoir de la mère. Un individu qui utilise son index droit de manière récurrente est en recherche d'autorité sur son interlocuteur. Quant à celui qui privilégie l'index gauche en tant que droitier, il serait plutôt jaloux de ses prérogatives.

Malgré son importance, il n'est que le troisième doigt par la taille, plus petit que le majeur ou l'annulaire. Néanmoins, chez 22 % des hommes et 45 % des femmes, il est le deuxième en taille sur l'une des deux mains au moins, reléguant l'annulaire à la troisième place. Cette différence selon les sexes est significative mais demeure un mystère. J'ai néanmoins constaté que le plus grand des deux annulaires était souvent le gauche chez la plupart des femmes. Hélas aucun pourcentage significatif ne vient en appui de ce constat et sans interrogatoire individuel, il est impossible de proposer des relations éventuelles de cause à effet.

Pour en revenir au fondement sémantique de la gestuelle, nous posons l'hypothèse que les index sont les doigts du pouvoir paternel à droite et du pouvoir maternel à gauche. Ils sont la représentation symbolique du Surmoi (les images parentales incorporées dans le Moi) dont le rôle est d'assurer la défense des valeurs acquises et de la personnalité contre les agressions, qu'elles proviennent de l'environnement ou des profondeurs introspectives de la conscience.

L'importance des gestes associés à l'index est telle que nous avons jugé bon de leur associer des dénominations pittoresques pour en faciliter la mémorisation de leur signification.

Tout contact entre les lèvres et l'index provoque une coupure de l'intelligence logique et de la réflexion qui l'accompagne. C'est le geste inconscient de celui ou de celle qui compte beaucoup plus sur son instinct, son inspiration ou la chance que sur son esprit logique pour l'emporter. Les individus de tempérament créatif reproduisent souvent ce geste alors qu'il est nettement moins courant chez les chercheurs ou les scientifiques.

- *Votre interlocuteur/trice, coudes en appui, croise les doigts, les index sont collés l'un contre l'autre perpendiculairement à sa bouche et pointent vers le plafond.*

- Index amoureux. Voilà une attitude gestuelle récurrente qui cerne une attitude mentale qui ne l'est pas moins. La personne est coincée ou à court d'arguments. Elle se demande comment elle va s'en sortir pour vous rouler dans la farine ou pour se dégager tout simplement d'une situation embarrassante.

Cette même attitude change de signification quand elle est reproduite par une femme guettant un homme qui lui plaît. Elle signifie alors que le désir est de la partie. D'où la dénomination choisie pour désigner ce refrain gestuel particulier. Le geste en question est alors prédictif et représente une véritable invitation à la parade amoureuse entre deux partenaires.

*Votre interlocuteur/trice, coudes en appui, croise les doigts,
les index sont collés l'un contre l'autre perpendiculairement
à sa bouche et pointent vers le plafond.*

- *Il/Elle, coude en appui, enfonce son index dans sa joue pour soutenir sa tête.*
- Index moqueur. Cette séquence gestuelle particulière préfigure le geste moqueur conventionnel de l'index qui dégonfle la joue.
- *Il/Elle pose son index sous sa lèvre inférieure, les autres doigts forment comme une petite barbe dissimulant le menton.*
- Index barbichette. Il s'agit d'un index dubitatif de la part d'un individu qui se demande comment il va s'y prendre pour vous convaincre. Il peut aussi traduire le doute ou la suspicion mais il est le plus souvent symbolique d'un point d'interrogation qui attend sa réponse.
- *Il/Elle frotte ses dents du bout de l'index, coude en appui.*
- Index brosse à dent. Voilà un code gestuel qui marque une ambition dévorante, doublée d'une indifférence totale au sort de l'humanité.
- *Il/Elle dissimule ses lèvres derrière son index qui se substitue à elles en quelque sorte.*
- Index bluffeur. Geste typique de l'individu bluffeur qui se cherche une porte de sortie ou une vraie-fausse vérité à asséner à son interlocuteur. Ce geste très fréquenté trahit un petit côté cynique du personnage.
- *Il/Elle vous adresse un sourire pincé tout en posant son menton sur un index tendu de manière affectée.*
- Index vindicatif. L'index planté dans le menton est une déviation d'un geste conventionnel. Visser l'index sous le menton révèle un état d'esprit vindicatif.
- *Il/Elle vous présente la paume de sa main, index tendu.*
- Index comptable. « Il faut être prudent... Il faut tenir compte de... N'oubliez pas ! », est le sens général de cette figure particulière. C'est une sorte d'index pense-bête non agressif qui sert à souligner un point important dans le discours du locuteur. S'il souligne de l'index gauche, l'individu est plutôt généreux et disponible. S'il souligne de l'index droit, vous êtes face à un individu respectueux des traditions ou des règles du jeu... et totalement fermé aux innovations que vous aimeriez lui suggérer.

- *Son index croise ses lèvres à environ 45° d'angle au niveau de la phalangette (dernière phalange).*
- Index diagonal. S'il s'agit du gauche, cela révèle une démotivation, une apathie ou une adynamie mentale ou intellectuelle. S'il s'agit de l'index droit, l'attitude de l'individu risque de devenir très vite ambiguë. Attention ! Il ne tiendra pas ses promesses même et surtout s'il vous garantit le contraire. Ce geste n'est évidemment significatif que s'il est répété à de nombreuses reprises au cours d'un même entretien.
- *Coudes en appui, les doigts croisés devant le visage, ses index écartés donnent l'impression qu'il/elle mesure la largeur de sa bouche.*
- Index étalon. Les index simulent une évaluation des propos qu'il/elle s'autorise à tenir.
- *Il/Elle pointe son index vers son interlocuteur, poing fermé vers le bas, comme s'il/elle voulait le prendre à témoin.*
- Index faux-témoin. L'index va à la pêche d'un allié et devient dans ce cas une sorte d'hameçon. C'est le doigt fallacieux d'un individu fatalement frauduleux.
- *Il/Elle pose son index en travers de sa pomme d'Adam.*
- Index guillotine. Il/Elle se coupe la gorge, littéralement.
- *Celui ou celle qui toilette, trifouille, gratte, explore les cavités est un index indiscret ou très curieux, c'est selon.*
- Indexplorateur. Plus un individu se sert de l'un de ses index pour « explorer », plus il se sentira interpellé par les ragots croustillants ou les indiscrétions que vous pourrez lui fournir. Si vous prenez la peine d'observer votre cercle d'amis ou de collègues, vous constaterez très vite que les *indexplorateurs* sont généralement plus bavards (parfois jusqu'à la logorrhée) et plus agités que les autres. Souvent très actifs socialement, ils se sentent plus concernés par les bruits qui courent et auxquels ils ne peuvent s'empêcher d'emboîter le pas.
- *Il/Elle fait mine de vous embrocher le ventre du bas vers le haut avec son index.*
- Index fleuret. C'est un geste de mépris. L'individu qui abuse de son index pour embrocher son interlocuteur

affiche toujours son besoin d'écraser les autres. Il se comporte en prédateur. En règle générale, l'index menaçant est surtout utilisé par des fanfarons qui jouent les gros bras pour avoir l'air.

Il/Elle fait mine de vous embrocher le ventre du bas vers le haut avec son index.

■ *Il/Elle pointe quelqu'un ou quelque chose de son index menaçant. L'index se présente de profil pour conserver toute sa crédibilité d'index en colère.*

◦ Index Lagardère. Il/Elle souligne, sous-titre, signifie et donne tout son poids aux mots qu'il accompagne quand il ne les précède pas. C'est l'index dit de Lagardère, celui qui met en garde, héritier d'une épée oubliée dont le tranchant se présentait de la même manière. Index droit ou gauche ? Sempiternelle question qu'il faut toujours avoir présente à l'esprit. La menace gauchère est un avertissement. La menace droitière exprime une colère.

- *Il/Elle mordille l'un de ses index au coin des ongles.*
- Index souffre-douleur. La situation lui échappe.
- *Il/Elle mordille l'articulation repliée de son index gauche ou droit.*
- Variante de l'Index souffre-douleur. Il s'agit d'un geste décalé trahissant un climat mental plus que perturbé.
- *Son index forme moustache au-dessus de sa lèvre supérieure, le pouce en appui sur le menton ou sous l'oreille ; les autres doigts sont repliés sur eux-mêmes, coude en appui.*
- Index moustache. Ce type de posture fait partie de celles que j'ai souvent observées dans le cadre de mes interventions en milieu professionnel. Elle appartient à un individu qui sait être affirmatif, surtout quand il n'est sûr de rien, craint les ravages du qu'en-dira-t-on, brasse un maximum d'affaires en même temps sans se soucier le moins du monde de leur aboutissement. Il est bourré de préjugés et d'idées préconçues qu'il préconçoit d'ailleurs à sa mode sans plus jamais les remettre en question. Il tire en général sa crédibilité du scepticisme qu'il affiche comme si le doute était un acte religieux.

Exigeant avec lui-même, despote avec ses proches collaborateurs, rapace dans le cadre de ses négociations, il sait mettre ses interlocuteurs dans leurs petits souliers. Il prend d'ailleurs un malin plaisir à angoisser ses collaborateurs pour leur redonner du cœur à l'ouvrage. Un portrait précis issu d'une longue pratique des réunions d'entreprise et des débats politiques. Mais ce geste peut aussi être reproduit par un personnage qui fait mine de rire de ses propres plaisanteries, se comportant dès lors comme un fourbe de comédie. Il est évidemment dépourvu d'humour.

Son index forme moustache au-dessus de sa lèvre supérieure,
le pouce en appui sur le menton ou sous l'oreille ;
les autres doigts sont repliés sur eux-mêmes, coude en appui.

■ *Il/Elle, coude en appui, pose son index perpendiculairement à
ses lèvres, comme s'il/elle mimait l'idée de se taire.*

⋄ Index omerta. La séquence parle d'elle-même. Elle est
tellement évidente que nul ne la voit plus. Il/Elle fait
semblant de vous écouter tout en s'intimant l'ordre de se
taire par geste interposé pour ne pas relancer le débat.

■ *Il/Elle, assis(e), frotte machinalement son index sur l'arête de la
table.*

⋄ Index raboteur. La séquence gestuelle indique une
conduite d'échec et d'auto-agressivité ! Elle peut évi-

demment être conjuguée à la deuxième personne du singulier : il/elle doute que vous soyez en mesure de...

■ *Il/Elle lève l'index droit vers le plafond pour appuyer ses arguments.*

* Index paratonnerre. Petit professeur imbu de sa petite personne mais carrément versatile si le vent tourne et les événements ou les faits lui donnent tort. Et votre interlocuteur de surenchérir en soulignant ses propos d'un index (gauche ou droit) pointé vers le plafond ou le ciel. Par expérience, nous dirons qu'il s'agit d'un individu au tempérament versatile, voire cyclothymique. Il peut aussi s'avérer violent (en paroles), changeant d'avis comme le vent tourne, se faisant une règle de ne prendre que des risques sans danger et se disputant avec tout le monde. Suivant que cela sert ou non son intérêt, il sera en révolte contre le système, les règles ou les tabous sur lesquels reposent l'équilibre de la structure sociale dont il fait partie.

■ *Il/Elle pointe l'index en direction de son interlocuteur, paume tournée vers l'intérieur, comme s'il menaçait un enfant turbulent.*

* Index paternel. Sorte d'avertissement gestuel très couru chez les faux prophètes et les gourous de tout poil.

■ *Il/Elle enveloppe son index droit de sa main gauche.*

* Index prisonnier. Cet intitulé désigne un index invaginé ou enfermé dans la main alterne. L'index droit étant le siège de l'autorité et du pouvoir, il se peut que votre interlocuteur/trice se sente obligé(e) de faire taire ses exigences pour rallier la sécurité que vous risquez de lui ôter s'il/elle ne se soumet pas aux vôtres.

■ *Il/Elle enveloppe son index gauche de sa main droite.*

* Index prisonnier. L'index gauche est le siège symbolique de la jalousie. Il faut en conclure que votre interlocuteur/trice doit dissimuler la sienne pour qu'elle ne s'affiche pas dans son discours ou sur son visage. Mais il peut aussi signifier une attitude de découragement ou un aveu d'impuissance face aux événements.

- *Il/Elle pointe son index droit vers le bas à gauche.*
- Index purgatoire. Un geste pour signifier que la place occupée s'apparente au purgatoire.
- *Il/Elle dégaine trop souvent un index ou les deux, pouces en gâchette.*
- Index revolver. Cet individu est une sorte de cow-boy gestuel qui se prive de ses mains au profit d'un seul doigt pour donner du poids à ses interventions, comme si tout son pouvoir était contenu dans son index hostile pointé vers son interlocuteur. Ce faisant, il solde la qualité ou l'impact de ses arguments sans le savoir. Il dévalorise le sens du mot communication au seul profit de son besoin d'avoir toujours raison. Il suit son index comme un chien suit son maître, sans questionner son interlocuteur, mais en affirmant qu'il connaît déjà toutes les réponses aux questions que l'autre n'aura jamais l'occasion de lui poser. Geste de l'imprécateur, du contestataire et du besoin de dévaloriser son adversaire, il confirme une incompatibilité d'humeur rédhibitoire.

Il/Elle dégaine trop souvent un index ou les deux, pouces en gâchette.

- *Il/Elle pointe un index sur sa tempe gauche ou droite tandis que le pouce soutient le menton, coude en appui.*
  - Index suicidaire. Le geste se produit souvent quand l'interlocuteur/trice ne voit plus d'issue au débat.
- *Il/Elle plonge la première phalange d'un de ses index dans sa bouche.*
  - Index tétine. On ne fait mine de sucer son index droit ou gauche que pour supplier son inspiration de se manifester, surtout quand on est en panne d'argument face à un adversaire enfermé dans sa propre vision de la réalité.
- *Coudes en appui, son index droit ou gauche tendu donne l'impression de vouloir forcer ses lèvres.*
  - Index violeur. Tourné vers les lèvres de votre interlocuteur/trice, le geste révèle une mentalité élitiste, voire un comportement de parvenu(e) fier(ère) de ses œuvres... ou de celles qu'il/elle empruntera à autrui. Ce geste signale le tempérament arriviste d'un d'individu qui promet généralement plus qu'il ne tient parole.
- *Il/Elle touche le bout de son nez de son index tendu.*
  - Index pied de nez. Il/Elle tente de réveiller son savoir-faire, quelle que soit la raison qui le/la motive.
- *Il/Elle colle ses index en triangle, les points fermés l'un contre l'autre.*
  - Index triangle. Le geste reproduit est inconfortable au possible. Il révèle l'incapacité de se démarquer en présence d'interlocuteurs qu'on estime mais qui font, hélas, partie du camp adverse.
- *Il/Elle croise les doigts, ses index en croix pointés en diagonale.*
  - Index en croix. La croix symbolique des bannis ! Votre interlocuteur/trice ne l'a pas fait exprès mais il faut croire que ce geste appartient à la culture imprimée dans l'inconscient collectif de tous les parias.
- *Il/Elle plante le bout de ses index tendus au bord de ses narines, doigts croisés devant sa bouche.*
  - Double index. Geste pernicieux car il trahit le peu d'estime que votre interlocuteur/trice éprouve pour vous. Et ce n'est qu'un euphémisme !

- *Index piliers.*
- Indicateur d'une perte de pouvoir ou de maîtrise de la situation.

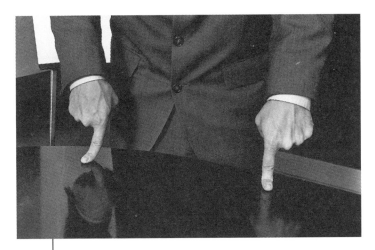

Il/Elle repose le poids de son corps sur ses index tendus en appui sur la table.

J comme...

Jambe. Site anatomique. Voir aussi *Croiser*. Pourquoi avons-nous besoin de croiser les jambes ? N'est-il pas plus naturel d'enraciner ses pieds dans le sol ? Observez les gens assis autour de vous, vous n'en trouverez pas beaucoup dont les deux pieds reposent sereinement sur le sol ! La plupart des individus de nos contrées croisent les jambes dès qu'il s'assoient ou croisent leurs chevilles sous leur siège. Certains même, les femmes surtout, entortillent la jambe gauche de leur jambe droite et vice versa. Le fait de croiser les jambes est-il une position naturelle ou s'agit-il d'une posture dictée par les circonstances ?

Les femmes vous répondront qu'il n'est pas toujours aisé de poser les pieds à plat sur le sol avec une mini-jupe. En pressant leurs cuisses l'une contre l'autre, elles dissimulent ce jardin secret que la jupe parfois trop courte n'arrive plus à protéger des regards masculins. Il faut admettre également que cette position est éminemment suggestive.

Je vous propose de tenter une expérience sans témoin dans l'intimité de la solitude, si vous en avez l'occasion. Promenez-vous tout nu dans votre appartement, regardez la télévision ou lisez un livre dans le plus simple appareil. Vous constaterez très vite qu'il est plus agréable de décroiser vos jambes ou vos chevilles et de poser vos pieds sur le sol. Le corps libéré de sa prison (vos vêtements) retrouvera très vite les poses naturelles qui conviennent à vos chaînes musculaires. Votre attitude mentale ne ressentira plus le besoin de dissimuler vos parties génitales faute d'indiscrétion. Si vous avez l'occasion de rééditer cette expérience à plusieurs reprises, vous constaterez progressivement que votre corps adoptera instinctivement des postures simples, c'est-à-dire non contraignantes pour vos muscles jambiers. Refaites la même expérience en compagnie de votre conjoint, si cela s'avère possible, vous aurez la surprise de constater que vos attitudes corporelles auront tendance à retrouver leurs positions sociales, jambes croisées. En analysant le sens de votre nouvelle posture, vous réaliserez que le croisement de vos jambes ou de vos cuisses provient d'une angoisse primitive : *la peur de la castration.* Le fait de partager son espace vital avec un conjoint, un étranger ou des interlocuteurs de passage entraîne toujours une réaction inconsciente de protection du centre de gravité du territoire corporel : le sexe.

À notre avis, le fait de croiser les jambes ou les cuisses ressort aussi d'un comportement de protection contre le stress de la vie quotidienne. Vous constaterez, comme moi, que l'on croise beaucoup moins les jambes en vacances qu'au boulot.

■ *Votre interlocuteur droitier croise les jambes à hauteur de la cuisse, en position assise ; la jambe droite couvre la gauche.*

◦ La jambe droite est commandée par l'aire cérébrale gauche, c'est-à-dire l'esprit logique. Si la raison l'emporte sur les émotions, la jambe droite supplante la jambe gauche dans le code gestuel.

■ *Il croise les jambes à hauteur de la cuisse ; la jambe gauche couvre la droite.*

◦ La jambe gauche est commandée par l'aire cérébrale droite, le siège des émotions qui, par définition, sont versatiles dans un contexte de négociation.

Votre interlocuteur droitier croise les jambes à hauteur de la cuisse ; la jambe gauche couvre la droite.

*Votre interlocutrice droitière croise les jambes à hauteur de la cuisse,
en position assise ; la jambe gauche couvre la droite.*

- *Votre interlocutrice droitière croise les jambes à hauteur de la cuisse, en position assise ; la jambe gauche couvre la droite.*
- La jambe gauche est aussi symbolique de la partie féminine du corps. Une superposition de la jambe gauche sur la droite chez une femme est une manière de mettre en avant son statut de femme et de signaler qu'elle est à l'aise et/ou ouverte mentalement.
- *Votre interlocutrice droitière croise les jambes à hauteur de la cuisse ; la jambe droite couvre la gauche.*
- La jambe droite étant, a contrario, le siège de l'image masculine, le sujet féminin ne peut se sentir à l'aise dans un rôle qui n'est pas le sien. Elle exprimera instinctivement son désaccord ou son anxiété de cette manière. Cas de figure inverse de la combinaison précédente.
- *Votre interlocuteur, assis, croise sa jambe gauche sur sa cuisse droite ou l'inverse, tandis que l'un de ses pieds se réfugie en retrait sous sa chaise.*
- Attitude d'indisponibilité et/ou de refus du dialogue.
- *Votre interlocuteur, assis, croise les doigts à hauteur du genou gauche, la jambe gauche en équerre sur la jambe droite.*
- La position de la jambe en équerre est une séquence gestuelle défensive en situation de négociation, elle augmente le territoire corporel de l'homme assis et lui sert en quelque sorte de barrière défensive. La barrière est encore renforcée par le croisement des doigts sur le genou.
- *Votre interlocuteur pose sa jambe gauche en équerre sur sa jambe droite.*
- La jambe posée en équerre est une attitude défensive ou de protection du territoire corporel indiquant aussi que votre interlocuteur ne se sent pas concerné par vos propos ou ne veut pas être concerné.
- *Votre interlocuteur croise les doigts sur l'une de ses chevilles, jambes croisées.*
- Il se protège contre un sentiment d'insécurité tenace.

Votre interlocuteur croise les doigts sur l'une de ses chevilles, jambes croisées.

Votre interlocutrice, assise, entortille sa jambe droite de sa jambe gauche ou l'inverse.

Votre interlocuteur/trice, assis(e), croise la jambe droite sur la gauche et retient son genou droit de sa main gauche ou inversement croise la jambe gauche sur la droite et enveloppe son genou gauche de sa main droite.

- *Votre interlocutrice, assise, entortille sa jambe droite de sa jambe gauche ou l'inverse.*
- La jambe qui est emprisonnée est possédée par l'autre jambe. Cette posture préfigure une possession symbolique de type amoureux ou trahit un tempérament jaloux.
- *Votre interlocuteur est assis avec les jambes de guingois en forme d'X.*
- Cette posture curieuse est adoptée par les sujets timides. C'est une attitude de retrait.

- *Une des jambes de votre interlocuteur est agitée d'un mouvement d'impatience.*
- Geste compulsif traduisant un refoulement des objections ou des désirs que le sujet n'ose pas exprimer.
- *Votre interlocuteur/trice, assis(e), croise la jambe droite sur la gauche et retient son genou droit de sa main gauche ou inversement croise la jambe gauche sur la droite et enveloppe son genou gauche de sa main droite.*
- Geste évoquant un stress mental dont la personne cherchera à se soulager par une conduite souvent inappropriée et/ou des gestes en décalage avec son discours.
- *Votre interlocuteur est assis jambes croisées, une jambe en appui contre le bord de la table.*
- Il défend symboliquement son territoire, en prenant appui contre le bord de la table qui le protège.
- *Assis, il/elle croise bras et jambes et se penche en avant sur sa chaise.*
- Attitude d'enfermement imposée par un climat mental engoncé dans sa méfiance. Il/Elle se sent peu sûr de lui/d'elle.
- *Il/Elle campe généralement ses pieds à plat sur le sol, jambes écartées, en position assise.*
- La signification de la posture paraît évidente. Elle exprime un caractère bien trempé. Il/elle vous avertit que sa volonté d'aboutir devrait être visible à l'œil nu. Votre interlocuteur/trice sait parfaitement ce qu'il/elle veut ou jusqu'où il/elle se laissera séduire par vos propositions.
- *Les jambes vue de profil forment un angle aigu avec les genoux comme sommet, légèrement en retrait sous la chaise, pieds à plat sur le sol.*
- Attitude de retrait.
- *Les jambes forment un angle d'ouverture supérieur à 90° ou obtus, pieds posés à plat sur le sol.*
- Cette ouverture signale que les barrières de défense du sujet sont désactivées.

- *Il/elle est assis(e) jambes serrées l'une contre l'autre, pieds à plat sur le sol.*
  - Un geste qui marque souvent la psychorigidité du personnage.

Joue (et pommette). Site anatomique. Parlant des pommettes sans lesquelles les joues ne seraient que des étendues de chair flasques, il s'agit ici de l'ossature qui soutient les joues. Proéminentes chez certains, elles sont à peine visibles chez d'autres. La mise en valeur de pommettes par le biais du maquillage, chez les femmes, est significative. Il ne suffit pas d'avoir les pommettes hautes pour ressentir le besoin de les maquiller. Cette mise en valeur d'une partie du visage traduit bien souvent un « soupçon d'ambition », à la limite de l'arrivisme, chez l'exécutive *woman* que vous croisez tous les jours dans les couloirs de votre entreprise. Ne lui en tenez pas grief ! Chacun choisit et fourbit ses armes en fonction de ses qualités qu'elles soient professionnelles ou plastiques. Il est cependant fortement conseillé aux collègues des *pommettes rouges* de regarder attentivement où ils mettent les pieds. Elles sont assez féroces dans leur genre. Il ne faut évidemment pas conclure que la rougeur naturelle de la femme timide est un signe de carriérisme. Elle n'est que l'expression d'une colère fondamentale qui est la racine de cette timidité. Il est, en revanche, intéressant de réaliser que la reproduction artificielle de ces petites taches turgescentes qui apparaissent sur les joues ou les pommettes des adolescentes puisse ainsi changer de sens quand elles sont imitées dans un cadre professionnel.

- *Il/Elle se caresse les joues du plat de la main.*
  - Vous avez affaire, de toute évidence, à un personnage manipulateur dont l'arme la plus redoutable est la mauvaise foi.
- *Il/Elle caresse l'une de ses joues du bout des doigts, coude en appui.*
  - La caresse de la pulpe des doigts indique un raffinement dont la gratification est auto-attribuée.

■ *Il/Elle gonfle une joue et appuie dessus avec l'un de ses index.*
◦ Geste mimé sans qu'on produit sans en être vraiment conscient. Il/elle se trahit sans le vouloir. Il/elle croit dur comme fer que le scepticisme est la première qualité de son intelligence

Il/elle gonfle une joue et appuie dessus avec l'un de ses index.

■ *Il/elle gonfle ses joues sans raison.*
◦ Ses doutes lui emplissent la bouche mais il/elle n'osera jamais les cracher sur la table.
■ *Coude en appui, il/elle enfonce son index et/ou son majeur dans sa joue pour soutenir sa tête.*
◦ Cette séquence gestuelle particulière préfigure le geste moqueur conventionnel de l'index qui dégonfle la joue.

188 Ces gestes qui vous trahissent

- *Coude en appui, il/elle appuie l'une de ses joues sur sa main correspondante, paume ouverte.*
- Séquence gestuelle traduisant un besoin d'en savoir plus pour prendre une décision en conséquence.
- *Il/elle se mordille l'intérieur des joues.*
- Votre présence le/la met mal à l'aise ou l'inquiète plus qu'il/elle n'oserait vous l'avouer. Il/elle est manifestement contrarié.
- *Il/elle relâche l'air de ses joues en imitant le son d'un trombone.*
- Le moins que l'on puisse dire, c'est que votre vis-à-vis n'est pas franc(che) du collier.
- *Elle incline la tête à droite et pose sa joue dans sa main, l'air rêveur.*
- Geste typique d'un personnage créatif et surtout proactif, l'esprit porté vers un besoin de se projeter dans le futur pour en savoir plus avant de prendre une décision.
- *Elle appuie sa joue contre le dos de sa main gauche, coude en appui, avec la tête légèrement penchée vers la gauche.*
- Une tête penchée est toujours plus séduisante qu'une tête guindée. Le dos de la main préfigure l'épaule contre laquelle elle rêve peut-être d'appuyer sa tête.

L comme...

Langue. Site anatomique. Organe remarquable aux multiples fonctions, sa surface rugueuse est couverte d'environ 10 000 papilles gustatives capables de détecter quatre saveurs différentes : le salé et le sucré sur le bout de la langue, l'acide sur le côté et l'amer à l'arrière. Mais la langue est aussi un organe de communication visuelle tout en ayant un rôle capital dans le processus de la phonation.

- *Il/Elle appuie fortement le bout de sa langue contre les incisives de la mâchoire inférieure. Sa bouche est légèrement entrouverte, donnant une impression de renflement.*

- S'il s'agit d'une sorte de tic, votre interlocuteur/trice est plus habitué(e) à échouer qu'à réussir. Du point de vue professionnel, il/elle est plus opportuniste que compétent(e). Un opportunisme sans finesse qui vous sautera à la figure.

- *Il/Elle tire sur le bout de sa langue de la pince pouce-index.*

- Il/Elle a peur d'en dire trop et se pénalise inconsciemment en mimant un percing de la langue.

Il/Elletire sur le bout de sa langue de la pince pouce-index.

- *Il/Elle passe régulièrement sa langue sur ses incisives supérieures.*
- Cette mimique trahit plus un intérêt sonnant et trébuchant qu'un besoin de se laver les dents. Il/Elle est très branché du... réticule.
- *Il/Elle pousse sa langue à l'intérieur de sa joue avec un demi-sourire.*
- Mimique moqueuse mais complice et non dépourvue de sympathie pour l'interlocuteur.
- *Il/Elle pousse sa langue contre son palais, lèvres entrouvertes.*
- Un(e) rusé(e) renard(e) qui vous considère comme de la vulgaire volaille bonne à plumer.
- *Il/Elle fait le tour de ses lèvres avec le bout de sa langue.*
- Je trouve cette mimique indécente. Elle est pourtant assez courante et signifie effectivement que votre interlocuteur s'apprête à vous manger tout cru. Symboliquement, rassurez-vous ! Le mensonge dessèche les lèvres du menteur, comme si les glandes salivaires refusaient de participer à une trahison de la vérité. Il est curieux de constater qu'on salive normalement quand on dit la vérité et que cette salivation se tarit quand on la déguise, envers soi-même ou envers les autres. En réalité, le fait de mentir entraîne automatiquement dans son sillage un sentiment de malaise ou de culpabilité, vite réprimé par la conscience du (de la) menteur(se). C'est ce dernier sentiment qui est à l'origine des troubles de la salivation.
- *Il/Elle se mordille le bout de sa langue.*
- Refus larvé de poursuivre un entretien.
- *Il/Elle vous tire la langue de manière tout à fait inattendue.*
- Salve d'honneur du pitre à bout d'arguments mais aussi une licence qui permet de mesurer le degré de connivence entre deux individus.

Lécher. Action motrice. L'action de lécher est une manière symbolique de panser ses blessures narcissiques.

Lèvre. Site anatomique. Il est intéressant d'observer que le genre de vie vécue par une personne se marque, avec l'âge, dans le dessin de ses lèvres. En croissant de lune tiré vers le bas pour ceux qui ont appris à cultiver l'amertume, en trait de crayon pour les individus auxquels le destin a réservé une vie aussi longue qu'un fleuve tranquille. Pour les derniers, ceux dont la vie a été une aventure, les commissures des lèvres ont une légère tendance à se relever, donnant à la bouche la forme d'un croquis d'assiette à potage.

Pour Freud, elles sont le portique de la bouche dont nous nous servons pour absorber la nourriture-plaisir. Elles sont aussi le premier outil de contact privilégié dans la parade amoureuse achevée. La bouche est le fruit du désir, et les lèvres les messagères du plaisir sans oublier que la bouche est aussi une boîte à sons qui parle, chante, siffle, respire et bouge tout le temps, la bouche s'exprime sans un mot quand elle sert à ponctuer le discours.

- *Le/La conférencier(ère) se lèche constamment le bord des lèvres.*
* La diminution de salive lui laisse la bouche sèche et, pendant qu'il/elle parle, il est probable qu'il/elle fera de brefs mouvements de la langue et les lèvres pour essayer de récupérer un peu de l'humidité perdue. Le trac en est probablement la cause.
- *Il/Elle agace ses lèvres avec son index sans émettre le son caractéristique du bébé, coude en appui.*
* Attitude de perplexité de la part d'un individu en proie au doute. Peu courant mais tellement éloquent que je ne résiste pas au plaisir de vous le traduire. Sa réaction gestuelle équivaut à un pied de nez.
- *Il/Elle fait des arpèges digitaux sur sa lèvre inférieure, coude en appui.*
* Ce type de geste trahit un tempérament carriériste.
- *Il/Elle caresse sa lèvre inférieure du bout de l'index.*
* L'intervention des lèvres dévie le sens premier de la caresse. Il trouve que vous manquez de franchise à son égard ou, s'il s'agit d'une femme qui vous plaît, que vous manquez d'audace pour l'aborder. Dans ce dernier cas, c'est un geste d'évaluation vous concernant.

- *Elle se caresse le tour des lèvres de l'index, comme si elle se remettait du rouge, la bouche en cul de poule.*
  - Geste typiquement féminin. Elle essaie de vous donner le change alors qu'elle se sent perturbée par votre présence ou votre manège.
- *Coude en appui, il/elle lisse ensemble les commissures de ses lèvres du pouce et de l'index du haut vers le bas, la bouche légèrement grimaçante.*
  - Séquence gestuelle très prisée par les individus qui n'ont pas la conscience très nette. Elle trahit un tempérament simulateur, si elle est souvent répétée. Ce geste particulier est fortement sollicité par les conseilleurs de tout poil qui, comme chacun le sait, ne sont jamais les mêmes que les payeurs. Il s'agit aussi d'un geste typique d'évaluation de l'adversaire. « À quelle sauce vais-je le manger ? », songe le loup face à l'agneau.

Coude en appui, il/elle lisse ensemble les commissures de ses lèvres du pouce et de l'index du haut vers le bas, la bouche légèrement grimaçante.

- *Il/Elle fronce ses lèvres en direction du nez.*
  - Cette mimique particulière traduit généralement un malaise. Geste décalé fortement prisé par feu Louis de Funès, pour ceux qui s'en souviennent.
- *Il/Elle gonfle d'air sa lèvre supérieure.*
  - Indique un besoin de prendre de la distance et/ou une attitude incrédule.
- *Il/Elle se grattouille les commissures des lèvres, du bout de l'ongle, avec une grimace de dégoût ou de mépris.*
  - Vous remarquerez qu'il est impossible de se gratter les commissures des lèvres sans effectuer cette petite grimace qui induit une torsion inélégante des muscles orbiculaires de la bouche. La reproduction fréquente de cette séquence révèle un tempérament envieux.
- *La lèvre supérieure de votre interlocuteu/tricer repousse la lèvre inférieure vers l'extérieur.*
  - Expression de la perplexité. Il suffit de reproduire ce type de mimique pour se mettre à douter de tout automatiquement.
- *Il/Elle écarte les commissures de ses lèvres vers les joues tout en affichant un pseudo-sourire.*
  - Le sourire grimace trahit un individu qui conjugue sa vie au conditionnel, confondant ce mode de conjugaison avec de la politesse.
- *Il/Elle grimace en tendant la commissure gauche ou droite de sa lèvre vers la joue correspondante.*
  - Demi-grimace typique des personnes hypersensibles qui tentent de se protéger en affichant une moue ironique.
- *Il/Elle appuie son index et son majeur sur ses lèvres, coudes en appui, comme s'il/elle fumait une cigarette imaginaire.*
  - Ce geste est un simulacre de baiser à distance, dont le sens premier n'est pas du tout affectueux pour l'interlocuteur.
- *Il/Elle mordille sa lèvre supérieure ou sa lèvre inférieure, indifféremment.*
  - Attention ! Panique à bord !

Il/Elle mordille sa lèvre supérieure ou sa lèvre inférieure, indifféremment.

- *Il/Elle se pince les lèvres du pouce et de l'index.*
- Il/Elle scelle ses lèvres pour ne pas vous interrompre bien que sa religion soit déjà faite.
- *Coude en appui, il/elle pince ses lèvres avec ses doigts rassemblés en faisceau.*
- Le geste imite le bec de canard qu'on empêche de s'ouvrir ; il traduit un sentiment de contrainte.
- *Il/Elle tire sur sa lèvre inférieure, coude en appui.*
- La protrusion (action de pousser un organe en avant) de la lèvre inférieure est une mimique de désaveu. Il s'agit d'une variante de l'index tirant sur la paupière inférieure de l'œil.
- *Il/Elle tire sur sa lèvre supérieure, coude en appui.*
- La protrusion de la lèvre supérieure révèle une attitude ambiguë.

Il/Elle tire sur sa lèvre inférieure, coude en appui.

- *Les lèvres pincées*
  - On scelle ses lèvres, en contractant les muscles orbiculaires, pour ne pas interrompre un interlocuteur envers lequel on n'éprouve pas de sympathie particulière ou pour ne pas relancer un débat stérile.
- *Les lèvres retroussées*
  - Le retroussement des lèvres est une mimique typique des individus qui ont tendance à s'exprimer « du bout des lèvres ». Un peu comme s'ils embrassaient de loin leur interlocuteur quand ils parlent.
- *Les lèvres gustatives*
  - La réaction labiale de succion est assez courante chez les séducteurs de tous bords mais aussi chez les gustatifs qui savourent la succulence des mots. Aviez-vous déjà remar-

qué que les mots du mensonge sont moins amers que les mots de la vérité ? Ainsi les lèvres du Président Chirac se resserrent autour de la succulence des mots. Le président est un gustatif, il savoure la bonne chair et les privilèges du pouvoir avec un égal plaisir gastronomique.

■ *La bouche en forme d'assiette à soupe renversée*

▪ Elle désigne les individus acrimonieux, souvent impitoyables avec leurs ennemis, et provoque deux plis d'amertume au coin des lèvres.

■ *La lèvre supérieure figée*

▪ Les lèvres figées, voire inexpressives, tandis que l'individu lit son discours, équivalent à une rigidité plus qu'à une flexibilité de ses intentions réelles.

Lunettes. Objet incorporé. Elles ont cessé de servir essentiellement à corriger les défaillances oculaires. Aujourd'hui, elles relookent l'image sociale de celui ou celle qui les porte ! Elles ne lui servent pas seulement d'yeux en second mais lui procurent aussi un moyen de se protéger contre l'agressivité de son environnement. Compagne gestuelle des situations sociales équivoques ou critiques, elles font également partie du langage des gestes auxquels elles sont associées. Le consommateur choisit ses lunettes, j'imagine, en fonction de la forme de son visage, la couleur de la monture par rapport à celle de ses yeux ou de son teint. Il peut aussi sélectionner un type de lunettes en se référant à un modèle en vogue ou à une idée qu'il se fait de son statut social. Ce faisant, il commet une erreur fondamentale. Il met en valeur la vitrine au détriment de la boutique tout entière. Une paire de lunettes n'est pas seulement un objet utile, voire indispensable pour corriger une dioptrie déficiente, c'est aussi un prolongement de l'image sociale que nous donnons aux autres. Les lunettes habillent le visage, et le visage est d'abord et avant tout la succursale principale de nos humeurs et de nos sentiments. Un visage peut beaucoup même s'il ne peut pas tout. Mal habillé, il ne pourra rien du tout. Ce n'est pas une question de plastique mais d'harmonie entre les lunettes qui l'habillent et le climat mental de celui qui les portent. Les critères habi-

Il/Elle pose systématiquement ses lunettes sur le bout de son nez, en vous regardant par dessus les montures.

tuels qui préludent au choix d'une paire de lunettes occultent l'atout considérable qu'elles pourraient représenter pour leur propriétaire, si elles étaient choisies en fonction de l'harmonie de ses émotions. Il ne faut pas choisir des lunettes, il faut les ressentir. Ce n'est pas une simple paire de bésicles destinées à raccourcir un nez trop long ou à manger un visage trop étroit mais une partie intégrante du visage et un prolongement révélateur de l'image professionnelle que l'on désire mettre en avant. Or, cette image doit correspondre à la vérité que chacun porte en soi, et ce n'est pratiquement jamais le cas. Si l'habit fait le moine, une simple paire de lunettes peut en devenir le point de mire, conforter ou infirmer l'authenticité du personnage. Il est à noter qu'une paire de lunettes bien choisie s'accorde tellement bien au visage de celui ou celle qui les porte qu'elles se fondent dans le décor et embellissent les traits au lieu de les enlaidir.

- *Il/Elle pose systématiquement ses lunettes sur le bout de son nez, en vous regardant par-dessus les montures.*
- Attitude liée à la curiosité mitigée d'un soupçon de reproche. Bernard Pivot est (ou était) abonné à cette attitude dite *du professeur*, dont il abuse, plus parce qu'elle offre un effet comique télévisuel que pour asseoir un pouvoir que nul ne s'aventurerait à lui contester.
- *Il/Elle encadre la monture de ses lunettes du pouce et de l'index.*
- Il/Elle se sert symboliquement de ses lunettes comme d'une longue vue. C'est le geste typique d'un interlocuteur qui tente de prendre du recul.
- *Il/Elle remonte machinalement la monture de ses lunettes du bout de l'index.*
- Ses lunettes glissent sur son nez parce qu'il/elle transpire peut-être mais si ce n'est pas le cas, sachez que vous avez affaire à un individu qui cultive ses doutes comme d'autres jouissent de leurs plaisirs charnels.
- *Il/Elle conserve ses lunettes refermées dans sa main pendant toute la durée de l'entretien.*
- Reproduit dans le contexte d'un débat ou d'un entretien, le simple fait de conserver ses lunettes dans sa main signifie que cette personne refuse de voir la vérité en face.

■ *Il/Elle mordille presque tout le temps les branches de ses lunettes.*

⁕ Le fait de mordre une partie de cet outil qui sert à voir est une manière de se rappeler à l'ordre. Pourquoi se mord-on les yeux ? Pour leur rendre une acuité qu'ils ont perdue ? Le geste révèle un passage à vide dans le climat mental.

■ *Il/Elle nettoie fréquemment les verres de ses lunettes, tout en vous prêtant une oreille attentive.*

⁕ Il/Elle nettoie son argumentation avant de vous la servir.

■ *Il/Elle remet en place ses lunettes d'un geste sec.*

⁕ Les remettre en place d'un geste sec, c'est rappeler à l'ordre des yeux qui s'égarent ou un esprit qui s'éparpille.

■ *Il glisse ses lunettes dans la poche poitrine de son veston.*

⁕ On range ses yeux en second quand on ne ressent plus le besoin de se protéger contre un interlocuteur perçu comme un intrus a priori. C'est donc un signal d'ouverture !

■ *Il/Elle porte de grosses lunettes en écaille.*

⁕ Le type de monture en dit long sur l'interlocuteur qui la porte. Les grosses montures en écaille appartiennent à des individus dont la timidité est le seul obstacle à leur intelligence ou à leurs talents. Il est remarquable de constater que ces mêmes individus ayant réussi leur carrière, se débarrasse de *leurs grands yeux en écaille* et de leur timidité excessive pour adopter des lunettes sans montures ou des lentilles souples.

■ *Il/Elle porte de petites lunettes rondes d'intellectuel avec des lentilles qui grossissent ses yeux démesurément.*

⁕ Les lunettes font partie de la personnalité d'un individu mais il arrive qu'elles servent aussi de rempart de protection contre l'agressivité sociale. La myopie, par exemple, peut être déprogrammée en état d'hypnose mais se réinstalle dès que le sujet revient à un état de vigilance. Quand on interroge un sujet sur les origines de sa myopie, souvent survenue dès l'enfance, il répond que ça l'arrange bien de baigner dans une sorte de brouillard qui le protège.

- *Il/Elle remonte ses lunettes en se servant de ses deux mains, avant de poursuivre.*
- On rappelle ses lunettes à l'ordre quand le discours et les convictions font le grand écart et pas forcément parce qu'elles glissent sur le nez.
- *Ses doigts s'accrochent souvent aux branches de ses lunettes comme s'il/elle cherchait à les remettre d'aplomb.*
- Il/Elle se raccroche à ses yeux pour regarder ce qu'il/elle ne faisait que voir.
- *Il/Elle égare constamment ses lunettes sur sa table de travail.*
- Votre interlocuteur/trice n'est pas un(e) fervent(e) adepte de la réalité. Le simple fait d'égarer ses lunettes est une manière d'éviter de l'affronter.

Il/Elle mordille les branches de ses lunettes.

- *Elle mordille les branches de ses lunettes.*
- Vous êtes en présence d'une femme qui aime les situations insolites. S'entourer d'un halo de mystère est une stratégie apte à emporter sa sympathie.

Lunettes de soleil. Objet incorporé.

- *Elle porte ses lunettes de soleil à califourchon sur la tête.*
- Certaines femmes vous diront qu'il faut bien les poser quelque part quand on n'a pas de poches. Logique mais pas toujours vrai ! Plus les verres sont grands, plus les lunettes remplacent avantageusement le serre-tête, offrant au visage un atout séducteur supplémentaire.
- *Il/Elle tient ses lunettes refermées dans sa main droite et les reposent sur son épaule correspondante.*
- Ce geste indique une frustration associée au désir de posséder quelque chose (ou quelqu'un) qui lui fait défaut.
- *Ses lunettes sont suspendues à hauteur de son décolleté.*
- Si le décolleté est plongeant, on peut deviner le besoin d'attirer l'attention sur la naissance des seins.
- *Elle baisse ses lunettes pour regarder par-dessus.*
- Ici, il s'agit plus d'un geste de séduction dévoilant l'intérêt croissant de la jeune femme pour son interlocuteur.
- *Elle remonte ses lunettes sur son nez d'un index mutin.*
- « Suis-moi, je te fuis ! » tel est le sens de ce geste reproduit par la belle inconnue que vous dévorez des yeux. La belle se cache derrière ses verres pour éviter d'afficher ses sentiments ou pour esquiver votre empressement.

M comme...

Mâchoire. Site anatomique. Siège de la persévérance ou de la ténacité, comme vous vous en doutiez.

La photographie rapprochée du visage d'un dictateur donne l'impression qu'il aboie pour convaincre son auditoire ; cette ouverture buccale particulière dite de la « mâchoire carrée » est une constante mimique du personnage. Son regard dégage souvent un sentiment de haine, mitigé de déception non feinte.

■ *Les maxillaires se découpent sous ses joues.* On peut deviner, en observant ses yeux, qu'il/elle tente de contrôler son chagrin pour ne pas verser des larmes en public.

▪ Le simple fait de mordre sur ses mâchoires et de les crisper par la même occasion est une mimique complexe connue de tous. Elle est consécutive à une émotion puissante qui bouleverse la maîtrise de soi.

■ *Ses mâchoires sont animées d'un mouvement permanent mais discret de mastication.*

▪ Il/Elle grince des dents en silence mais ne grince pas forcément des dents pendant la nuit. Les deux attitudes ne procèdent pas de la même origine. Le grincement nocturne est lié à une désorganisation temporaire ou chronique des moyens de communication. La mastication diurne trahit un individu versatile.

■ *Il a tendance à serrer les mâchoires compulsivement. Le mouvement des mandibules est visible à l'œil nu.*

▪ Variante de la mastication discrète. Les mâchoires se découpent nettement à travers la peau des joues. Le visage est fermé et hostile à l'environnement social. Dans le contexte d'un effort sportif, l'athlète serre les mâchoires pour conforter sa combativité ou son endurance. Hors de ce contexte, la tension des mâchoires révèle une incapacité de se détendre, voire un sentiment d'hostilité permanent envers l'environnement.

Main. Site anatomique. La main qui explore, la main qui crée. Deux mains parfaitement opposables qui se ressemblent comme des jumelles mais dont les programmations motrices sont antagonistes et complémentaires. Doit-on le rappeler ? Leur importance est essentielle dans l'évolution de la race humaine.

Les mains peuvent atteindre toutes les parties anatomiques du corps humain, ou presque. Outils extraordinaires, leur mobilité, l'angle de rotation des bras, la longueur des doigts et leur capacité de préhension en font un outil adaptatif presque parfait. Leurs fonctions primaires sont d'explorer et de créer. Parmi leurs fonctions secondaires, on situe aussi leur emploi de piédestal du visage ou de la tête trop lourde de ses pensées, ainsi et surtout, celui d'outil d'appoint du langage verbal. Elles font de la figuration intelligente. Trop intelligente sans doute car il arrive souvent qu'elles trahissent le discours au lieu de le mettre en relief. Et comme nous le savons déjà, la main droite n'est pas la main gauche. Envisageons les choses du point de vue du droitier. Si vous appartenez à la minorité « opprimée » des gauchers, il vous suffit d'inverser.

Quand un individu se met à parler, il lui est difficile de le faire sans le concours de ses mains et forcément des bras, bien que cela arrive et nous y reviendrons en temps utile. Les mains voyagent en permanence du locuteur en direction de l'autre et exécute un ballet compliqué à l'instar d'une abeille qui rentre à la ruche.

Avant de poursuivre, il faut se souvenir que la main droite est évidemment offensive tandis que la gauche est défensive. Ce qui paraît moins évident consiste à considérer la droite comme la main ouvrière, habile mais peu créative. Son action dépend surtout de l'hémisphère gauche du cerveau et s'implique dans des tâches logiques. A contrario, la main gauche, peu habile, voire franchement maladroite, serait une main à fort potentiel créatif inutilisé dans la plupart des activités humaines sauf chez les musiciens. La latéralité a force de loi. La main droite agit, la gauche subit.

Les grands voyous et les grands PDG ne parlent que très peu en se servant de leurs mains. Ces deux catégories d'individus ne se livrent jamais au grand jour. Ils évitent systématiquement d'utiliser leurs mains, comme si une part de bluff entrait dans leur communication globale jumelée à un besoin vital de conserver le pouvoir en toutes circonstances. Il est assez aisé de constater que leurs silences sont plus denses que leurs propos. Ils écoutent, observent mais refusent de se trahir en exposant leurs émotions aux feux de la rampe. Or, les gestes peuvent dévoiler leur jeu et ils le savent instinctivement. L'immobilité des mains traduit, en conséquence, un personnage méfiant et dont le territoire mental est hyper protégé. Il a tout à cacher, rien à montrer qui pourrait le fragiliser face à ses interlocuteurs. La main, racine de la créativité humaine, intervient dans un nombre incalculable de séquences gestuelles involontaires. Elle n'en tient pas toujours le premier rôle mais elle figure intelligemment dans presque toutes. Selon Jean-François Deniau, c'est la main active du droitier qui crée et organise la création. « Parfois la tête dit à la main d'agir. Parfois la main commande et c'est la tête qui suit. De l'ouvrier ou de l'outil, comment savoir qui donne les ordres à l'autre ? C'est la main qui a fait l'homme et non le contraire. » (Jean-François Deniau, *La Désirade*).

LA MAIN NOURRICIÈRE

Lorsque vous vous saisissez d'une baguette, de quelle main tranchez-vous le pain et surtout de quelle main vous nourrissez-vous : la gauche ou la droite ?

- *La main gauche*
- Tempérament gustatif et attitude gastronome.
- *La main droite*
- Vous mangez pour vous nourrir.
- *Les mains bavardes*
- Il y a grosso modo trois manières différentes de s'exprimer avec le support des mains. Soit les mains qui accompagnent le discours sont ouvertes : votre interlocuteur n'a rien à cacher et s'exprime avec franchise. Soit les doigts sont recroquevillés : ce geste trahit un tempérament jaloux. Soit la personne qui vous parle utilise souvent ses index pour appuyer ses arguments et dévoile ainsi un caractère hostile ou agressif.
- *Chaque fois qu'il/elle parle, ses mains se présentent paumes face à face, donnant l'impression de tenir un ballon invisible, et virevoltent devant lui/elle sans jamais se poser sur la table, comme s'il/elle cherchait à récupérer ses propos après usage !*
- On remarque que ce mode d'expression gestuel revient régulièrement tout au long de son discours. Il s'agit d'un

individu qui prête volontiers son savoir à son interlocu-
teur/trice mais qui n'offrira rien sans contrepartie. Son
degré de générosité est soumis à condition.

- *Tandis qu'il/elle parle, ses mains demeurent à la même hauteur.*
- Le poids des mots est équivalent à la masse spécifique
  des pensées. La malice n'est pas au rendez-vous. Il/elle
  dit ce qu'il/elle pense. Imaginez que les mains sont les
  extensions des hémisphères cérébraux inverses !
- *La main gauche est plus haute que sa main droite.*
- Le cerveau droit prend le relais de la parole. En clair,
  votre interlocuteur/trice fonctionne sur le mode émotionnel. Son cœur remplace sa raison.
- *Sa main droite est plus haute que sa main gauche.*
- Votre interlocuteur/trice opère sur le mode rationnel ou
  cartésien. Ne faites pas appel à son cœur mais à sa
  logique. Simple à comprendre mais encore faut-il songer à
  rester attentif !

Sa main droite est plus haute que sa main gauche.

- *Ses mains, tandis qu'il/elle parle, se présentent sur leurs tranchants.*
- Elles donnent la mesure d'un espace contenu et limité par leur parallélisme. Au-delà de cette limite exprimée par geste, son ticket ou celui qu'il/elle vous accorde ne sont plus valables. Il s'agit probablement d'un individu qui éprouve des difficultés à situer le cœur du débat. Il/elle craint la dispersion de ses idées au moindre coup de vent.
- *Sa main gauche ou droite caresse le dessus de la main opposée, les deux en appui sur un support quelconque.*
- Attitude jubilatoire du rusé renard qui prend son temps pour ferrer sa proie. C'était le geste favori du Président Mitterrand. Paradoxalement, ce geste signifie qu'il/elle est intéressé(e) par les idées de son interlocuteur/trice mais qu'il/elle n'est pas prêt(e) à reconnaître ouvertement leur valeur.
- *Il/Elle se frotte les mains, comme s'il se les lavait sous le jet d'un robinet.*
- Les individus qui se frottent régulièrement les mains ont les mains sales au sens figuré. Les individus qui abusent de ce geste ont souvent une mentalité de boutiquier.
- *Il/Elle se gratte le dessus de la main en permanence.*
- Code gestuel des petit(e)s malin(e)s.
- *Il/Elle lève systématiquement la main en l'air, paume vers l'extérieur, quand il/elle veut vous interrompre ou prendre la parole.*
- S'il/Si elle était convaincu(e) de ses arguments, il/elle n'aurait pas besoin de se comporter en gendarme.
- *Ses mains, coudes en appui, sont jointes mais les doigts sont écartés deux à deux.*
- Cette séquence gestuelle signale une attitude intégriste.
- *Coudes en appui, ses mains sont jointes à hauteur de son visage, comme s'il/elle priait.*
- Il/Elle se prépare à vous contrer. Les mains en prière ne sont pas une demande muette mais trahissent un climat mental oppositionnel.

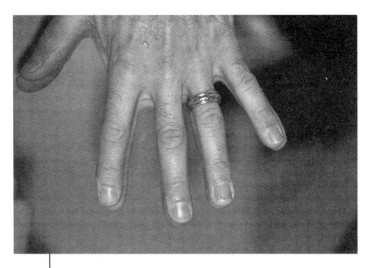

Ses mains, coudes en appui, sont jointes mais les doigts sont écartés
deux à deux.

- *Il/Elle, coude en appui, joint les mains comme à la prière et pose son menton sur le bout de ses doigts.*
- Attitude de pseudo-bigot(e) qui mesure votre taille à l'aune de ses préjugés.
- *Il/Elle est assis(e), les mains posées à plat sur la table ou sur son attaché-case.*
- Le fait de cacher ostensiblement ses paumes est une manière de dissimulation et un refus d'accorder du crédit à son interlocuteur/trice.
- *Il/Elle pose ses mains, doigts à moitié refermés sur le bord de la table.*
- Signe de versatilité.
- *Il/Elle pose ses coudes sur ses cuisses, les mains couvrent les oreilles sans les boucher pour autant et soutiennent la tête au niveau des mâchoires.*
- Il/Elle refuse de vous écouter mais arrive encore à vous entendre.

- *Il glisse souvent sa main dans l'échancrure de sa chemise contre sa poitrine.*
- La fabulation est une propension à présenter comme réelles les productions imaginaires de l'esprit. C'est une sorte de compensation subjective chez un individu qui imagine ce qu'il aurait voulu vivre et qu'il n'a jamais vécu. Les fabulateurs ne manquent pas à l'appel mais votre interlocuteur devrait, en principe, détenir le pompon en la matière. Si c'est le cas, vous avez affaire à un simulateur. Versatile comme la météo, toutes ses décisions professionnelles sont guidées par ses fantasmes.
- *Il retient sa main gauche de sa main droite au niveau de la tranche externe de la paume, et vice versa.*
- Colérique, extrémiste, surmené, courant d'air, brouillon, accapareur, votre interlocuteur appelle sa maman à son secours chaque fois que son destin dérape. Sa maman ou celle qui a repris le rôle en toute innocence.
- *Il/Elle dissimule ses deux mains en dessous du bureau.*
- On ne cache ses mains que dans un cas de figure et un seul : quand on n'a pas la conscience tranquille.
- *Il/Elle dissimule généralement sa main droite sous le bureau.*
- Il/Elle n'est pas franc(che) du collier.
- *Il/Elle dissimule généralement sa main gauche sous le bureau.*
- La main non motrice ne lui sert à rien. Il/Elle gomme toute attitude créative ou toute ouverture dans le contexte de votre entretien.
- *Il/Elle se frotte le dessus de la main droite de la gauche ou l'inverse.*
- On se frotte la peau pour soulager une démangeaison ou une douleur. En l'occurrence, il s'agirait plus d'une réaction nerveuse provoquée par l'évocation d'un sujet qui l'irrite.
- *Il lit dans ses mains comme un musulman qu'il n'est pas.*
- Ce geste, il le reproduit régulièrement en alternance avec les mains jointes en prière. Les deux codes gestuels évoqués sont typiques des individus nourris de leurs préjugés.

- *Sa main gauche gratte subrepticement le dos de sa main droite au moment où il/elle sert son madrigal.*
- Il/Elle ne pense pas un mot de ce qu'il/elle dit.
- *Sa main droite sert de fourreau à la gauche dont les doigts dépassent, donnant l'impression qu'il/elle tient une paire de gants.*
- Geste typique du discoureur qui cultive sa tendance à se fourrer dans des plans foireux ou à faire le mauvais choix.

Sa main droite sert de fourreau à la gauche dont les doigts dépassent, donnant l'impression qu'il/elle tient une paire de gants.

- *Il/Elle lève la main droite, l'index, le pouce et l'auriculaire sont tendus comme une griffe de jardin.*
- Le geste est voisin d'un signe ésotérique vouant l'adversaire au mauvais œil.
- *Sa main droite emprisonne le bout des doigts de sa main gauche et vice versa.*
- Ce geste trahit un sentiment d'insécurité et un tempérament méfiant.

Sa main droite emprisonne le bout des doigts de sa main gauche et vice versa.

- *Coudes en appui, sa main gauche enveloppe son poing droit et vice versa.*
- Geste typique des hommes de pouvoir. Rassembleur, directif, incisif, votre interlocuteur est le genre d'individu capable de transformer ses penalties.
- *Sa main enferme les quatre doigts de l'autre main, le pouce restant libre.*
- Il/Elle s'interdit toute initiative.
- *Sa main enferme les cinq doigts de l'autre main.*
- Il/Elle se sent complètement pris(e) au piège.
- *Mains accrochées en quinconce paume contre paume, sa main droite surplombe la gauche.*
- Tempérament autoritaire et dirigiste.

- *Mains accrochées en quinconce paume contre paume, sa main gauche surplombe la droite.*
- Individu consensuel.
- *Ses mains sont en tenaille, la main gauche domine la droite.*
- Dans cette séquence gestuelle particulière, on ressent nettement le décalage du geste non privilégié. L'intelligence créative est prépondérante
- *Ses mains sont en tenaille, la main droite domine la gauche.*
- L'intelligence logique est prépondérante.
- *Debout, il croise ses mains dans son dos, tout en continuant à vous parler ou à vous écouter.*
- En principe, il ne se protège en aucune manière, attend les propositions de son interlocuteur/trice et l'écoute sans parti pris. En pratique, celui/celle-ci l'ennuie profondément.
- *Il/Elle joint les mains et appuie ses lèvres contre ses pouces.*
- Les mains pressées trahissent un vide qu'il va falloir combler avec des mots. Les lèvres posées contre les pouces sont une façon de préparer une réponse politiquement correcte.
- *Il/Elle consulte ses notes, la main droite en cornet, doigts repliés contre la bouche.*
- Ce type d'attitude exprime un doute sérieux quant à la conduite à tenir. Signal gestuel préconscient qui annonce souvent des ennuis pour celui/celle qui le reproduit.
- *Le tribun s'accroche des deux mains à son lutrin.*
- Les mains s'accrochent naturellement à des pseudo-mains courantes quand le taux de trac ou d'anxiété du locuteur est à son maximum. Il assure symboliquement son discours.
- *Il/Elle parle continuellement en écartant les mains en opposition.*
- Une manière d'encadrer son discours pour empêcher tout dérapage verbal.
- *Il/Elle joint les mains en prière, pouces cassés en angles droits.*
- La supplication paraît évidente. Et pourtant ! Les pouces cassés sont une marque de fabrique qui trahit le côté exalté de l'orateur.

■ *Il/Elle pose ses mains sur le bureau ou sur ses genoux, à plat ; recroquevillées comme des griffes ; poings fermés.*

* Les mains à plat révèlent un caractère flexible, une disponibilité et une attitude sincère de la part d'un individu qui se sent concerné par vos propos.
Les doigts recroquevillés trahissent le côté exclusif, voire possessif de la personne qui reproduit cette attitude en permanence. Elle ne vous cédera pas volontiers la parole, par exemple.
Les poings fermés dévoilent un tempérament agressif ou une attitude mentale hostile.

Majeur. Site anatomique. Les majeurs symbolisent respectivement l'image de soi à gauche et le mental à droite. Ce sont aussi les doigts les plus protégés de la main et souvent les plus forts en traction. En langage gestuel, l'action des majeurs est souvent associée à celle des index plutôt qu'à une combinaison gestuelle sollicitant les annulaires. Le majeur est enfin celui qu'on nomme pudiquement le *doigt d'honneur* mais la raison de ce choix me semble obscure. Si j'étais candide, je dirais qu'on le nomme peut-être ainsi car il voisine l'annulaire qui est le doigt sur lequel on glisse l'anneau de mariage. Doigt d'honneur, garçon d'honneur ! Il y a comme une espèce d'analogie qui plane. N'est-ce pas le meilleur ami du marié ?

■ *Votre interlocuteur/trice emprisonne son majeur gauche dans son autre main.*
* Individu décalé comme le geste qu'il reproduit.
■ *Il/Elle emprisonne son majeur droit dans son autre main.*
* Son mental est perturbé. Il/Elle se sent en état d'infériorité.
■ *Il/Elle pose son majeur sur sa tempe un court instant en riant. « Il est fou », pourrait vouloir dire son geste.*
* Le geste trahit une restriction de ses pouvoirs effectifs au sein de l'entreprise.
■ *L'orateur accroche son majeur gauche (siège de l'image de soi) de la pince pouce-index droite et continue à mouliner des bras.*
* Son image publique ou sociale est en porte à faux avec celle qu'il/elle désire donner à son auditoire. Ce geste est décalé.

- *Il/Elle pointe son majeur tout en conservant les autres doigts repliés.*
  * Utiliser son majeur, index rétracté est une bien curieuse manière d'exposer ses arguments quand on sait ce que le majeur signifie symboliquement lorsqu'il est dirigé de bas en haut.
- *Il/Elle se mordille l'ongle ou la pulpe de ses majeurs en particulier.*
  * Tic spécifique des individus psychorigides.

Masser. Action motrice. L'action de se masser est une manière de détendre des tensions réelles ou imaginaires.

Maquillage. Objet incorporé. Des peintures de guerre pour séduire ! L'origine du maquillage remonte à la plus haute antiquité. Objectif : la mise en valeur de la beauté ou de certains atouts plastiques en particulier. Que signifie une bouche vermeil qui efface le reste du visage ? Pourquoi votre voisine a-t-elle toujours des ongles impeccablement manucurés ? Faut-il charger les paupières ou rallonger les cils ? etc. etc. La touche de maquillage privilégiée est significative du tempérament de la femme.

L'invention du maquillage ne date pas d'hier. Son objectif a toujours été de plaire ou de séduire l'homme. Cependant, chaque site anatomique maquillé trahit la personnalité sentimentale de la femme ainsi que la nature de ses goûts sexuels. Un visage maquillé est une vraie carte géographique des affects.

- *Les paupières*
  * Indique une sensibilité à fleur de peau.
- *Les cils*
  * Tempérament versatile de la part d'une comédienne par nature.
- *Les sourcils*
  * Climat mental anxieux/nerveux et besoin de structures rigides pour se rassurer.
- *Les pommettes et/ou les joues*
  * Regret de l'adolescence et la pudeur qui l'accompagne.
- *Le tour des yeux*
  * Trahit une femme investie dans ses fantasmes.

■ *Les lèvres*
● Siège symbolique de la séduction ; révélateur d'une insatisfaction sexuelle, si elles sont trop maquillées.
■ *La mouche*
● Signe de jalousie chez celles qui affectionnent ce code discret.
■ *Les ongles artistiquement manucurés*
● Signe d'exigence névrotique et de frigidité.

Mensonge (Décryptage gestuel du). Thème gestuel. Un chercheur américain prétendait que les gestes associant le nez trahissaient le mensonge. Il fondait ses allégations sur le fait que le président Clinton touchait très souvent son appendice nasal. L'amalgame dans l'esprit du public est l'une des techniques d'argumentation utilisée par tous les fumistes pour accréditer leurs spéculations. Clinton a menti dans sa relation intime avec Lewinsky et se tripote beaucoup le nez ; Pinocchio a menti et son nez s'est allongé ; conclusion : quand un homme touche son nez, il ment. CQFD !

Dans *Le Singe nu*, Desmond Morris écrit : « Il est intéressant aussi de noter quel le nez protubérant et charnu de notre espèce est un autre trait unique et mystérieux que les anatomistes sont incapables d'expliquer. L'un d'eux en a parlé comme d'une simple « variation exubérante sans signification fonctionnelle. Il est difficile de croire que quelque chose d'aussi positif et d'aussi distinct parmi les appendices des primates ait évolué sans fonction précise. Lorsqu'on lit que les parois latérales du nez contiennent un tissu érectile spongieux qui provoque l'élargissement des conduits nasaux et des narines par vaso-dilatation lors de l'excitation sexuelle, on commence à se poser des questions. » Partant de ce constat physiologique et d'une pratique quotidienne et antédiluvienne de l'observation des gestes, il nous apparaît que le nez est souvent sollicité dans deux cas de figure distinctifs mais non exhaustifs : le premier concerne les allusions à caractère sexuel au sein d'une discussion de bon ton ; le second révélerait un besoin de prendre du recul par rapport à une situation embarrassante (cf. le boxeur qui se frotte le nez sur le ring pour évaluer l'angle d'attaque). Il me semble qu'il serait prudent

d'acquitter le nez de l'accusation de mensonge, et ce au béné-
fice du doute et du sens commun. Le mensonge en tant que tel
n'est pas décelable hors d'un contexte précis.

Les gestes changent de signification suivant la conjoncture
dans laquelle on les observe. La gestuelle doit rester un outil de
rapprochement social. Et si elle doit servir à décrypter d'autres
contextes, que ce soit dans des situations sans conséquence sur
l'intégrité morale des individus. Par exemple dans le cadre de la
négociation, des habitudes de consommation, des parades amoureuses, de l'amélioration de moyens de séduction, des vrais-faux
arguments électoraux de nos politiciens, etc. Nous sommes tous
des menteurs et les plus grands de tous sont ceux qui croient ou
prétendent détenir la vérité. Ce sont aussi les plus dangereux !

Il n'existe pas de gestes du mensonge, à proprement parler,
mais trois catégories gestuelles transversales qui s'en rappro-
chent, à savoir le geste constitutif trahissant un tempérament
simulateur, le geste de diversion, notamment le geste ambigu de
l'homme de pouvoir, et enfin, le geste litote ou « métasignal »
modifiant la signification de tous les gestes qu'il accompagne.
Font partie de cette dernière famille gestuelle les gestes comédiens. Par exemple : deux interlocuteurs s'enguirlandent en
public mais l'expression de leur visage trahit un esprit de comédie (sourires réprimés).

D'autre part, les contextes de reproduction des refrains gestuels observés conditionnent le sens qu'on leur attribue. Par
exemple, le simple fait de croiser les doigts devant sa bouche,
coudes en appui, index collés l'un à l'autre en travers des lèvres
est un classique du genre suivant le contexte dans lequel il sera
reproduit :

En situation de négociation, s'il vous est adressé, il laisse sous-
entendre que votre interlocuteur a l'intention de vous faire un
enfant dans le dos.

En situation de parade amoureuse, l'inconnu(e) qui reproduit
ce geste composé en vous regardant à la dérobée traduit son
envie d'une aventure sexuelle.

En situation amicale, le pote qui vous écoute en produisant ce
geste a l'intention de tirer profit de vos bonnes dispositions à son
égard.

QUELQUES GESTES AMOUREUSEMENT MENSONGERS

■ *Il/Elle allume son briquet en protégeant machinalement la flamme de sa main libre dans un endroit clos.*
• Ce geste trahit un tempérament simulateur.
■ *Il/Elle ferme souvent les deux poings en dissimulant ses pouces.*
• Il/Elle ne dit jamais ce qu'il/elle pense et ne pense pas un mot de ce qu'il/elle dit. Quant à ses promesses, elles valent leur poids de mots mais guère plus.
■ *En position assise, il/elle lève souvent ses bras en extension au-dessus de sa tête d'un air nonchalant.*
• Cette séquence gestuelle révèle un esprit fantaisiste. C'est un(e) joli(e) menteur(se) qui ne vous dira la vérité que d'une manière tellement tirée par les cheveux qu'elle vous paraîtra à peine croyable.
■ *Il/Elle se gratte à l'angle qui sépare le bras de l'épaule.*
• Signe de méfiance envers vos assurances ou les promesses extorquées. Normal ! Comment croire en la parole de l'autre quand on en est soi-même dépourvu ?
■ *Il/Elle emprisonne son annulaire gauche dans sa main droite.*
• Prodigieux caméléon, hypersensible, voire susceptible, au moindre écart verbal de votre part. Soyez attentif à ne pas le/la vexer inutilement. Il/elle n'a aucun sens de l'humour.
■ *Sa main est posée sur un support quelconque. La pulpe du pouce a tendance à être rejointe par celle de l'index, pour former un cercle digital.*
• Ce geste indique qu'il/elle aura des exigences impossibles à satisfaire sur le plan le plus libidinal qui soit.
■ *Il/Elle appuie son index et son majeur sur ses lèvres, coudes en appui, comme s'il/si elle fumait une cigarette imaginaire.*
• Ce geste est un simulacre de baiser à distance, dont le sens premier n'est pas forcément affectueux pour celle/celui à laquelle/auquel il s'adresse. Vous n'êtes plus vraiment dans ses petits papiers.

QUELQUES GESTES PROFESSIONNELLEMENT MENSONGERS
- *Il/Elle vous accueille en serrant votre main dans les deux siennes réunies.*
- Ce type de poignée de main trahit un tempérament simulateur très prisé outre-Atlantique. Les individus qui la privilégient sont dépourvus de la moindre sensibilité ou de chaleur humaine élémentaire. En fait, ils simulent une attitude amicale qu'ils sont loin de ressentir. Prenez toujours le contre-pied de ce qu'ils vous racontent et descendez impérativement à la prochaine gare !
- *Coudes en appui, il/elle se lisse les sourcils du bout des doigts.*
- Voilà une relation professionnelle qui se collera un air de cabaliste sur le front. Dans tous les cas de figure imaginables, il/elle vous conseillera – avant – la plus mauvaise solution possible et vous reprochera de ne pas avoir choisi la meilleure – après.
- *Coude en appui, il/elle lisse les commissures de ses lèvres du pouce et de l'index du haut vers le bas, de part et d'autre de sa bouche légèrement grimaçante.*
- Séquence gestuelle très prisée par les individus qui n'ont pas la conscience aussi nette que leur col de chemise. Elle trahit évidemment un tempérament simulateur. Ce geste particulier est fortement sollicité par les conseilleurs de tout poil qui, comme chacun le sait, ne sont jamais les mêmes que les payeurs.
- *Il/Elle a les doigts croisés, ses pouces s'écartent régulièrement tandis qu'il/elle tente de vous convaincre du bon sens de ses arguments.*
- Geste pare-chocs, destiné à l'origine à protéger son producteur contre toute attaque qui viendrait le déstabiliser. L'écartement régulier des pouces trahit le peu de conviction qu'il/elle investit dans ses propos ou le peu de connaissance qu'il/elle possède sur le sujet.
- *Il se passe la main sur le crâne comme s'il lissait ses cheveux défunts.*
- Tempérament du joueur de poker qui ne possède même pas une paire de neuf dans son jeu. Il vit dans l'heure et tire ses décisions à la courte paille.

- *Coudes en appui, les doigts croisés devant le visage, les index écartés donnent l'impression que votre interlocuteur mesure la largeur de sa bouche.*
- Les index symbolisent une évaluation des propos que votre interlocuteur s'autorise à tenir. Vous ne tirerez jamais aucun profit de lui tandis qu'il endormira votre sens critique en vous accordant sa confiance du bout de lèvres.
- *Il/Elle vous serre la main de manière fuyante.*
- À peine la lui serrez-vous que la vôtre se retrouve toute seule à saisir le vide. Vous êtes en face d'un(e) hypocrite professionnel(le).
- *Votre interlocuteur/trice est confortablement installé(e) dans un sofa avec les deux mains enfoncées dans ses poches.*
- Dans ce cas de figure particulier, dissimulation rime avec simulation, au propre comme au figuré. Les mains se cachent pour mourir, comme les oiseaux, quand on les dissimule en position assise. Même s'il/si elle détient l'autorité, ne vous faites pas trop d'illusions sur l'étendue de ses pouvoirs.

QUELQUES GESTES AMICALEMENT MENSONGERS

- *Il/Elle appuie souvent l'une de ses mains dans le bas de son dos.*
- Soit il/elle souffre de douleurs lombaires, soit il/elle fait semblant de vous écouter pour vous donner le change. C'est sa mauvaise foi qui doit lui occasionner ces fameuses douleurs lombaires !
- *Il retient son pouce de son index tandis que le premier se détend comme s'il projetait une bille imaginaire.*
- Il est anti-tout, provocateur, hostile, bordélique, impertinent mais vous ne vous en rendrez jamais compte si vous n'y êtes pas attentif.
- *Coude en appui, il/elle pose son index perpendiculairement à ses lèvres, comme s'il/si elle mimait l'idée de se taire.*
- La séquence parle d'elle-même. Elle est tellement évidente que nul ne la voit plus. Il/Elle fait semblant de vous écouter tout en s'intimant par le geste l'ordre de se taire

pour ne pas relancer le débat. D'ailleurs, il/elle ne vous écoute même pas.
- *Il/Elle rit de manière franchement sarcastique.*
- Le climat mental est frauduleux et le tempérament simulateur. Bien sûr qu'il/elle se paie votre tête, même et surtout si son rire s'adresse à votre voisin tandis qu'il/elle vous prend à témoin ! Ne lui faites jamais confiance, il/elle vit aux dépens de ceux qui l'écoutent.
- *Il se cure les ongles tout en vous prêtant une oreille distraite.*
- C'est un bluffeur qui vous mènera en bateau quand et où il le voudra. À quoi le reconnaît-on, entre autres refrains verbaux ? À une petite manie qu'il a de toujours s'y mettre sans jamais passer à l'acte. C'est un fana, un inconditionnel du verbe ALLER, cuisiné à toutes les sauces. Jamais, au grand jamais, il ne conjuguera le moindre verbe sans l'accoler religieusement au verbe aller. C'est un homme ou une femme en mouvement perpétuel.
- *Votre pseudo-ami(e), coude en appui, pose ses doigts en visière sur le front, le pouce en appui sur la pommette.*
- Faux geste de gêne de la part d'un individu moqueur. Il/Elle ne se consacre vraiment bien qu'à deux occupations : les commérages et la distribution des mauvais points.

Et rappelez-vous toujours cette règle essentielle en matière de sémiotique gestuelle : l'action de cacher traduit évidemment un tempérament simulateur ou un discours frauduleux. Élémentaire, cher(ère) menteur(se) !

Menton. Site anatomique. Ne dit-on pas qu'un menton prognathe est un signe de force de caractère ? Possible mais pas certain ! Ce qui est sûr, en revanche, c'est que le menton est bien utile aux mains timides qui se cherchent un appui.
- *Votre interlocuteur/trice rentre le menton.*
- Signe de colère ou d'hostilité.

- *Il/Elle pose son menton dans l'ouverture de son poing droit. Le poing préfigure une barbichette de prof.*
- Ce geste indique généralement que le locuteur perplexe tournera autour du pot, dès qu'on lui demandera d'aller droit au but.
- *Il/Elle, coude en appui, repose son menton sur le bout des doigts, main ouverte, bras en torsion.*
- Il s'agit d'un geste décalé hautement inconfortable mais qui révèle un individu ambigu dont toutes les conduites sont fondées sur la ruse.
- *Il/Elle se caresse le menton de la pulpe du pouce.*
- Le geste du boxeur qui étudie l'angle d'attaque par lequel il pourra déstabiliser son adversaire.

Il/Elle se caresse le menton de la pulpe du pouce.

- *Il/Elle se caresse le menton d'un air inspiré en relevant la tête.*
- Le simple fait de relever la tête indique un changement d'orientation dans le climat mental. Ses certitudes sont ébranlées. L'intervention de ce geste au cours d'un entretien signifie qu'il/elle a besoin de champ. Poursuivre son exposé en ignorant le signal que représente ce geste équivaut à perdre la partie !

- *Il/Elle a tendance à désigner un objet ou une personne de la pointe du menton.*
- Mélange de mépris et de ruse de la part d'un individu qui n'accorde du crédit qu'à ceux qui serviront de marchepied à sa carrière ou à ses ambitions.
- *Il/Elle se gratte à la base du menton.*
- Un uppercut symbolique sur le menton de son visiteur pourrait le/la soulager de sa présence. L'intrus commence à abuser de sa bonne volonté ou à dépasser le temps qui lui était imparti.
- *Il/Elle lève le menton chaque fois qu'il/elle adresse la parole à son interlocuteur/trice.*
- Il/Elle ne l'apprécie guère.
- *Coudes en appui, il/elle pose son menton dans la paume de sa main, doigts écartés contre le visage. Les doigts pointent vers le haut et dissimulent en partie ses traits.*
- La dissimulation des traits du visage permet de contrôler ses mimiques. Dans un contexte de séduction, le code gestuel décrit est hautement significatif et parfaitement sensuel.
- *Coudes en appui, il/elle pose son menton dans sa paume gauche ou droite, doigts recourbés.*
- Posture courante qui traduit toujours une ouverture d'esprit et/ou une disponibilité.
- *Votre interlocuteur/trice, coude en appui, repose son menton sur les phalanges (face externe) de sa main à demi refermée.*
- Ce type de séquence appartient à des individus qui s'attachent exclusivement au besoin de plaire ou de séduire leurs interlocuteurs.
- *Coudes en appui, il/elle repose son menton sur son pouce. Son index et son majeur dissimulent ses lèvres.*
- Le geste est élégant et dénote un esprit tourné vers la compréhension et non vers l'appréhension.

Coudes en appui, il/elle pose son menton dans sa paume gauche ou droite, doigts recourbés.

- *Il/Elle repose son menton sur son pouce, appuie son index et son majeur contre sa joue, l'annulaire et l'auriculaire sont repliés devant les lèvres.*
- La disponibilité est doublée d'un sens de la communication. Il s'agit d'une posture archi courante que nous adoptons tous pour prendre du recul et réfléchir. L'index et le majeur droits en antenne contre la joue confirment l'investissement intellectuel et un besoin de réorganiser sa pensée.

Il/Elle repose son menton sur son pouce, appuie son index et son majeur contre sa joue, l'annulaire et l'auriculaire sont repliés devant les lèvres.

- *Coude en appui, il/elle soutient sa tête de son pouce (au bord du menton), de son index (en appui sur la tempe) et du majeur inséré entre ses lèvres.*
- Code gestuel d'évaluation.

Il/Elle se caresse le menton du bout des doigts, l'air rêveur.

- *Il/Elle pose son menton sur la première phalange de son pouce gauche ou droit en extension, coude en appui et poing fermé.*
- L'appui du pouce est instable. Il/Elle se laissera facilement influencer par les arguments de son interlocuteur/ trice, quitte à le regretter ensuite.
- *Il/Elle rentre le menton en parlant, effaçant parfois la dénivellation entre la saillie du menton et le cou.*
- Il/Elle est contrarié(e) ou en colère contre son interlocuteur/trice. Cette attitude typique est souvent remarquable chez la femme à partir de la trentaine. Elle est un véritable baromètre des fluctuations de son climat mental. En alternance avec un port de tête « normal », dans lequel le menton se démarque du cou, l'effacement trop fréquent du menton signale qu'elle l'aura au tournant ou qu'elle le descendra en flammes le moment venu.
- *Il/Elle se caresse le menton du bout des doigts, l'air rêveur.*
- Il/Elle spécule ou évalue ses chances.
- *Son menton repose sur le dos de sa main à demi refermée, le coude est en appui sur le dos de l'autre main.*
- Un échafaudage instable qui trahit le non engagement et un besoin irrépressible de fuir l'entretien.
- *Coude en appui, il/elle, repose son menton sur le bout des doigts, main ouverte vers l'extérieur, bras en torsion.*
- Il s'agit d'un geste décalé hautement inconfortable mais qui trahit bien l'individu ambigu dont toutes les conduites sont fondées sur la ruse. Il vous séduira en usant d'un double langage et en abusant de sourires enjôleurs pour vous soutirer tous ce que vous savez. Quand il saura tout, il vous laissera choir.
- *Il/Elle pose son menton sur ses deux paumes, doigts écartés sur les joues.*
- Attitude de sympathie envers l'interlocuteur.
- *Il/Elle repose son menton sur son poing gauche ou droit, coude en appui, tandis que son corps est penché en avant.*
- La pose est bien sûr étudiée mais elle dévoile aussi un intérêt accru pour l'interlocuteur qui l'utiliserait en situation de dialogue. « Vous m'intéressez fortement », pourrait être sa traduction en langage clair !

*Son menton repose sur le dos de sa main à demi refermée,
le coude est en appui sur le dos de l'autre main.*

- *Il/Elle pose le menton et la joue au creux de sa main.*
- Cela peut évoquer tout simplement un état de fatigue ou de lassitude mais tout dépend du contexte dans lequel ce geste est reproduit. Face à un homme, ce geste peut figurer une bouderie de la part d'une femme amoureuse. Elle mime inconsciemment le contact de sa joue contre celle de l'homme qu'elle aime. Le socle de la main droite révèle une attitude plus réfléchie tandis que le socle de la main gauche trahit une attitude plus rêveuse ou plus amoureuse de la part de celle qui reproduit cette posture.

Mollet. Site anatomique. Lieu privilégié de tensions et de crampes souvent douloureuses, la structure neuromusculaire des mollets suit l'évolution du niveau de combativité de l'individu. Les mollets fondent avec l'âge en cas de démission face à la vie, ils continuent à se restructurer jusqu'à un âge avancé si l'individu continue à agir et/ou à maîtriser son destin.

- *Votre interlocuteur/trice se caresse le mollet, les jambes croisées.*
- L'attitude critique est surtout empreinte de perplexité mais non de fermeture. Ce signal gestuel est plus fréquent qu'on pourrait le supposer. La caresse est toute symbolique et est souvent effectuée sur le tissu du vêtement porté. En tout état de cause, il sous-entend que votre interlocuteur/trice a besoin de temps pour réfléchir et que vous n'emporterez pas la décision aussi vite que vous l'espériez.
- *Il/Elle se gratte mécaniquement le mollet.*
- Geste récurrent qui trahit un tempérament plutôt pessimiste.

Mordiller. Action motrice. Le fait de se mordiller les peaux mortes, les ongles, les cheveux, entre autres exemples, est un geste banal en soi, mais tout à fait révélateur du climat mental ponctuel de vos interlocuteurs. En situation de parade amoureuse, faites-y très attention car ces gestes sont des poteaux indicateurs gestuels des situations de stress amoureux ! Dans le contexte professionnel, de tels gestes sont symboliques de la punition qu'on s'inflige lorsqu'on a l'impression d'avoir commis une gaffe.

Moustache. Site anatomique. Moustache et barbe sont à la fois une preuve de virilité, un masque derrière lequel on dissimule sa timidité et un moyen d'identification narcissique. Dans certaines professions, il y a plus de barbus ou de moustachus au kilomètre carré que dans d'autres. De la moustache en guidon de vélo à la petite touffe de poils qui semble servir de chauffeuse aux narines, la moustache est avant toute chose un ornement en trompe-l'œil à l'instar du maquillage adopté par nos compagnes. La moustache est l'emblème de l'animateur de proximité, enthousiaste, communicatif, convivial, familier, extraverti et appréciant l'humour. Il aime le dialogue et ne s'en prive pas. Pourquoi aucun de nos politiciens en vue (ou quasiment) ne porte la moustache du condottiere ? Sans doute parce que la moustache rappelle trop la IIIème République. La question reste ouverte ! La signification des différents types de moustache mériterait, à elle seule, une étude exhaustive. Il est évident que certains hommes se laissent pousser la moustache pour raccourcir un nez à la Cyrano qui blesse leur ego mais ce n'est pas la règle générale. Celui qui adopte la moustache adoucit souvent l'aspect angulaire de son visage et cette recherche s'accorde assez bien avec le besoin de s'ouvrir aux autres.

- *Votre interlocuteur se lisse les moustaches de son index gauche ou droit tout en grimaçant légèrement.*
- Attitude calculatrice typique.
- *Il tire sur les poils de sa moustache.*
- Le besoin de tirer les poils de sa moustache est une manière comme une autre de se rappeler à l'ordre.
- *Il récupère les pointes de sa moustache d'un coup de langue pour les sucer au coin des lèvres.*
- Ce tic gustatif révèle un tempérament sensuel.

N *comme...*

Votre interlocuteur/trice se caresse l'arête du nez du bout de l'index, coude en appui.

Nez. Site anatomique. Comme toutes les excroissances, il est fort sollicité par ceux qui estiment que la nature ne les a pas gâtés. Vous remarquerez aisément que les individus dont le nez se marie idéalement avec le visage ont moins tendance à le triturer dans tous les sens que ceux qui n'ont pas eu cette chance. Les porteurs de nez camards se le pincent souvent entre le pouce et l'index, ceux qui ont un nez pointu ou trop long se l'écrasent. Enfin, certains individus qui portent leur narcissisme à la boutonnière ont tendance à le signaler distraitement d'un index innocent.

- *Votre interlocuteur/trice se caresse l'arête du nez du bout de l'index, coude en appui.*
- Le nez est le siège du flair mais aussi celui du savoir-faire, avant d'être le symbole du sexe. Tout dépend en somme du contexte de la caresse.
- *Il/Elle se cure constamment l'orifice du nez avec l'auriculaire, coude en appui.*
- S'il/Si elle ne respectait pas autant les règles du jeu, il/elle ne se gênerait pas pour y plonger son index jusqu'à la phalangine (2ème phalange). Handicapé(e) par un complexe de supériorité identifiable dans les cinq premières minutes d'un entretien, il/elle a la fâcheuse tendance d'entrer en conflit avec tous ceux qui l'approchent.
- *Il/Elle se cure les narines avec l'un de ses index, ou les deux tour à tour, coude en appui.*
- La mentalité libertaire se situe grâce à ce genre de séquences gestuelles peu ragoûtantes affichant un mépris total pour les règles qui régissent les rapports sociaux. Il/Elle rate en général beaucoup d'occasions par excès d'impatience dans la mesure où ce tic gestuel trahit bien souvent un manque de persévérance.
- *Il/Elle écrase la pointe de son nez du bout de son index, coude en appui.*
- Le nez est le siège symbolique du savoir-faire. Alors, quand on l'écrase...
- *Ses narines tremblent d'une sorte de frémissement.*
- Il/Elle exprime inconsciemment son impatience.

Il/Elle se pince la racine du nez du pouce et de l'index.

- *Il/Elle se frotte régulièrement le nez en allez-retour, à plusieurs reprises, du dos de l'index.*
- Il/Elle est en manque de sa drogue favorite : les ragots croustillants qui égayent son ennui quotidien.
- *Il/Elle se gratte les ailes du nez du bout de l'index.*
- Il/Elle exprime son hésitation à livre ouvert.
- *Il/Elle se pince la racine du nez du pouce et de l'index.*
- Réflexe gestuel cinématographique de feu Lino Ventura, il était censé exprimer la colère qui monte, qui monte, qui monte. Il exprime en fait un besoin de faire le vide dans une conscience malmenée par la complexité des événements.
- *Il/Elle joint ses mains, paume contre paume, et pince son nez entre ses pouces, coudes en appui.*
- Séquence gestuelle assez rare des individus vissés à leur fauteuil dont la carrière ressemble à ces fusibles automatiques qu'on rebranche quand ils sautent.
- *Il/Elle se pince les narines entre le pouce et l'index, coude en appui.*
- On se pince le nez quand on veut éviter de respirer une mauvaise odeur, au propre comme au figuré. Il/Elle se

Il/Elle se pince les narines entre le pouce et l'index, coude en appui.

bouche le nez pour vous signaler que vous êtes en train
de vous engager sur une voie de garage.

- *Il/Elle renifle plus souvent qu'il ne se mouche.*
- Renifler, c'est aussi conserver en soi la source de la mala-
die qui conduit à l'échec de ses entreprises.
- *Il se tripote distraitement les poils du nez, coude en appui.*
- Marque un tempérament obsessionnel !
- *Sa pince pouce-index en V cache sa bouche et encadre son nez un
court instant.*
- Signe obscène d'origine arabe, dans lequel le bout du nez
préfigure un phallus actif, et geste conventionnel en
Angleterre pour conspuer les arbitres sportifs.
- *Il/Elle pose délicatement son index sur le bout de son nez.*
- Il/Elle désigne inconsciemment son flair.
- *Il/Elle se frotte l'aile gauche du nez de l'index droit.*
- Code gestuel d'hostilité pure et dure, le fait de se gratter
l'aile du nez précède presque toujours une difficulté à
s'expliquer.
- *Il/Elle pince nerveusement ses narines de ses deux index.*
- Variante du geste effectué par le boxeur qui se frotte le
nez du revers de la main avant d'engager le combat.
- *Quand on se gratte le nez, en règle générale...*
- Le nez est le siège symbolique du savoir-faire et forcément du flair, ce qui tombe sous le sens. Quand il vous
arrive de le gratter, vous exprimez a priori votre perplexité
ou une hésitation, comme si votre flair n'était pas au rendez-vous. Simple réaction de stress face à une situation
d'incertitude, en somme, et non comme le prétendent
certains chercheurs mal avisés qui affirment haut et fort
que seuls les menteurs se grattent le nez. Le nez de
Pinocchio a encore de beaux jours devant lui. Il inspire
même les scientifiques (voir aussi *Mensonge*).
- *Il/Elle se caresse l'aile du nez de l'auriculaire.*
- Il/Elle tente de trouver une porte de sortie.

Nuque. Site anatomique. Voir aussi *Cou*. La nuque d'une femme
peut offrir un puissant attrait érotique si elle est bien dégagée et
en cou de cygne. Elle est le siège de la confiance en soi. On la

Il/Elle se caresse l'aile du nez de l'auriculaire.

sollicite beaucoup en cas de fatigue soudaine ou de perplexité par rapport à une situation sans issue.

- *La main gauche ou droite de votre interlocuteur/trice agrippe sa nuque, coude en appui.*
  - Le mental plonge dans un refuge (le rêve) pour éponger une fatigue brusque. Dans le contexte de la séduction, la nuque que l'on repose dans sa main peut parfaitement représenter celle de l'inconnue que l'on souhaite séduire en anticipant par le geste sur le résultat.
- *Il/Elle lève un bras en l'air et replie l'avant-bras en cachant sa main derrière sa nuque.*
  - Imaginez que le bras en érection soit un mât et le bras replié une voile. Il prend le large. C'est un geste de fugueur.
- *Il/Elle lève les bras en l'air et replie les avant-bras tout en cachant ses mains derrière sa nuque.*
  - Posture du papillon qui vole de fleur en fleur sans jamais prendre le temps de se poser quelque part. Répétée par une inconnue dans un lieu public, ce type de code est une invitation à l'escale amoureuse.
- *Il/Elle se caresse la nuque (ou le cou) distraitement.*
  - Il/Elle soupèse son implication. Geste typique du profil de gestionnaire !
- *Il/Elle croise ses doigts sur sa nuque, coudes écartés de part et d'autre de la tête.*
  - Geste typique d'un individu qui a déjà pris sa décision sans vous l'annoncer immédiatement. Vous aurez beau continuer à vouloir le convaincre, le sol se dérobera sous vos pieds. Il/Elle s'est fait une religion à laquelle il/elle souscrira sans hésiter, quelle que soit votre conclusion.
- *Ses mains entourent sa nuque tout en soutenant la tête, coudes en appui.*
  - Il/Elle pose sa tête sur le billot pour ne plus devoir vous supporter.
- *Il/Elle se frotte la nuque de la main droite ou gauche.*
  - Ce geste signale un changement de tactique ou un changement d'attitude.

Il/Elle croise ses doigts sur sa nuque, coudes écartés de part et d'autre de la tête.

Il/Elle se frotte la nuque de la main droite ou gauche.

O comme...

Objet incorporé. Thème gestuel. Voir aussi Allumette, Bague, Bijou, Briquet, Cartes (à jouer), Chaussure, Cigarette, Coiffure, Cravate, Crayon, Cuillère, Écharpe, Foulard, Fumer, Lunettes, Lunettes de soleil, Maquillage, Papier, Percing, Pipe, Poche, Portable, Sac à main, Stylo, Téléphone, Trombone.

Ce sont les objets que nous incorporons à notre image sociale et qui nous accompagnent partout, tels les bijoux, montre, stylo personnel, briquet, etc. Ils font tellement partie de nous que nous oublions parfois qu'ils nous sont étrangers sur le plan morphologique. Dans le fond, ces objets sont des sortes de doudous adultes, de grigris ou des fétiches sans lesquels il nous serait impossible de fonctionner normalement en société. Vous connaissez certainement des individus dans votre entourage qui se sentiraient comme des morts vivants sans leur portable, des fumeurs qui chérissent leur briquet Dupont et l'exhibe à tout-va, des maniaques du temps qui affichent leur Rolex à la moindre occasion, sans compter les femmes qui ne sortiraient pour rien au monde de chez elles sans un maquillage au couteau et un choix de bijoux digne d'une vitrine d'orfèvre. Percing et tatouages vont même plus loin puisqu'il est impensable de les ôter pour la nuit. Tous ces exemples concernent ce que nous nommons les objets incorporés à l'image sociale.

Œil. Site anatomique. La fonction des yeux consiste à alimenter le flair en informations diverses, la motivation ou la production de désirs, le sens de la communication au sens large, à développer le savoir-faire et la créativité manuelle. Enfin, les yeux servent d'outil principal à l'intelligence logique et au sens critique qui y est associé. C'est dire à quel point la vision intervient dans plusieurs registres différents permettant à l'homme d'évoluer dans le monde hostile qui l'entoure et d'en évaluer les dangers en quelques clignements de paupières. Ce sont nos yeux qui nous permettent d'observer le monde qui nous entoure. Hélas, la plupart d'entre nous se contentent de voir les choses ou les gens qu'ils fréquentent sans jamais les regarder. Je me suis amusé à demander à quelques dizaines de personnes si elles connaissaient la couleur des yeux de leurs collègues ou de leurs conjoints. La marge d'erreur était grotesque. Un peu moins de dix pour cent d'entre elles ont donné les bonnes réponses. Commandé par la partie gauche du cerveau, l'œil droit est celui de l'image paternelle ou de la vision masculine du monde. Commandé par la partie droite du cerveau, l'œil gauche est celui de la partie maternelle ou féminine de notre vision du monde.

- *Votre interlocuteur/trice, coude en appui, cache ses yeux dans l'une de ses mains.*
- Cette posture très répandue trahit un haut degré de scepticisme.
- *Il abuse de clins d'œil complices.*
- Extraverti et paternaliste, il vous ouvrira la porte sans pour autant vous offrir son appui sans condition (voir aussi *Refrains gestuels*).
- *Coude en appui, il/elle se frotte souvent les yeux avec le dos de son index recourbé.*
- « Je n'en crois pas mes yeux » est le sens caché de cette séquence gestuelle.
- *Il/Elle se frotte souvent l'œil droit.*
- Geste indiquant un refus d'affronter ses responsabilités.
- *Il/Elle se frotte souvent l'œil gauche.*
- Ce code gestuel révèle une difficulté à envisager les choses sous un angle différent de celui qui prévaut et un individu qui se nourrit plus volontiers de ses préjugés que de sa tolérance.
- *Il/Elle cligne des yeux de manière appuyée.*
- On ferme les yeux pour contrôler son anxiété ou pour ne pas trébucher face à l'intervention d'un interlocuteur agressif et/ou dédaigneux.
- *Il ferme les yeux d'une manière plus clownesque que dramatique.*
- Les maîtres du mot aiment souligner leurs envolées d'une fermeture appuyée des paupières afin de savourer l'effet de leurs belles paroles sur la collégiale de leurs neurones.
- *Elle ferme les yeux de manière appuyée.*
- Une des nombreuses manières de faire passer un gros bobard en donnant à sa bouche une forme caractéristique proche de la bouche en cul de poule.

Omoplate. Site anatomique. Le creux entre les omoplates est un des sièges signalétiques de la sensualité.

- *Il/Elle se gratte souvent l'omoplate gauche ou droite.*
- Si votre interlocuteur/trice fait souvent appel à ce geste, vous risquez tout au plus d'atterrir en catastrophe sur le tarmac de vos illusions. Cette interprétation ne vaut que pour un contexte professionnel. Dans un contexte de séduction, une inconnue qui se gratte l'omoplate en votre présence vous envoie un signal puissant : « Viens me caresser le dos ! » est le sens allusif de ce geste.
- *Sa main gauche ou droite est suspendue à l'épaule correspondante, accrochée sur le haut de l'omoplate.*
- Impressionnable, il/elle est doté(e) d'une imagination fertile et d'un sens aigu de l'anticipation.

Ongle. Site anatomique. Une secrétaire dont les ongles sont toujours manucurés de manière impeccable est une véritable carte de visite pour son patron dans la mesure où ce détail, aussi futile qu'il soit, renforce son pouvoir dans l'entreprise aux yeux de ses visiteurs. Le temps consacré à se faire un raccord n'est pas une perte de temps, quoi qu'en pensent les petits chefs. Sièges symboliques de l'ordre et de la méthode, les ongles en disent souvent long sur la manière dont l'individu respecte ou non les règles du jeu social.

- *Le vernis à ongles de votre interlocutrice est écaillé.*
- Elle ne finit jamais ce qu'elle commence et néglige systématiquement le principal pour se focaliser sur l'accessoire.
- *Votre interlocuteur se cure les ongles tout en vous prêtant une oreille distraite.*
- Encore un inconditionnel du verbe ALLER, cuisiné à toutes les sauces. Jamais, au grand jamais, il ne conjuguera le moindre verbe sans l'accoler religieusement au verbe aller. C'est un homme en mouvement théoriquement perpétuel, un procrastinateur de talent.
- *Il se lèche les ongles du bout de la langue.*
- Attitude impolie de la part d'un parvenu sans couronne.

- *Il/Elle s'abîme dans la contemplation de ses ongles, coudes en appui.*
  - Cette manière de se préoccuper de ses ongles hors de propos est un mécanisme de défense doublé d'une dissimulation de ses sentiments.
- *Il/Elle se mordille les peaux au coin des ongles.*
  - Attention ! Tempérament vindicatif.
- *Il/Elle fait mine de se ronger les ongles, coude en appui.*
  - Signe d'une perturbation passagère ou chronique. Si votre interlocuteur/trice reproduit ce geste très souvent, son climat mental anarchique est en concurrence avec ses humeurs chaotiques. Une confusion certaine règne dans son esprit.

Oreille. Site anatomique. Les oreilles encadrent le visage avec plus ou moins de bonheur mais elles n'appartiennent pas aux traits qui entérinent la beauté d'un visage. Souvent cachées par les cheveux quand leur forme dérange, elles font néanmoins partie du langage gestuel sans pour autant obtenir le premier rôle. Il en va différemment de l'oreille dans le registre de la séduction. Cela étant dit, l'oreille en tant qu'appareil auditif tient un rang essentiel dans les attitudes du corps. Cela paraît incongru et pourtant celui qui en fait la démonstration n'est pas le premier venu. Il s'agit d'Alfred Tomatis dans son ouvrage intitulé *Nous sommes tous nés polyglottes :* « Que l'écoute dépende d'une posture du corps semble, pour la majorité de nos contemporains, quelque chose de tout à fait incompréhensible. On oublie que l'oreille ne se contente pas de décrypter les sons comme le ferait la tête de lecture d'un magnétophone. Elle dispose d'un appareil, le vestibule, qui induit le sujet à mettre son corps dans une position déterminée pour pouvoir répondre. Le vestibule est le siège de l'équilibre mais, de lui, dépendent le tonus musculaire, l'établissement de leur valeur relative et surtout la conscience de l'image du corps. » Dans un autre ordre d'idées, Desmond Morris note qu'on a enregistré des cas d'individus tant masculins que féminins que la stimulation du lobe de l'oreille a pu amener à l'orgasme.

- *Il/Elle se caresse l'arrondi de l'oreille du bout des doigts.*
- Geste indiquant une attitude de recul par rapport à la situation vécue.
- *Il/Elle se penche souvent vers vous pour vous confier quelque chose dans le creux de l'oreille.*
- Cette conduite trahit un besoin de violer le territoire des autres. Ce qui signifie aussi que celui ou celle qui reproduit cette attitude fréquemment ne respecte pas le territoire d'autrui.
- *Il/Elle, coudes en appui sur ses cuisses, couvre ses oreilles de ses mains.*
- Le simple fait de prendre appui sur ses cuisses pour reproduire ce geste en change le sens initial. Le corps se ramasse jusqu'à imiter une attitude pseudo-fœtale. C'est bien d'une attitude de rejet qu'il s'agit.
- *Il/Elle se cure l'oreille droite ou gauche de l'index correspondant.*
- Frustré(e) et/ou frustrant(e) vis-à-vis de ses interlocuteurs.
- *Il/Elle se cure l'oreille gauche ou droite avec l'auriculaire.*
- Les auriculaires sont les sièges symboliques de l'enfance (gauche) et de l'avenir (droite). Se curer l'oreille avec son auriculaire est une manière de vivre son présent au passé ou de visiter ses futurs possibles sans jamais s'ancrer dans le présent.
- *Coudes en appui, il/elle écrase ses oreilles de ses paumes.*
- Il/Elle se débarrasse de ses angoisses avant de repartir à l'attaque.
- *Il/Elle se gratte vigoureusement derrière l'oreille droite ou gauche.*
- Il/Elle cherche un moyen discret de se défiler.
- *Il/Elle repose une de ses oreilles contre sa main correspondante, coude en appui, tout en penchant la tête de côté.*
- Le simple fait de pencher la tête est en soi une attitude de séduction. En plus, la main préfigure l'oreiller que votre interlocuteur/trice souhaite partager avec vous.
- *Coudes en appui, il/elle encercle ses oreilles de ses mains comme s'il s'agissait d'écouteurs.*
- Il/Elle fait mine de couper le contact avec le monde extérieur.

Coude en appui, il/elle se palpe le lobe de l'oreille droite ou gauche entre le pouce et l'index.

- *Coude en appui, il/elle se palpe le lobe de l'oreille droite ou gauche entre le pouce et l'index.*
- Il/Elle fait appel à son imagination pour trouver un moyen de se désister.
- *Il/Elle rabat le pavillon de son oreille, coudes en appui.*
- Le refus d'entendre est simplement mimé. S'il/Si elle pouvait se le permettre, il/elle se boucherait les deux oreilles.
- *Coude en appui, il/elle fait des arpèges sur l'ourlet du pavillon de l'une de ses oreilles, et rabat celle-ci vers le bas.*
- On se bouche les oreilles pour ne plus devoir entendre.

Coude en appui, il/elle tire constamment sur le lobe de son oreille droite ou gauche.

- *Coude en appui, il/elle tire constamment sur le lobe de son oreille droite ou gauche.*
  - Sollicitation symbolique d'une imagination un peu fruste mais parfaitement efficace quand il s'agit de se lancer dans des aventures plus érotiques que professionnelles.

Orteil. Site anatomique. Si les orteils ont une importance essentielle dans le maintien de notre équilibre corporel, ils en ont nettement moins sur le plan gestuel. Cependant, il existe une posture intéressante que l'on peut observer chez la femme qui a ôté ses souliers : il arrive qu'elle fasse des pointes en recroquevillant ses doigts de pied dans certaines circonstances. Cette attitude particulière indique souvent un fort sentiment d'échec ou de volonté de remettre les choses en question. Les orteils sont les sièges symboliques de la frustration et de la pénalisation sexuelle. Ce sont aussi des zones érogènes explosives peu fréquentées bien que tout à fait fréquentables.

- *Votre interlocuteur/trice est debout ou assis(e), son talon gauche écrase les orteils de son pied droit et vice versa.*
- Il s'agit surtout d'un individu provocateur qui se cherche une victime. Imaginez qu'il est le talon et que vous jouez le rôle des orteils !
- *Il/Elle est assis(e), les talons surélevés, les jambes côte à côte en appui sur les orteils recroquevillés.*
- Il/Elle se retient d'adhérer à votre point de vue bien qu'il/elle en brûle d'envie. Le dernier combat qui se livre dans son esprit sera remporté par l'émotion au détriment de la raison. Dans l'ensemble, vous avez affaire à un(e) introverti(e) doublé(e) d'un(e) timide.

Ovation. Thème gestuel. Dans le souci peut-être d'acquérir par analogie un peu de la virilité des lutteurs, remarque D. Morris, les hommes politiques ont adopté eux aussi le style des mains jointes dressées au-dessus de la tête. Ils utilisent également le geste assez répandu des deux bras dressés : bras qui cherchent le ciel, légèrement obliques, mains aux paumes ouvertes, doigts tendus et dressés. Une variante de ce geste peut être réalisée en présentant les doigts ouverts pour le V de la victoire.

- *Il/Elle lève les deux bras en l'air sous les ovations.*
- Les ovations le portent au septième ciel.
- *Il/Elle se serre les mains, bras en l'air, sous les ovations.*
- Il/Elle se félicite soi-même et en personne.
- *Il/Elle lève les bras en l'air sous les ovations et ferme les poings.*
- Attitude typique d'un tempérament quérulent, voire revanchard.
- *Il/Elle lève régulièrement le bras droit sous les ovations.*
- Partisan d'un pouvoir fort fondé sur le respect de l'ordre et des règles en vigueur qu'il/elle refusera de remettre en question, si la nécessité s'en faisait sentir.
- *Il/Elle lève régulièrement le bras gauche sous les ovations.*
- Personnage investi dans la dimension sociale et affective de son rôle public.

- *Il/Elle lève alternativement le bras droit et gauche sous les ovations.*
- Signe évident d'un individu capable de retourner sa veste, en cas de besoin.
- *Le tribun lève les deux bras au ciel sous les ovations, index et majeurs tendus en V, geste qu'il réédite toujours face à ses partisans.*
- Il existe différentes façons d'accueillir les vivas en levant les deux bras mais toutes sont une caractéristique des démagogues. Statistiquement, la reproduction de ce geste, en tant que code gestuel conventionnel, s'observe généralement chez les individus visant un pouvoir absolu.

P comme...

Papier. Objet incorporé. Les papiers nous accompagnent dans plusieurs codes gestuels significatifs, notamment quand on les jette à la poubelle.

- *Votre interlocuteur/trice s'empare d'une fiche qu'il/elle conserve entre ses mains tandis qu'il/elle continue à parler.*
- Ce petit geste anodin indique un sens aigu du monopole doublé d'un tempérament possessif de la part d'un individu imbu de ses prérogatives.
- *Il/Elle jette ses papiers dans la poubelle sans les chiffonner ni les déchirer.*
- Attitude d'un individu qui ne s'encombre pas de ses affects pour se débarrasser des situations ou des personnes qui le dérangent
- *Il/Elle jette ses papiers dans la poubelle en les déchirant au préalable.*
- Attitude spécifique d'un individu dont l'agressivité larvée ne peut s'exprimer ouvertement.
- *Il/Elle jette ses papiers dans la poubelle en les chiffonnant au préalable.*
- Rejet du passé et du poids affectif qu'il/elle traîne dans son sillage.
- *Il/Elle plie un papier en tremblant.*
- Ce papier représente symboliquement une sorte de diplôme remis en cause par son interlocuteur. En produisant ce geste instinctif, il/elle exprime sa peur de se voir coiffé au poteau par un concurrent.
- *Tout en exprimant son point de vue, il/elle s'empare de ses notes et les reposent sur la tranche pour les tasser.*
- Le sujet évoqué le contrarie manifestement. On tasse ses feuilles quand on veut passer à un autre sujet ou pour signifier la fin d'un entretien.
- *Il/Elle tient son dossier entre ses mains, coudes en appui sur les genoux.*
- L'attitude affaissée du corps est proportionnelle au poids virtuel du dossier. Il s'agit d'une attitude corporelle de découragement sous toutes les latitudes.

Paume. Site anatomique. Les paumes des mains sont l'une et l'autre des sièges symboliques de la possession pour des raisons qui se passent de justification. Nous donnons à la section *Main* les significations qui leurs sont attachées en fonction de leur position dans le contexte du discours.

- *Votre interlocuteur/trice se gratte la paume de la main droite.*
- Geste courant chez les individus intuitifs. Cela pourrait signifier que l'une de ses extrémités l'avertit d'une opportunité. Il/Elle est à l'écoute de son corps de manière totalement instinctuelle.
- *Il/Elle se gratte la paume de la main gauche.*
- Les paumes des mains sont des lieux anatomiques très innervés, donc très sensibles. Le chatouillement récurrent de l'une ou l'autre main révèle un progrès réalisé par l'intelligence avant que la conscience n'en soit avertie. Ce progrès intellectuel débouche toujours sur une action ou un événement constructif, d'où la superstition qui veut que ce type de chatouillement annonce une période de chance ou un gain d'argent.

Paupière. Site anatomique. Les paupières sont les sièges symboliques des identifications parentales. Papa squatte la paupière droite et maman, la paupière gauche (et inversement pour les gauchers). Si vous voulez vérifier l'état de vos relations avec vos images parentales (c'est-à-dire si vous en êtes affranchi ou non), il suffit de révulser les yeux le plus haut possible sous les paupières fermées pendant une minute, environ. Ensuite, relâchez tout doucement la tension musculaire. Si vos paupières demeurent closes spontanément, vous êtes reçu à l'âge adulte. Si l'une d'elles se décolle mais que l'autre reste légèrement fermée avant de s'ouvrir, cela signifie que vous êtes affranchi de l'une de vos images parentales. Ainsi, si la paupière droite demeure close plus longtemps que la gauche, il s'agit de l'image paternelle ; et de l'image maternelle, si la paupière gauche demeure close plus longtemps que la droite. Cette obturation temporaire différée d'une paupière à l'autre indique que vous avez avec l'un de vos parents une relation conflictuelle larvée qui vous empêche d'atteindre la maturité affective. Si vos deux paupières se décollent dès que vous relâchez votre effort de révulsion, vous n'avez pas encore goûté aux charmes de la maturité, quel que soit votre âge. À quoi servent ces constats ? Il existe un lien étroit entre la qualité du sommeil et l'affranchissement d'un individu par rapport à ses images parentales. De même, il existe un rapport direct entre la maturité affective et la mobilité des paupières.

- *Il/Elle cligne des paupières comme pour vous approuver.*
- Il/Elle est anxieux(se) de vous plaire.
- *Il/Elle se frotte souvent les paupières.*
- Mal réveillé(e) ou peut-être qu'il/elle n'en croit pas ses yeux ; ou plutôt ses oreilles puisqu'il/elle vous écoute.
- *Il/Elle obture une de ses paupières du bout de ses doigts, coude en appui.*
- L'obturation des paupières réveille les barrières de défense psychiques.
- *Il/Elle plisse fréquemment les paupières en faisant mine de fermer les yeux.*
- Il/Elle cherche à effacer littéralement votre image. Ce tic est typique d'un individu tyrannique.
- *Les coudes en appui, il/elle tire sur sa paupière droite ou gauche.*
- Cette attitude trahit un tempérament égotiste.

Pelotonner (Se). Action motrice. Attitude typique des personnes victimes d'une carence affective profonde ou d'un syndrome d'abandon. C'est une posture régressive de type fœtal.

Percer. Action motrice. Équivaut à un besoin de découvrir la vérité ou de trouver la réponse à une question existentielle qui se cache symboliquement sous une couche d'épiderme !

Personnalité gestuelle. Thème gestuel. Une personnalité gestuelle correspond, à la fois, à la notion d'image publique (celle que vous offrez aux autres) et à une image socioprofessionnelle intériorisée, ce que Carl Jung avait baptisé la persona : « L'homme existe par ce qu'il fait et non par ce qu'il possède. » Ces deux images se rejoignent dans ce qu'on nomme communément l'image de soi ou imago en psychanalyse. Cette imago, agissant comme un prisme déformant, oriente vos choix de vie

ou de carrière et commande en partie vos relations interperson-
nelles. Nul ne peut être comédien sur la scène et anonyme au
sein de la société qu'il fréquente. Le métier qu'il exerce se pro-
longe dans sa vie courante et toutes ses attitudes, ses conduites
sociales ou ses comportements seront guidés par l'image professionnelle que lui impose son métier. Il en a besoin pour ne pas
perdre le sens de son existence. Il en va de même d'un comptable, d'un banquier, d'un policier ou d'un commerçant. Chacun
conservera par-delà l'exercice de son activité une mentalité
propre à son milieu professionnel. De la mentalité à l'image
publique, les règles ne varient guère, elles reposent sur l'identification à un statut, une caste ou un mode de vie.

Percing. Objet incorporé. Selon Desmond Morris, les parures qui
impliquent une forme de mutilation, telles le percing ou les
tatouages, seraient typiques des sociétés rigides, voire intégristes,
dans lesquelles l'allégeance au groupe est d'une importance
capitale. La souffrance qui accompagne ce type de mutilation
fait office d'épreuve pseudo-initiatique, destinée à lier l'individu
à ses semblables et à agrandir le fossé qui le sépare de tous les
autres, c'est-à-dire les non initiés. En somme, le percing est un
acte pseudo-religieux qui attire les jeunes en recherche d'appartenance ou d'identification à un substitut des images parentales
déficientes. La croissance des structures monoparentales des-
quelles l'image paternelle est exclue par la mère omnipotente
entraîne ce type de révolte de la part des ados.
   La multiplication des sites anatomiques percés (lèvre, narine,
oreille, aréole, nombril, sexe, langue, etc.) correspond à une sorte
de hiérarchie sociale par l'acceptation d'une souffrance ou d'une
gêne permanente. Cette mode qui nous vient de la période Punk
des années 70 s'est fortement accentuée au cours de la dernière
décennie du siècle. Elle pourrait aussi révéler un besoin de réassurance, réclamée par les générations montantes, plus qu'un
moyen de se démarquer des aînés. Les jeunes ont peur de l'avenir qui les attend. Ils cherchent peut-être un moyen de s'initier à
des souffrances virtuelles qu'ils pressentent en se soumettant à
des pratiques primitives.

- *Sa narine gauche est percée d'un bijou.*
- Ses conduites sexuelles sont soumises au contenu des messages maternels en la matière.
- *Sa narine droite est percée d'un bijou.*
- Ses conduites sexuelles sont soumises au contenu des messages paternels en la matière.
- *Il/Elle porte un bijou perçant sa langue.*
- Une façon comme une autre de justifier le fait de tirer la langue à tout bout de champ. Ce type de percing traduit un comportement fortement oppositionnel de la part d'un adulte qui a oublié de grandir.
- *Il/Elle porte un bijou perçant la paroi centrale du nez.*
- Une manière comme une autre de déverrouiller une sexualité bloquée ou frustrante.
- *Il/Elle porte un bijou perçant sa lèvre inférieure.*
- On pénalise ses inhibitions sexuelles comme on peut.
- *Il/Elle porte une série de boucles en batterie perçant les oreilles.*
- Le besoin de scarification n'est pas toujours dissocié d'un certain sens de l'esthétique. Les auriculothérapeutes prétendent que tout l'organisme est contenu dans le dessin de l'oreille. Ceux ou celles qui ressentent donc le besoin de percer leurs lobes ou d'autres parties de leurs oreilles à des endroits multiples ont-ils inconsciemment besoin d'évacuer ou de prévenir une faiblesse ou un dysfonctionnement organique ? Il y a bien des conduites que l'inconscient nous pousse à adopter sans que notre intelligence puisse en justifier l'utilité. Et pourtant, ces conduites s'expriment sans que notre conscience soit avertie des raisons qui en sont à l'origine.

Pied. Site anatomique. Nous sommes tellement habitués à marcher dessus que nous ne réalisons plus qu'une si petite surface, même multipliée par deux, parvient à assurer l'équilibre du tout. Pour un homme qui chausse du 42, ce sont deux fois 234 cm ? environ qui soutiennent un corps de 70 kilos environ et d'une hauteur moyenne de 1,70 m, soit 18 000 cm ? de surface chez un adulte (2 500 cm ? pour un nouveau-né). Comment s'étonner dès lors qu'on trouve une correspondance de tous les organes du corps sur les plantes de nos pieds, selon les spécialistes de la réflexologie. Le langage se sert des pieds pour qualifier deux situations essentielles – qui consacrent leur pouvoir occulte : prendre son pied et faire du pied ! Tout individu qui protège son coup de pied de l'une de ses mains, en position assise, ne fait qu'imiter son alter ego en train de caresser un fétiche ou un porte-bonheur, en somme. Où irions-nous sans l'aide de nos pieds ? Qu'ils soient grands, petits, larges ou étroits, les pieds sont les ailes de l'homme debout.

Il/Elle écrase son pied droit de son pied gauche.

- *Il/Elle est assis(e) et accroche ses pieds dans les barreaux de sa chaise.*
- Attitude héritée de l'enfance, il est possible que le ton trop pédagogique d'un interlocuteur induise une relation de maître à élève qui influence le climat mental et provoque cette séquence gestuelle particulière. Indécision et anxiété se poussent du coude mutuellement dans cette attitude.

- *Il/Elle est assis(e) genoux écartés et colle ses deux semelles l'une contre l'autre.*
- Cette séquence gestuelle est une attitude contestataire de type adolescent. L'individu a littéralement coupé le courant qui le relie à la terre.
- *Il/Elle écrase son pied gauche du pied droit.*
- Il/Elle refuse d'exprimer ses émotions qu'il/elle réprime de cette manière.
- *Il/Elle écrase son pied droit de son pied gauche.*
- Il/Elle protège son sens commun contre les débordements de son intuition.
- *Ses pieds sont posés au sol et les axes de leur pointe forment un angle aigu.*
- Sa sensibilité est en berne, son intelligence aussi.
- *Ses pieds en retrait sous sa chaise sont posés sur les pointes en parallèle.*
- Il/Elle marche littéralement sur des œufs.

Pincer. Action motrice. Pincer veut aussi dire réveiller sa combativité assoupie avant l'affrontement.

Pipe. Objet incorporé. Voir aussi *Cigarette*. Compensation orale face à l'anxiété, la pipe est à l'instar de la *cigarette* un substitut du pouce, de la tétine ou du sein maternel que l'enfant met en bouche pour apaiser ses angoisses ou ses craintes.

Pli d'amertume. Site anatomique. Voir aussi *Lèvre, Sourire*.

Poche. Objet incorporé. Les poches sont un facteur d'équilibre important pour l'homme debout. Elles équilibrent le corps dans des circonstances d'agressivité sociale. Celui qui cache ses mains dans ses poches en public abaisse son taux d'agressivité, ce qui peut lui éviter d'exciter l'agressivité d'autrui. Ce type d'attitude est perçu par les autres comme un geste d'apaisement. Tous les éleveurs de chiens savent qu'il faut cacher ses mains dans ses poches, si l'on veut éviter d'exciter les chiens hargneux. Le chien voit-il ce geste ou ce geste génère-t-il une déviation ferro-hormonale de l'odeur que nous dégageons, diminuant du même coup le taux d'acidité de notre transpiration ? La truffe du chien est sensible à un spectre d'odeurs beaucoup plus riche que le nez humain, dont la richesse de nos odeurs corporelles qui ne sont que les traductions olfactives de notre ressenti. En revanche, conserver ses mains dans ses poches va, pour un homme, à l'encontre de la séduction. Les mains qui se dissimulent induisent un sentiment de malaise chez la femme. Pourquoi ? Pour une raison assez tortueuse : l'homme qui dissimule ses mains en présence d'une femme est perçu comme un être arrogant, voire menaçant : les mains cachées sont des mains qui brutalisent quand elles se montrent.

- *Votre interlocuteur marche avec une main dans la poche et fait tinter sa petite monnaie.*
- L'argent sert ici de clochette qui rappelle à celui qui agite sa monnaie que sa cupidité le mène par le bout du nez.
- *Il/Elle marche avec une ou ses deux mains enfoncées dans ses poches.*
- Les mains que l'on cache ne sont pas toujours des mains qui se cachent. Les poches sont des valeurs refuge et un bon moyen d'assurer son équilibre général à peu de frais. Contrairement à ce que vous pourriez penser, le fait de fourrer ses mains dans ses poches ne signifie pas que le sujet observé manque de confiance en soi. C'est souvent le fait d'un individu enthousiaste, entreprenant et dépourvu de cette mauvaise graisse qu'est la jalousie. L'attitude est ouverte dans la mesure où elle offre une assise confortable à celui qui la privilégie. Le fait de glisser la main droite dans une poche signifie que l'on veut privilégier l'imaginaire au détriment de la logique. L'inverse indique le contraire, soit un privilège à la logique au détriment de l'imagination. Bien entendu, tout cela se tient hors du contexte de la séduction.
- *Sa main gauche est enfouie dans la poche de son pantalon, l'autre prend appui sur son bureau.*
- Pourquoi un individu enfouit-il soudain sa main gauche dans sa poche ? Peut-être pour se rassurer.

- *Il/Elle est assis(e) avec une main enfoncée dans sa poche.*
- Le fait de plonger ses mains dans ses poches dépend de la position du corps. Si cette attitude est positive en position verticale, elle ne l'est plus du tout en position assise. Un individu qui plonge systématiquement sa ou ses mains dans ses poches en position assise manque totalement d'assurance.
- *Il/Elle est assis(e) avec les deux mains dans ses poches.*
- Dans ce cas de figure particulier, dissimulation rime avec simulation, au propre comme au figuré. Les mains se cachent pour mourir, comme les oiseaux, quand on les dissimule en position assise.
- *Il/Elle plonge ses mains dans les poches arrière de son jeans.*
- Cette attitude a l'avantage de mettre le torse en valeur au masculin comme au féminin.

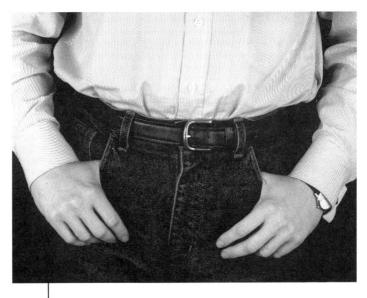

Il cache un de ses pouces ou les deux, dans les poches de son jeans, en marchant.

- *Il cache un de ses pouces ou les deux dans les poches de son jeans, en marchant.*
- Même signification que le descriptif des pouces coincés dans la ceinture (voir *Pouce*). Les pouces entravés révèlent presque toujours une sexualité mal maîtrisée, voire problématique ou une carence affective profonde.

Poignée de main. Action motrice. Les origines de la poignée de main sont aussi mal connues que celles du namaste (salut indien les mains jointes devant le bas du visage). Les Romains se saluaient en se serrant mutuellement l'avant-bras. Certains anthropologues estiment que notre poignée de main contemporaine est relativement récente.

Le contact des mains avec des amis intimes et des parents est soumis à moins d'inhibitions. Leur rôle social est déjà clairement établi comme non sexuel et le danger est donc moins grand. Malgré cela, le cérémonial d'accueil est devenu hautement stylisé. La poignée de main est aujourd'hui un processus strictement réglementé.

Les politiciens américains adorent se serrer la main et utiliser celle restant libre pour couvrir les deux mains déjà en contact. Une savante échelle de valeur permettrait ainsi, selon l'ardeur de ce geste complémentaire, d'évaluer les degrés de sympathie ou d'unité entre les personnes. Mais cette habitude peut avoir un sens tout différent. Ne faites surtout pas appel à ce type de poignée de main pour transmettre votre affectueuse sympathie à votre interlocuteur ; elle signifie littéralement et pour rester de bon ton : « Je vous ferai un enfant dans le dos... mais en douceur. » L'usage de la poignée de main s'est généralisé au milieu du siècle dernier. Son ancêtre, la réunion des mains, s'employait bien avant cela. Dans la Rome antique, elle servait d'engagement sur l'honneur et son rôle devait fondamentalement rester le même pendant près de deux mille ans. Elle n'a commencé à servir aux salutations quotidiennes qu'au début du XIXe siècle. Le fait de se serrer la main est un geste d'ouverture ou d'apaisement. Les protagonistes qui s'approchent ainsi l'un de l'autre se signalent mutuellement qu'ils renoncent symboliquement à un possible affrontement physique. Vous remarquerez que si un conflit s'élève entre deux interlocuteurs, ils se quitteront très souvent sans se serrer la main.

La poignée de main en dit long sur le type d'individu auquel vous avez affaire. En voici quelques-unes parmi toutes celles qui existent – il y a plus de soixante-dix manières de serrer la main d'un étranger, et peu d'entre elles sont véritablement accueillantes ! Dans un cadre plus amical ou familial, il y a des mains qu'on serre pour ne pas subir la coutume du baiser social et marquer ainsi une distance avec des individus pour lesquels on ne ressent pas de sympathie particulière. En tout état de cause, soyez toujours très attentif à la manière dont on vous serre la main. Aussi bref qu'il soit, l'encastrement des mains doit être parfait et surtout confortable, sinon vous avez intérêt à prendre de la distance, voire à fuir carrément dans les meilleurs délais les individus dont les poignées de main vous ont paru bizarres. La poignée de main est un test fabuleux pour savoir immédiatement si un entretien va déboucher sur un résultat positif ou si vous allez ramer pour obtenir le résultat recherché. Une partie massive de vos sentiments et de ceux de votre interlocuteur/trice s'expriment en l'espace d'un clin d'œil au contact des paumes. L'intelligence sociale de vos mains est un signal puissant des sympathies ou des antipathies subconscientes que votre conscience occulte dans la mesure où elle est accaparée par le but à atteindre.

Certains individus tendent effectivement leur index en guise de poignée de main réductrice. Le mépris qu'il affiche est évident. Vous n'êtes à leurs yeux qu'une image virtuelle qu'ils oublieront dans les dix secondes qui suivront votre départ, comme s'ils s'apprêtaient symboliquement à vous quitter avant même de vous avoir rencontré. Cette séquence appartient au registre des poignées de main, même si elle n'en représente qu'un ersatz. Elle est aussi le fait d'un individu qui ne s'engage que très superficiellement dans ses entreprises et ne tient généralement pas ses promesses. Que la main de votre interlocuteur soit amputée d'un ou plusieurs doigts peut-il porter à se demander s'il existe une hiérarchie de l'estime qu'on vous porte suivant le nombre de doigts tendus ?

- *Il serre la main droite et accroche le coude ou le biceps droit de son interlocuteur de sa main gauche.*
- Voilà une poignée de main quelque peu envahissante. Si elle émane d'un ami, il n'y a rien à y redire. En revanche, si elle provient d'une relation d'affaires, il y aurait lieu de prendre du recul d'urgence. Votre interlocuteur compte vous demander bien plus que vous ne seriez disposé à lui offrir.
- *Il serre la main et l'avant-bras de son interlocuteur de ses deux mains en guise de poignée de main.*
- Attitude d'un tempérament simulateur très prisée outre-Atlantique. Ces individus remplacent leur intelligence par leur malice et sont dépourvus de sensibilité ou de chaleur humaine élémentaire.
- *Il tend le bout des doigts en guise de poignée de main.*
- Tempérament fugueur d'un individu qui ne s'engage jamais autrement que du bout des lèvres.
- *Il serre la main droite et pose sa main gauche sur l'épaule droite de son interlocuteur.*
- Cette manière d'étreinte symbolise le besoin de rabaisser celui auquel on donne ainsi l'accolade, comme si on acceptait de l'adouber à condition qu'il accepte de conserver un rôle subalterne. L'épaule droite est l'un des sièges de l'ambition, rabaissée par votre interlocuteur. Une poignée de main est une clé qui ouvre ou ferme une porte, dès le premier contact. Un peu comme une sorte de coup de foudre. Si les gens prêtaient attention à cet instant crucial, ils perdraient beaucoup moins de temps à palabrer dans le vide. Ce type de poignée débouche souvent sur un désaccord.
- *Il tend une main brusque, vite offerte et vite reprise.*
- Cette poignée de main trahit un tempérament dépressif et/ou un climat mental fataliste.
- *Il serre la main de manière fuyante.*
- Tempérament hypocrite. À peine la lui serre-t-on qu'on se retrouve tout seul à saisir le vide.

- *Il tend la main gauche sans pour autant être gaucher.*
  - Surtout ne pas se fier à son sourire : même si sa main droite est occupée, cette manière d'accueil est un aveu d'antipathie pur et dur. Si vous avez assez de présence d'esprit pour prévenir le geste, je vous conseille vivement de refuser de lui serrer la main en question. Cela aura au moins le mérite de vous faire respecter.
- *Elle abandonne langoureusement sa main dans celle de son partenaire.*
  - La qualité de la poignée de main prime les plaintes ou les récriminations verbales de votre interlocutrice. Elle est conquise.

Elle abandonne langoureusement sa main dans celle de son partenaire.

- *Il/Elle vous serre la main avec une mollesse affectée alors que vous avez pu constater que tel n'est pas forcément le cas avec d'autres personnes de votre groupe.*
  - Cette poignée particulière indique un refus de s'engager ou de vous reconnaître comme un(e) interlocuteur/trice valable. La poignée de main molle appartient normalement à un individu dont le tempérament est plutôt obséquieux. En règle générale, la poigne est un vecteur éner-

gétique important en communication non verbale. On transfère son potentiel énergétique à l'autre ou on refuse de lui accorder cette véritable marque d'estime. La main molle représente le refus de cet échange énergétique.

- *Il serre la main de son interlocuteur/trice en lui broyant les phalanges.*
  - Il a besoin de leur imposer sa volonté. Il manque manifestement d'assurance, sinon il n'aurait pas besoin de broyer les mains qu'il serre. Poignée de main fréquente chez des individus en recherche de confrontation pour échapper à un sentiment d'infériorité délétère ; une manière comme une autre de s'affirmer quand on se sent en position de faiblesse.
- *Il serre la main de son interlocuteur dans ses deux mains réunies.*
  - Il simule une attitude amicale qu'il est loin de ressentir. Ce type de poignée révèle une conduite roublarde de la part de celui qui en fait usage.

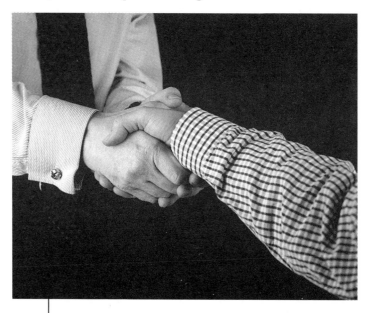

Il sert la main de son interlocuteur dans ses deux mains réunies.

- *Votre interlocuteur vous serre la main en bec de canard.*
  - Une poignée de main comme une autre pour vous signaler que vous n'êtes pas le bienvenu ou qu'on ne vous tient pas en haute estime.
- *Il oublie de tendre la main alors que son interlocuteur lui tend la sienne.*
  - Poignée de main virtuelle de la part d'un individu qui vous méprise ou vous bat froid.
- *Il serre la main de son interlocuteur en regardant par-dessus son épaule.*
  - La poignée de main est mécanique mais le regard s'échappe. L'attitude trahit une poignée contraignante que le regard tente d'oblitérer.
- *Il emprisonne la main de son interlocuteur et la serre au point de se demander s'il la lâchera un jour.*
  - Signe de carence socio-affective.
- *Il attire la main de son interlocuteur vers lui, comme s'il souhaitait le retenir.*
  - Ce mode de poignée trahit un niveau d'angoisse olympique.

Poignet. Site anatomique. Les poignets sont les sièges de notre sentiment de sécurité ou d'insécurité. On attrape souvent un enfant par les poignets pour le sortir de son bain. Cette tactique est destinée à opérer un premier contact physique maternant, donc sécurisant.

- *Sa main gauche agrippe le poignet droit.*
  - Son besoin de sécurité est fondé sur ses investissements affectifs ou passionnels.
- *Sa main droite agrippe le poignet gauche.*
  - Son besoin de sécurité est fondé sur ses affects ou sa relation amoureuse.
- *Votre interlocuteur, debout, pose ses poignets dans le creux de ses reins, mains ouvertes vers l'arrière.*
  - Attitude étonnante, elle est le propre d'un individu passionné par un sujet passionnant : lui-même en personne.

- *Sa main gauche enserre son poignet droit et vice versa.*
- Le poignet est le siège de l'insécurité ou de son contraire. Il/Elle a besoin d'une protection symbolique pour effacer un sentiment d'insécurité.

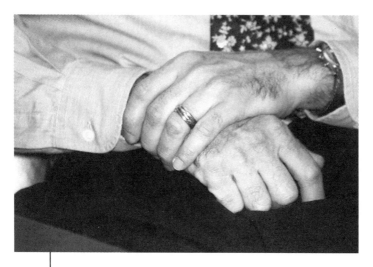

Sa main gauche enserre son poignet droit et vice versa.

- *Il/Elle croise les poignets, poings fermés, les avant-bras appuyés sur un support.*
- Il/Elle a les mains menottées.
- *Il/Elle est debout, les mains nouées sur le ventre, la main droite retient le poignet gauche ou la main gauche retient le poignet droit.*
- Attitudes de contrainte courante ! La personne subit une situation qui lui pèse plus qu'elle ne lui plaît.
- *Il/Elle ponctue sa phrase en croisant les poignets.*
- Ce geste est un démenti ! Les poignets sont le siège symbolique de la sécurité. Les croiser est une manière de dire qu'on a les mains liées.

Poil. Site anatomique. Signe de virilité. Les hommes poilus sont souvent considérés comme plus sensuels que les hommes glabres. Fourrager dans les poils de la poitrine est une manière discrète de se caresser sans choquer son interlocuteur. Il s'agit là d'un geste de gratification, voire d'autosatisfaction.

Poing. Site anatomique. Signe de force, de violence et d'agressivité, l'homme serre les poings symboliquement quand son destin lui est contraire ou quand il veut réveiller sa combativité. De toute évidence, on ne serre jamais les poings sans raison.

- *Coudes en appui, la main gauche de votre interlocuteur enveloppe son poing droit et vice versa.*
- Geste typique des hommes de pouvoir. Vous connaissez ce petit jeu, sans aucun doute : la paire de ciseaux coupe le papier, le papier enveloppe la pierre et la pierre casse la paire de ciseaux. L'homme de pouvoir cache sa pierre sous le papier pour ne pas effrayer les ciseaux qu'il cassera symboliquement quand le moment sera venu. Directif, incisif, votre interlocuteur est le genre d'individu capable de transformer ses penalties.
- *Il cale son menton dans l'ouverture supérieure de son poing, coude en appui.*
- Le poing préfigure une barbichette de prof d'une autre époque. Il tournera autour du pot dès que vous lui demanderez de prendre position.
- *Il/Elle appuie son menton sur ses deux poings fermés, coudes en appui.*
- Séquence gestuelle traduisant une capacité d'investissement prête à l'emploi.
- *Il/Elle appuie l'un de ses poings refermé légèrement décalé sur son front, coude en appui.*
- Révèle un climat mental de manipulateur. Séquence gestuelle d'évaluation. À malin, malin et demi ! Vous risquez de vous faire piéger si vous n'y prenez garde.
- *Assis(e), il/elle appuie ses deux poings sur le bord de la table.*
- Le geste de votre interlocuteur/trice trahit une incompatibilité d'humeur.
- *Il/Elle ferme les deux poings en dissimulant ses pouces.*
- Il ne dit jamais ce qu'il pense et ne pense pas un mot de ce qu'il dit. Quant à ses promesses, elles valent leur poids de mots mais guère plus. Un individu cache ses pouces

Il cale son menton dans l'ouverture supérieure de son poing, coude en appui.

Il/Elle ferme les deux poings en dissimulant ses pouces.

quand sa motivation est blessée ou quand sa créativité est inexistante.

- *Il/Elle fait mine de mordiller son poing (gauche ou droite).*
- Attitude préludant à une décompensation nerveuse. Geste relativement rare dans le contexte d'un entretien professionnel, il signifie clairement que votre interlocuteur/trice est en train de perdre les pédales.
- *Il serre ses poings l'un contre l'autre, coudes en appui, les pouces soutiennent son menton.*
- Il ne faut pas se fier aux poings qui ne révèlent qu'une intention velléitaire. Si votre interlocuteur use et abuse de cette attitude, cela signifie qu'il s'engage souvent à la légère et se déculotte tout aussi rapidement.
- *Il/Elle appuie curieusement son cou sur son poing droit.*
- La position est inconfortable et trahit un stress ou une attitude mentale contraignante, doublée d'une hostilité transparente. Le poing n'est jamais loin du « coup de poing ».
- *Il/Elle ferme son poing pouce tendu (et non pouce verrouillé), comme s'il tenait un grillon au creux de la main.*
- Ce code gestuel évoque une crainte de perdre ce qui est contenu symboliquement dans la main ainsi refermée.
- *Le tribun serre les poings.*
- Avez-vous déjà remarqué que le simple fait de fermer les poings pour motiver ses troupes entraîne automatiquement un rétrécissement de l'ouverture des paupières ? Le sens de ce geste, particulièrement courant chez les tribuns politiques, semble évident mais il indique en filigrane que le doute n'est pas absent du jeu. Car la parole n'aurait pas besoin du corps pour convaincre, si la foi n'était pas chancelante.
- *Votre interlocuteur/trice, debout, pose son menton sur son poing, coude en appui.*
- Posture inconfortable pour climat mental torturé.

Poitrine. Site anatomique. Voir aussi *Sein.* La poitrine est une zone érogène aussi bien chez la femme que chez l'homme. La beauté d'une poitrine bien mise en valeur peut faire oublier bien

Votre interlocuteur/trice, debout, pose son menton sur son poing coude en appui.

des disgrâces physiques du visage. Sur le plan professionnel, une jolie poitrine peut être un atout non négligeable, quelle que soit l'activité exercée par celle qui en bénéficie. Aucun homme sur terre n'est insensible aux signaux séducteurs d'un décolleté pigeonnant.

- *Votre interlocuteur se caresse le torse, coude en appui.*
  - La caresse préfigure dans ce cas une démangeaison qui se termine souvent en grattage quand l'individu qui lui fait face commence à l'agacer.
- *Votre interlocutrice, assise, se caresse la naissance des seins du bout des doigts.*
  - La femme n'est pas l'homme et la poitrine n'inspire pas les deux sexes de la même manière. Vous avez gagné sa confiance et elle songe déjà à la suite concrète des événements.
- *La main de votre interlocuteur glisse souvent dans l'échancrure de sa chemise contre sa poitrine.*
  - La fabulation est une propension à présenter comme réelles les productions imaginaires de l'esprit. C'est une sorte de compensation subjective chez un sujet qui imagine ce qu'il aurait voulu vivre et qu'il n'a jamais vécu.

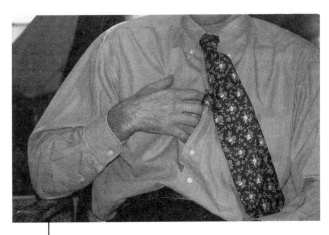

La main de votre interlocuteur glisse souvent dans l'échancrure de sa chemise contre sa poitrine.

Les fabulateurs ne manquent pas à l'appel mais votre interlocuteur devrait, en principe, détenir le pompon en la matière. Si c'est le cas, vous avez affaire à un simulateur. Versatile comme la météo, toutes ses décisions professionnelles sont guidées par ses fantasmes. Il va où le vent de ses illusions le pousse (voir aussi *Sein*).

Politique (Gestes de la). Thème gestuel. Comment fait-on la différence entre un technocrate et un visionnaire, par exemple ? Le premier oppose souvent les pulpes de ses doigts quand on lui pose une question embarrassante. Le second utilise le cercle digital pouce-index pour garantir sa détermination toute neuve.

Il existe ainsi un vocabulaire gestuel d'une richesse inouïe dont les politiciens ont le secret et dont le secret leur échappe, sans quoi ils seraient tout aussi attentifs au langage de leur corps qu'à leur discours. Car si les lapsus linguae sont le propre de l'homme politique, les lapsus gestuels occasionnent plus de dégâts sur le plan de la communication infra-verbale dont je vous rappelle qu'elle représente près de 80 % de l'essence de notre communication.

Toute attitude gestuelle significative est toujours prédictive. Elle annonce qu'un changement de climat mental est en train de s'opérer chez le locuteur bien avant que ce dernier n'en prenne conscience. En situation de débat politique, la compréhension des signes annonciateurs d'un revirement des positions de l'adversaire est un véritable moyen préventif. Il permet soit d'orienter ce débat, soit de se retrancher sur une position de repli tactique pour éviter l'affrontement. Ce constat est souvent ignoré de nos hommes politiques plus enclins à prêter attention à leur look vestimentaire qu'à la trahison gestuelle de leur corps. Gestes signifiants et gesticulations insignifiantes qui animent le corps sont une traduction, en temps réel, des mouvements incessants de la pensée manipulée par l'émotion. Cette vision de la communication à deux vitesses peut se traduire ainsi : « Un échange verbal, ce sont deux inconscients qui trahissent les débatteurs à l'insu des consciences qui s'expriment. »

Portable. Objet incorporé. Voir aussi *Téléphone*. En l'espace de quelques années, le téléphone portable est devenu la succursale de l'oreille humaine. Du fait de sa maniabilité et de son faible encombrement, il s'est intégré sans difficulté à la gestuelle de nos contemporains.

- *Il/Elle écoute son correspondant de l'oreille droite.*
  - L'oreille droite est commandée par le cerveau gauche, soit une écoute plus cartésienne, plus analytique. Les oreilles droites sont soit des meneurs, soit des analystes privilégiant leur intelligence logique au détriment de leur imagination. Ils sont aussi très concernés par leur carrière ou leur fonction. La latéralité (droitier ou gaucher) est évidemment essentielle. D'autre part, certains individus privilégient l'une ou l'autre oreille pour des raisons de déficience auditive droite ou gauche. Il faut en tenir compte.
- *Il/Elle écoute son correspondant de l'oreille gauche.*
  - Elle est commandée par le cerveau droit, ce qui sous-entend une écoute imaginative, créative et sensible. Les personnes qui privilégient cette oreille, pour autant qu'elle ne soit pas liée à l'obligation de prendre des notes, sont plus ouvertes sur le plan psy ou social. Sauf exception, ce ne sont en aucun cas des meneurs.
- *Il/Elle écoute son correspondant de l'oreille gauche ou droite indifféremment.*
  - Il pourrait s'agir d'un(e) ambidextre (qui écrit des deux mains). Cependant, j'ai pu observer que les sujets qui passaient indifféremment d'une oreille à l'autre au cours d'une même conversation téléphonique (et sans obligation mécanique) le faisaient dans le contexte d'une période d'instabilité d'humeur, attitude qu'ils reproduisent également quand leur correspondant les exaspère.
- *Il/Elle coince son portable entre l'épaule et l'oreille pour libérer ses deux mains.*
  - Il a, de toute évidence, besoin d'occuper ses mains pour ne pas perdre une miette de son temps et pousser son efficacité dans ses derniers retranchements. Cette attitude est typique des alcooliques du boulot et des hyperactifs.

Il/Elle coince son portable entre l'épaule et l'oreille pour libérer ses deux mains.

- *Il/Elle téléphone sans pencher la tête, le corps est plutôt figé.*
- Peu enclin à jouer les jolis cœurs, l'individu qui fige son corps en téléphonant est dépourvu de fantaisie.
- *Il/Elle penche la tête à droite en téléphonant.*
- Pencher la tête à droite est l'attitude d'un individu qui privilégie sa capacité de prévoir les arguments ou les coups de l'adversaire. Porté par ses ambitions, il est aussi calculateur et surtout très opportuniste. Seul l'aboutissement ou l'aspect pragmatique de son coup de fil l'intéresse.
- *Il/Elle penche la tête à gauche en téléphonant.*
- La partie gauche du corps est le siège de la féminité chez tout individu. L'homme (ou la femme) qui penche la tête à gauche en téléphonant est un individu sensible à l'aspect social, voire psychologique, de son environnement humain. C'est le premier aspect que traduit cette attitude largement répandue. Si votre interlocuteur appartient à

cette catégorie, il est disponible en règle générale où se donne les moyens de le devenir. Évidemment, il est possible aussi qu'il fasse appel à cette séquence particulière parce qu'il s'adresse à un ami ou une personne avec laquelle il partage des sentiments. Il est donc indispensable de savoir, d'une manière ou d'une autre, s'il a pour habitude de pencher la tête à gauche quand il répond au téléphone. Si c'est le cas, vous aurez affaire à un individu qui privilégie ses émotions au détriment de sa raison. Ceux qui usent de cette séquence gestuelle téléphonique ont généralement les traits du visage plus détendu que leurs antagonistes. Ils sont plus volontiers souriants et forcément plus accueillants.

- *Il/Elle penche la tête en arrière et regarde vers le plafond ou le ciel.*
  - Attitude typique d'un individu concerné par sa carrière. Le fait de relever la tête est une manière d'affirmer son besoin de grimper dans la hiérarchie sociale et/ou professionnelle.
- *Il/Elle penche la tête en avant.*
  - Cette posture téléphonique révèle parfois un tempérament jaloux et cachottier. Mais la tête a aussi tendance à se pencher quand l'interlocuteur téléphonique ou le témoin de la conversation est perçu comme un ami de cœur. Cette manière de porter à son oreille un portable est plutôt féminine. La personne observée cache parfois sa bouche de son autre main.
- *Il/Elle agrippe son portable de la main droite et le porte à l'oreille gauche.*
  - « Pourquoi faire simple quand on peut faire compliqué ? » Tel est le sens qui tombe sous le sens de ce mode gestuel peu pragmatique.

Pouce. Site anatomique. Le langage des pouces est fondamental, à l'instar de celui des autres doigts de la main. Cependant, les pouces sont aussi importants que les index sur le plan hiérarchique et par le nombre infini de gestes auxquels ils participent. Le pouce droit est le siège symbolique de la motivation et de la sexualité. Quant au pouce gauche, il est le siège symbolique de la sensualité, de l'imaginaire et de la sensibilité.

- *Votre interlocuteur/trice se caresse l'ongle du pouce de la pulpe du pouce opposé.*
- Ce comportement particulier révèle un tempérament simulateur.

Votre interlocuteur/trice se caresse l'ongle du pouce
de la pulpe du pouce opposé.

- *Il/Elle caresse l'ongle de son pouce du bout de l'index de la même main.*
- Attitude typique des individus qui démobilisent leurs mécanismes de décision au profit d'une philosophie de la temporisation à outrance.
- *La pulpe du pouce de sa main posée sur un support quelconque a tendance à être rejointe par celle de l'index, pour former un cercle digital.*
- Ce geste indique que votre interlocuteur/trice a ou aura des exigences impossibles à satisfaire.
- *Il/Elle glisse souvent son pouce entre l'annulaire et l'auriculaire de la même main.*
- La confusion dans laquelle il/elle mène sa carrière n'a d'égale que les catastrophes abracadabrantes qu'il/elle est capable de provoquer.

- *Il/Elle glisse souvent son pouce entre le majeur et l'annulaire de la même main.*
  - Individu superstitieux.

Il/Elle glisse souvent son pouce entre le majeur et l'annulaire de la même main.

- *Il/Elle glisse souvent son pouce entre le majeur et l'index de la même main.*
  - Ce geste particulier révèle une difficulté à choisir, voire une névrose de choix s'il est reproduit fréquemment. Il trahit aussi un aveu d'échec pur et dur.
- *Il/Elle se tourne les pouces, doigts croisés sur son ventre.*
  - Dans le contexte professionnel, ce geste montre un raffinement exquis dans la cruauté. Une virtuosité inégalable dans le genre méchanceté gratuite et perverse. Mais ce geste traduit aussi une lassitude.
- *Il/Elle croise les doigts, ses pouces sont tendus, pulpes en appui l'une contre l'autre.*
  - Il s'agit là d'un signe d'exigence absolue reproduit par un individu sous tension, hostile à tout interlocuteur qui tentera de le contredire.
- *Il croise les doigts, ses pouces sont tendus, pulpes en appui l'une contre l'autre et s'écartent régulièrement.*
  - Le geste est aussi énervant que le bonhomme qui le reproduit sous votre nez. Il aime s'écouter parler et vit aux

dépens de ceux qui l'écoutent. Il peut être aussi têtu que borné.

- *Doigts croisés, son pouce gauche surplombe toujours le pouce droit.*
- Marque de fabrique indélébile, vous constaterez que vous avez vous aussi une position des pouces plus confortable en reproduisant ce geste classique. Dans ce cas particulier, l'individu appartient à la très grande famille des créatifs.
- *Doigts croisés, son pouce droit surplombe toujours le pouce gauche.*
- L'individu est branché sur son cerveau gauche, comme tous les hommes ou toutes les femmes de savoir. Gestionnaire plus que créatif(ve) !
- *Ses deux pouces se surplombent tour à tour.*
- Cette alternance est moins courante. Elle indique une instabilité émotionnelle de la part de celui/celle qui la reproduit. On peut la constater plus fréquemment chez les individus en situation d'insécurité.
- *Ses pouces rentrés se dissimulent derrière ses doigts croisés.*
- Geste typique des ados gênés par le regard des autres, certains adultes très timides reproduisent ce code gestuel quand ils sont coincés dans une situation sans issue ou qui les infantilisent.

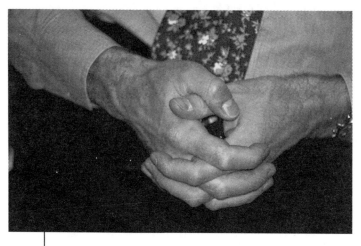

Doigts croisés, son pouce droit surplombe toujours le pouce gauche.

- *Il/Elle frotte compulsivement la pulpe de son pouce contre celle des autres doigts en remontant de la pulpe de l'auriculaire.*
- Il/Elle rejette la réalité au profit des aspects magiques de son vécu. Ses choix seront souvent fonction de ses coups de cœur.
- *Il/Elle frotte compulsivement la pulpe de son pouce contre son index, sans qu'il soit pour autant question d'argent.*
- Il/Elle est bourré(e) de TOC (troubles obsessionnels compulsifs).
- *Il retient son index de son pouce tandis que ce dernier se détend comme s'il projetait une bille imaginaire.*
- Il est anti-tout, provocateur, hostile, bordélique, impertinent.
- *Il/Elle emprisonne son pouce gauche dans sa main droite.*
- Il/Elle empêche ses émotions de prendre le dessus.

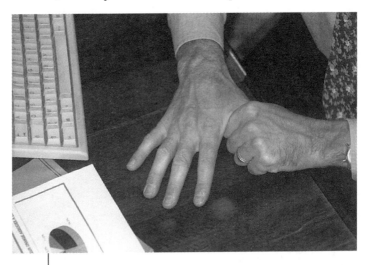

Il/Elle emprisonne son pouce gauche dans sa main droite.

Il/Elle fait mine de sucer son pouce.

- *Il/Elle emprisonne son pouce droit dans sa main gauche.*
- Il/Elle protège sa motivation contre votre enthousiasme.
- *Il/Elle se mordille la dernière phalange (la phalangette) de l'un de ses pouces.*
- Ce geste antédiluvien signifie que votre interlocuteur/ trice est simplement à bout de ressources ou d'arguments.
- *Il/Elle mordille l'articulation repliée de l'un de ses pouces.*
- La crise d'angoisse n'est pas loin du geste.
- *Il/Elle fait mine de sucer son pouce.*
- Le fait de sucer un de ses doigts en réaction à une question posée indique un accès d'angoisse.
- *Il/Elle fait mine de saisir un petit objet très mince entre le pouce et l'index.*
- Répété à l'envi, ce code gestuel trahit un individu dans l'incapacité de saisir les opportunités qui passent à sa portée. Dans sa reproduction circonstancielle, le geste évoque un mauvais choix à faire ou une alternative ne débouchant que sur deux mauvais choix. Curieusement, les propositions que ce geste accompagne semblent toujours aboutir à des solutions idoines, s'il faut en croire les propos de celui qui reproduit le bec de canard.

Pouvoir (Gestes du). Thème gestuel. Voir aussi *Politique.* Toute attitude gestuelle significative est toujours prédictive. Elle annonce qu'un changement de climat mental est en train de s'opérer chez le locuteur bien avant que ce dernier n'en prenne conscience. En situation de réunion professionnelle de haut niveau, la compréhension des signes annonciateurs d'un revirement des positions du patron est un véritable moyen préventif. Il permet soit d'orienter ce débat, soit de se retrancher sur une position de repli tactique pour éviter l'affrontement. Ce constat est souvent ignoré de la plupart des cadres plus enclins à prêter attention à leur look vestimentaire qu'à la trahison gestuelle de leur corps.

Profil (gauche ou droit). Site anatomique. Il est intéressant d'observer les angles faciaux privilégiés par un interlocuteur qui est sensé vous faire face. Si la tendance générale est le profil gauche, vous aurez affaire à un individu captivé par ses coups de cœur plus que par ses ambitions. Inversez ! Il en découle que le créatif présente généralement son profil gauche et le sujet dominé par son esprit logique présentera plus souvent son profil droit.

Pupille. Site anatomique. Voir aussi *Œil.* Représentants de nos émotions et du **regard** de l'âme, les yeux peuvent beaucoup pour ceux qui savent s'en servir. Ils interviennent tout le temps dans le registre de la communication interindividuelle. Il n'est cependant pas toujours aisé de traduire certaines de leurs attitudes par des mots. En revanche, les réactions de nos pupilles sont étonnantes.

Nous citons Desmond Morris dans *La Magie du corps* : « Il y a des centaines d'années, les courtisans italiens utilisaient une drogue faite à partir de belladone qu'ils se mettaient dans les yeux pour dilater leurs pupilles. On disait, à l'époque, qu'elle rendait plus beau, c'est pourquoi on l'appelait la *bella donna*, littéralement : la jolie femme. Un exemple plus récent nous vient des marchands de jade dans la Chine pré-révolutionnaire qui se mirent à porter des lunettes noires pour dissimuler la dilatation de leurs pupilles excitées par un beau jade qui leur était présenté. Auparavant, les joailliers surveillaient avec soin la dilatation des pupilles de leurs clients afin de hausser les prix ou des les abaisser suivant le diamètre adopté par les pupilles de leurs clients. »

Sachez encore que les alcooliques, les fumeurs d'herbe ou de chanvre indien ont toujours les pupilles rétractées quand ils sont sous l'emprise de leur drogue. Les pupilles d'un psychotique en crise se rétractent à la taille de têtes d'épingles. C'est ce qui donne à leur regard cet aspect caractéristique de la folie, complètement vidé de toute substance. Cette rétractation maximale des pupilles signale que l'activité imaginaire est quasi nulle. A contrario, une activité émotionnelle intense se traduira par une dilatation progressive des pupilles.

R comme...

Raidir (Se). Action motrice. Attitude sectaire de la part d'un individu dont les conduites rigides l'empêchent de réagir avec recul face à une situation d'examen ou d'exception.

Recroqueviller (Se). Action motrice. On se recroqueville quand on se sent en danger.

Refrain gestuel. Thème gestuel. Parmi la somme des gestes qui échappent à votre conscience, il en est que vous répétez plus souvent que les autres parce qu'ils appartiennent au registre de vos comportements et, de ce fait, sont privilégiés par votre inconscient. Ces expressions gestuelles particulières se sont intégrées à vos automatismes et font partie de la constitution de votre personnalité. Elles sont tellement apparentes que vos interlocuteurs, voire vos proches, les ignorent. Un avantage d'un certain point de vue, car ces gestes vous dévoilent, avouant souvent la face cachée de votre tempérament, face cachée que vous pourriez espérer dissimuler à votre entourage. Ce sont vos refrains gestuels !

Il s'agit d'automatismes gestuels ou d'attitudes corporelles que vous répétez toujours de la même manière, quel que soit le contexte de leur apparition. Par exemple, la manière dont vous croisez les bras est un refrain gestuel typique (voir *Bras*). Si vous essayez de croiser les bras à l'inverse de votre réflexe habituel, vous constaterez que le geste miroir n'est pas automatisé et que vous serez forcé de réfléchir avant de le reproduire. Les comiques de scène utilisent souvent les refrains gestuels inverses de ceux qu'ils privilégient en temps normal pour produire des gestes décalés qui font rire leur public. Mr Bean est incontestablement le roi du genre. Il s'agit donc de gestes ou d'attitudes génériques propre à un individu particulier ou à une catégorie d'individus. Ils s'intègrent à la personnalité corporelle du fait de la fréquence de leur reproduction. Certains d'entre eux sont reproduits des centaines fois par jour sans que vous y prêtiez seulement attention. Le fait d'agripper votre poignet gauche de la main droite ou l'inverse, quand vous vous retrouvez en situation d'insécurité ponctuelle, est l'un d'entre eux (voir *Poignet*). Comment croisez-vous vos chevilles sous votre siège ? Est-ce la

cheville droite qui retient la gauche ou l'inverse ? (voir *Cheville*).
Il existe ainsi une petite centaine de refrains gestuels classiques
que vous pouvez observer autour de vous ou, à défaut, observer
sur vous-même pour situer ceux que vous privilégiez.

Si certaines séquences gestuelles varient en fonction du
contexte – *on fume de la main droite quand on est stressé ou contrarié
et de la main gauche quand on est détendu* – vos refrains gestuels sont
quant à eux invariables, même s'il vous est possible de les inverser sans effort, pour la plupart, quand vous en prenez conscience.

Il est probable que vos automatismes gestuels soient fondés
sur un choix inconscient entre vos images paternelle et maternelle, images divines par essence, quelle que soit votre latéralité
naturelle (droitier ou gaucher). Le phénomène de l'identification guide les premiers pas de l'enfant dans l'existence. Il cherchera tour à tour à savoir à qui il ressemble le plus, aidé en cela
par les membres de la famille dont c'est souvent le jeu favori.
De la même manière que vous ne pourrez vous empêcher de rire
comme votre tante Louise ou d'éternuer comme votre mère,
tous les refrains gestuels que vous produisez à longueur d'année
seront autant de rappels de vos origines familiales et des comportements que vos parents vous ont légués.

La personnalité d'un individu est bâtie sur un patchwork tissé
de messages contraignants, d'images rémanentes d'une enfance
révolue et d'ambitions parentales avortées. Tous trouvent leur
aboutissement dans les gestes que vous répétez à longueur de
journée.

On n'échange pas un geste particulier pour un autre et le tour
serait joué. Les refrains gestuels sont immuables, leur moule
unique est cassé, comme on dit. Une personnalité met des
années d'enfance, d'adolescence et d'âge adulte à se construire
et nul ne peut prétendre en changer en venant déposer une
réclamation en bonne et due forme chez un psy. Encore moins
en décidant du jour au lendemain de traquer les refrains gestuels
qui vous incommodent ou trahissent l'image que vous vous faites
de vous-même. Vous êtes ce que votre corps exprime et non ce
que votre discours essaie de vous faire croire. Les gestes ne
connaissent pas les règles de l'autosuggestion, les mots les savent
par cœur. Même Robocop est resté lui-même parce qu'il a

conservé intactes l'intelligence émotionnelle qui l'a construit avant qu'il ne devienne une machine androïde. On peut toujours changer le contenant, pas le contenu. Ce qui revient à dire que les belles manières, les beaux discours, les connaissances peuvent être acquises, elles ne sont qu'un contenant.

Pour produire un clin d'œil complice, il est possible d'utiliser l'un ou l'autre œil sans difficulté majeure (voir *Clin d'œil*). Cependant, vous remarquerez que vous utilisez plus naturellement l'œil gauche ou le droit, question de confort musculaire des muscles orbiculaires. Le choix de l'œil n'est pas innocent et la traduction de ce choix pourrait, elle aussi, être fortement liée à l'identification parentale. À gauche l'image maternelle, à droite l'image paternelle, comme toujours, avec toutes les déclinaisons comportementales que sous-entendent ces choix fondamentaux. Car nul n'est totalement le clone de son père ou de sa mère, mais un savant mélange des deux et de leurs ascendants respectifs.

La connaissance instinctive des quelques centaines de refrains gestuels qui existent est un atout indispensable si vous êtes investi dans votre communication publique, sociale ou professionnelle. Elle vous permet de mesurer, sur-le-champ, le degré de votre compatibilité psycho-émotionnelle avec vos interlocuteurs ou avec un public particulier, ce qui vous évite de perdre du temps ou de gaspiller votre salive pour tenter de convaincre un interlocuteur ou une audience hermétiques à votre mode de communication. Cette approche du *body language* est encore balbutiante mais ne tardera pas à interpeller un public en recherche d'une image plus authentique et plus crédible. Car il existe une philosophie gestuelle du miroir qui veut que l'on s'entend toujours mieux avec son image gestuelle spéculaire ou inverse qu'avec une image identique. Ne dit-on pas communément que les contraires s'assemblent ?

Après plusieurs années d'observation du langage non verbal, les pionniers de la sémiotique gestuelle ont isolé un alphabet gestuel fondé sur des refrains corporels immuables et dont le décodage instinctif permet à chacun d'identifier plus facilement les affinités qui nous relient les uns aux autres ou les inimitiés larvées qui nous séparent sans raison apparente. Ainsi, un interlocuteur qui s'adresse à vous en soulignant son discours d'une main ouverte dans votre direction ne véhicule pas le même message infra-verbal que celui qui utilise son index gauche ou droit pour vous tenir le même type de discours. Le premier est ouvert et non directif, il vous offre ses paroles. Le second est directif et autoritaire, il vous impose son point de vue. Quelle est la main qui accompagne votre discours ? La gauche, la droite ou les deux ? Cette dimension vient s'ajouter à celle évoquée plus haut car celui qui utilise son index gauche fait appel à un substitut de l'autorité maternelle tandis que celui qui utilise son index droit fera appel à un substitut de l'autorité paternelle. Ce qui peut aussi se traduire autrement : la main droite est influencée par le cerveau gauche, elle est autoritaire et cartésienne. La main gauche étant dirigée par le cerveau droit, elle est émotionnelle et créative. Chaque aire cérébrale commande, comme on le sait, à la partie alterne du corps humain (voir *Main*).

En définitive, le refrain gestuel est un code gestuel générique, un geste que l'on reproduit toujours ou presque de la même manière, quel que soit le contexte de son apparition. Il appartient à la carte d'identité corporelle de l'individu et s'intègre à sa personnalité globale du fait de la fréquence de sa reproduction. Il existe des centaines de refrains de ce genre auxquels nul ne prête jamais attention. Ce sont toujours des gestes révélateurs sur le plan psychologique.

Regard. Action motrice. Voir aussi *Œil*. Tandis que notre conscience tente de donner un sens à ces images multiples, 80 % de nos informations passent par nos yeux et surchargent notre vision binoculaire. Le zapping visuel est un comportement typique du citadin dont le regard est sur-sollicité, voire saturé, d'images mobiles et de rencontres importunes. Il faut éviter de croiser le fer avec des inconnus, telle est la règle. Le regard de l'autre est insupportable car il est perçu comme une véritable inquisition de l'âme.

On n'apprend pas à discipliner son regard, même si les acteurs parviennent à reproduire des expressions presque parfaites des sentiments qu'ils souhaitent afficher pour les besoins d'un scénario. Un regard qui subjugue est le regard d'un individu qui a réussi le tour de force de se débarrasser entièrement de la pollution de son propre ego lorsqu'il pose les yeux sur son interlocuteur. Il est curieux que nous puissions tous adopter ce type de regard quand il nous arrive d'admirer un paysage. Et de tous les gestes, le regard est sans équivoque possible le plus éloquent des miroirs de l'âme. Il est impossible de décrire précisément le regard et ses métamorphoses soudaines. Il en émane toujours quelque chose de surnaturel. L'œil qui reçoit les images émet en permanence un reflet de l'atmosphère réactionnelle qui prévaut dans la conscience individuelle.

Regards moqueurs, paniqués, fuyants, faussement indifférents, gênés, satisfaits ou quémandeurs, curieux, tendres, aguicheurs, gourmands, jaloux, concupiscents, atones, vifs ou vides, etc. Ils sont bien trop nombreux pour être classés de la même manière que les gestes. De plus, le regard change constamment de contenu en fonction du climat qui prévaut dans la conscience. Il représente à tout moment la synthèse de l'attitude mentale réactionnelle d'un individu face à une situation donnée. Il faut apprendre à observer le regard de ses interlocuteurs tout en se baignant dans leur discours pour réaliser la richesse de ses expressions. Le regard fuyant ou détourné est la norme quand il vient à croiser celui d'un ou d'une inconnue. Un regard appuyé est perçu par l'autre comme un viol de son territoire. À ce titre, l'une des découvertes de la programmation neuro-linguistique ou PNL, une technique d'observation des comportements humains, a été de mettre en évidence les clés d'accès oculaire ou les façons dont nous captons ou interprétons nos informations internes ou externes, façon que notre interlocuteur peut percevoir en suivant le mouvement de nos yeux. Les mouvements oculaires nous permettent de situer le processus mental qu'utilise notre interlocuteur. C'est pourquoi les mouvements des yeux précèdent la formulation verbale. Cette technique est utilisée avec succès dans les entretiens de recrutement.

Dans un autre registre, la femme amoureuse boit littéralement son compagnon du regard, tandis que ce dernier, gêné d'être l'objet d'une telle admiration, tente de masquer sa confusion en additionnant des kilomètres de phrases pour échapper à cette sorte d'hypnose qu'elle lui fait subir. En règle générale, nous zappons tous pour éviter la confrontation oculaire avec nos inter-locuteurs. Cette attitude réflexe, largement répandue, confirme le rôle fascinateur du regard. Représentants de nos émotions et du **regard** de l'âme, les yeux peuvent beaucoup pour ceux qui savent comment s'en servir.

- *Votre interlocuteur fixe son regard sur un objet qu'il manipule, tout en vous parlant.*
- Il ne vous apprécie guère, sinon il lèverait les yeux pour vous regarder plutôt que de les scotcher sur un objet quelconque. Il peut aussi se sentir gêné par votre présence.
- *Votre interlocuteur détourne le regard tout en vous parlant.*
- On détourne le regard ou le visage quand on a peur d'afficher sa mauvaise foi.
- *Votre interlocuteur s'exprime tandis que vous évitez de le regarder en face.*
- Il vous met manifestement mal à l'aise.
- *Votre interlocuteur baisse son regard jusqu'à fermer les yeux en terminant sa phrase.*
- La fermeture des yeux pour ponctuer un mot fort est une réaction typique de simulation équivalente au martèlement des mots.
- *Votre interlocuteur dirige son regard dans l'axe de votre visage tandis qu'il s'exprime.*
- Un bon acteur dirige toujours son regard dans l'axe du visage de son interlocuteur en le fixant, non pas dans les yeux, mais au niveau de la bouche. De cette façon, il abaisse subtilement ses paupières et donne à son regard un effet particulier très cinématographique, voire carrément magnétique.
- *Les yeux du sujet dérapent vers la droite tandis qu'il s'exprime.*
- Marque une appréhension de l'avenir.
- *Les yeux du sujet dérapent vers la gauche tandis qu'il s'exprime.*
- Marque une attitude mentale fataliste tournée vers l'inertie du passé.
- *Le sujet parle en baissant les yeux en bas à droite.*
- Orientation du regard qui marque un climat mental anxieux.

- *Le sujet parle en baissant les yeux en bas à gauche.*
- Orientation du regard qui marque une incertitude ou un tempérament indécis.
- *Votre interlocuteur vous adresse la parole en esquivant votre regard systématiquement.*
- S'il s'agit d'un interlocuteur que vous connaissez bien et qui agit souvent de la sorte, sachez qu'il ne dit jamais ce qu'il pense et ne pense pas ce qu'il dit. S'il s'était agi d'un enfant, on dirait qu'il a le regard d'un menteur.
- *Votre interlocuteur vous fixe droit dans les yeux en vous parlant.*
- Il est très motivé à vous convaincre en interpellant vos émotions beaucoup plus qu'à faire passer la communication rationnelle.
- *Votre interlocuteur vous fixe d'un regard oblique, la tête légèrement tournée vers la gauche ou la droite, dans une attitude de défiance.*
- Cet individu au tempérament méfiant a peur d'être pris en flagrant délit de naïveté.
- *Votre interlocuteur vous lance un regard par en dessous.*
- Vous l'intriguez et/ou vous l'impressionnez par la même occasion.
- *Alors qu'il vous parle, le regard de votre interlocuteur semble se perdre au-delà de votre tête, comme s'il s'adressait à votre aura ou votre auréole de futur saint.*
- Ce type de regard indique que votre interlocuteur vous considère comme un être virtuel.
- *Votre interlocuteur tourne son regard vers la droite pour rechercher un appui référentiel dans un futur proche.*
- D'une part, votre présence ou vos propos le dérangent, de l'autre votre interlocuteur est déjà déçu par votre intervention avant que vous n'ayez eu le temps de le convaincre.
- *Votre interlocuteur tourne son regard vers la gauche pour retrouver ses souvenirs ou un appui référentiel dans le passé.*
- Il navigue à vue dans le brouillard, il fera semblant d'avoir oublié ses engagements ou bien vous marchandera le marché au dernier carat avant d'annuler le contrat.

- *Le sujet parle en levant souvent les yeux vers le ciel ou le plafond.*
- Orientation du regard qui marque une exaspération teintée de nervosité ou un tempérament hystérique.
- *Le sujet parle en baissant les yeux vers le sol.*
- Sujet démissionnaire ou faible de caractère.
- *Le regard de votre interlocuteur s'esquive un instant.*
- La fuite du regard est un aveu de tricherie. Même s'il ne dure qu'un bref instant, le dérapage oculaire est la traduction d'un stress fondé sur le sentiment de commettre une erreur grossière.
- *Le regard de votre interlocuteur est remarquablement vide...*
- Le regard de l'homme récupère toujours la lumière quelle que soit la source qui la diffuse. Quand le regard se vide, cela provient d'un phénomène d'absorption de la lumière lié à l'introversion habituelle du regard. Ce phénomène physiologique est remarquable, notamment, chez les psychotiques plongés dans un monde imaginaire qui les protègent de la réalité pure et dure. Cette introversion du regard est manifeste chez des individus qui sourient systématiquement pour se protéger d'un vent d'agressivité qu'ils déclenchent malgré eux. Les jolies femmes, un brin exhibitionnistes, sont des exemples remarquables chez lesquelles vous pourrez observer cette introversion du regard.
- *Votre interlocuteur répète fréquemment ce regard dit introverti.*
- Cette fréquence traduit souvent une désorganisation intellectuelle et trahit une très nette tendance à scier la branche de l'arbre sur laquelle on est assis.
- *Son regard n'est pas à la même température que le sourire ébauché.*
- Quand un sourire est sincère, les muscles orbiculaires des yeux se plissent de petites ridules sur les côtés pour accompagner la jubilation exprimée. L'absence de ridules est significatif d'un état d'esprit contradictoire.
- *Un éclair cruel traverse son regard. Il détourne la tête pour effacer le sentiment de haine qui vient de le submerger.*
- Ce genre de lueur dans le regard d'un homme de pouvoir vaut douze balles dans la peau devant un peloton d'exé-

cution sous d'autres latitudes. Sans compter sur le fait que la cruauté fait partie des qualités indispensables à l'exercice du pouvoir absolu. Cousine de la haine, elle est un élixir de longue vie qui maintient souvent les tyrans jusqu'à un âge avancé, même quand leur organisme est déjà pourri jusqu'à la moelle. L'amour immodéré de soi ne laisse aucune place à l'amour d'autrui. Logique ! En conséquence, si vous voulez vivre très, très vieux, devenez misanthrope. L'homme qui hait son prochain n'est pas sensible à la pollution énergétique véhiculée par le malheur des autres. Voilà le secret de sa longévité !

- *De plus, le regard de votre interlocuteur plonge vers le bas chaque fois qu'il parle.*
- Ce qui plaide en faveur d'une sincérité à géométrie variable.
- *Lèvres serrées, le regard orienté en bas vers la droite, on dirait qu'il retient ses larmes.*
- La droite figure l'avenir, la gauche indique le passé ; le bas représente l'échec, le haut figure l'espoir. Il est manifestement angoissé par son avenir immédiat.
- *Son regard tend généralement à s'échapper latéralement vers la gauche.*
- Il peut s'agir d'un manque de maturité mais aussi d'une impossibilité d'affronter la réalité au quotidien. Dans certaines circonstances, les yeux zappent vers la gauche quand la gêne ou un sentiment de honte se manifestent sans avertissement.
- *Son regard tend à s'échapper latéralement vers la droite.*
- Le sujet est en recherche de sécurité affective ou de reconnaissance. Les individus qui abusent de ce mouvement oculaire ont plutôt un tempérament dépendant qu'autonome. Ce qui ne les empêchent pas de pécher par excès de malice dans le feu d'une conversation. Les « habituées » du regard à droite ont parfois un zeste de perversité qui émoustille leurs compagnons ou les hommes qu'elles ont décidé de séduire.

- *Son regard plonge souvent vers le sol ou s'abîme dans la contemplation de ses souliers.*
- Attitude très nettement dépressive, comme vous l'avez sans doute deviné. Mais les yeux plongent aussi vers le sol quand le climat mental est perturbé par des sentiments ou des pensées contradictoires.
- *Son regard disparaît parfois à la faveur d'un léger mouvement de révulsion des globes oculaires.*
- Il s'agit plus d'un tic gestuel que d'un mouvement oculaire ponctuel. Les personnes stressés ou facilement agacées usent et abusent de ce genre de refrain gestuel. Elles signifient de cette manière les limites de leur capacité de communication verbale. Vos arguments sont évacués d'un simple mouvement des yeux. Que voulez-vous répondre à cela ?
- *Son regard plonge régulièrement en bas vers la gauche.*
- Cette façon d'user de son regard trahit le plus souvent un tempérament hostile. Attention car le mouvement en question peut être imperceptible, si vous n'y êtes pas attentif. En règle générale, les personnes dont le regard s'évade vers le bas, côté gauche, sont « contre tous ceux qui sont pour ». C'est leur manière à elles de s'affirmer.
- *Son regard plonge régulièrement en bas vers la droite.*
- C'est un signe flagrant d'amertume qui se manifeste souvent de manière ponctuelle, comme si le mental reprochait à l'image paternelle du Surmoi d'avoir enterré les ambitions du Moi. J'ai souvent eu l'occasion d'observer ce refrain gestuel chez des hommes politiques faussement indifférents à leurs échecs électoraux.
- *Son regard s'échappe en haut vers la gauche.*
- Caprice, fantaisie et parfois curiosité poussée jusqu'à l'indiscrétion, telles sont les insignes qualités que révèle ce type de refrain oculaire. Attitude très coquette aussi de la part des adolescentes faussement contrariées par les entreprises maladroites de leurs petits copains. Ce mouvement oculaire fait partie des armes de base de la séduction féminine.

- *Son regard s'échappe souvent en haut vers la droite.*
  - Personne ambitieuse en recherche de pouvoir et de toutes les courtes échelles possibles pour grimper sur le podium de ses illusions. Le mouvement oculaire est plus appuyé que son contraire, ce dernier étant plus vif. Il est aussi plus masculin. Refrain gestuel très fréquent chez les carriéristes de tout poil qui visent, par définition, les premiers échelons du pouvoir.
- *Il/Elle détourne légèrement la tête vers la gauche sans rompre l'échange oculaire.*
  - Attitude typique de méfiance vis-à-vis de votre discours. Il/Elle n'adhère manifestement pas à votre point de vue. Il suffit de lui poser une question pour effacer automatiquement la suspicion qui règne dans son esprit. Paradoxalement, il s'agit plus d'une méfiance de principe que d'une attitude d'opposition non verbale. La traduction littérale de ce mouvement pourrait être la suivante : « Jusqu'où irez-vous trop loin ? »
- *Il/Elle détourne légèrement la tête vers la droite sans rompre l'échange oculaire :*
  - Il/Elle se méfie plus de votre personne que de vos propos. Soit, vous l'impressionnez, soit il/elle vous découvre sous un jour nouveau qui ne lui plaît guère. Véritable attitude de défiance, contrairement au mouvement précédent, la lueur de l'œil gauche devrait vous avertir du changement soudain de climat mental chez votre interlocuteur.
- *Il/Elle évite manifestement de vous regarder dans les yeux tout en s'exprimant.*
  - N'oubliez jamais que le fait d'offrir son regard à l'autre est une marque d'estime, voire de sympathie. On peut aussi observer cette manière courante de dialoguer sans les yeux chez des personnes habituées à simuler ou à déguiser la vérité. Trop d'esquive oculaire trahit le menteur patenté, a contrario le regard accrocheur peut révéler une tempérament frondeur.

- *Il/Elle s'abîme dans la contemplation d'un objet tout en vous parlant.*
- Cette personne se parle à elle-même. Vous n'êtes que le miroir qui lui renvoie son reflet. C'est un phénomène courant de transfert de sujet à objet, un mécanisme typique de protection contre l'autre (le sujet), perçu comme un intrus ou comme un contradicteur potentiel.
- *Il/Elle vous adresse la parole en prenant une tierce personne à témoin.*
- Habitude détestable des individus qui ont le sentiment de ne pas exister à leurs propres yeux et qui ont besoin de projeter ce sentiment sur un interlocuteur pour s'en défaire, en prenant à témoin une troisième personne. L'origine de ce comportement est lié à un rejet de type familial, de la part du père le plus souvent. « Ton fils a encore fait des siennes », dit le père à son héritier en s'adressant à son épouse.
- *Il/Elle ferme les paupières en se mettant à vous parler.*
- Signe évident d'un stress ponctuel chez votre interlocuteur/trice. Cette manie peut également être consécutive à des troubles de la concentration. On ferme généralement les yeux pour discipliner sa pensée.
- *Il/Elle vous adresse la parole en fixant son regard sur une partie anatomique de votre corps autre que votre visage.*
- Il/Elle réduit votre personne à une partie anatomique de votre corps. Votre poitrine, vos mains, votre ventre, par exemple ! S'il s'agit d'un homme, il est clairement investi dans un objectif plus charnel qu'intellectuel.
- *Tandis qu'il/elle s'exprime, son regard semble se perdre au-dessus de votre tête.*
- Cet individu s'adresse à lui-même comme si vous serviez de témoin privilégié à la puissance de sa réflexion. La focalisation sur une ligne d'horizon imaginaire gomme automatiquement la réalité que représente l'autre en face de soi. Ce type d'attitudes trahit un tempérament égotiste. Votre interlocuteur/trice place le culte de son Moi au-dessus de tout autre sujet de conversation. Cette attitude se rencontre fréquemment dans les cabinets psy.

- *Il/Elle tourne le corps de 3/4 pour s'adresser à vous.*
  * Il s'agit là d'une attitude caractéristique, voire caricaturale, de pseudo-fuite.

Rein. Site anatomique. Siège symbolique du sens des responsabilités et du syndrome d'échec vital. Si vous souffrez d'un tour de rein, sachez que votre sens des responsabilités a besoin de se refaire une santé au détriment de votre confort musculaire.

Rejeter la tête en arrière. Action motrice. On rejette la tête en arrière dans une situation particulièrement embarrassante.

Renifler. Action motrice. L'individu qui renifle constamment au lieu de se moucher reproduit un comportement infantile.

Rides du front. Site anatomique. Elles sont provoquées par le haussement exagéré des sourcils. C'est pourquoi ces rides d'expression sont parfois la conséquence d'un sentiment de culpabilité ou celui d'un hiatus entre le discours et la conscience du locuteur.

Rire. Action motrice. Si le rire est, comme on le dit, le propre de l'homme, il n'est pas toujours aussi naturel qu'on voudrait bien le laisser supposer. Le rire, à l'instar du sourire, est soit un moyen d'apaiser l'angoisse ressentie face à l'autre, soit une manière de neutraliser l'agressivité d'une relation conflictuelle. Mais il n'est pas que cela. Les manières de rire, auxquelles nous nous attachons ici, ne concernent pas le ton mais la forme, dans la mesure où le premier est héréditaire tandis que le second s'adapte au contexte. On dit qu'un quart d'heure de rire vaut largement trois quart d'heure de relaxation. Il est vrai que le rire abaisse le taux d'acidité gastrique mais de là à en faire un substitut des techniques de relaxation, il y a un pas qui ne doit pas être trop vite franchi. Car il est plus facile d'induire un état de détente durant une petite heure chez un sujet que de parvenir à le faire rire pendant un bon quart d'heure.

- *Il/Elle rit en dissimulant sa bouche derrière sa main.*
- Cette manière de rire est un geste de gêne révélant un tempérament indécis.
- *Il/Elle se force à rire bruyamment.*
- Ce type d'attitude trahit un individu obséquieux.
- *Son rire est contraint.*
- Il/Elle se méfie de tout et de tous.
- *Il/Elle exprime souvent un rire poli d'approbation.*
- Un rire très politique bien entendu. Il fait partie du grand club de ceux qui à force de grimaces sont devenus des figures.
- *Il/Elle ne rit que de ses propres plaisanteries.*
- Son rire a pour unique but de rechercher votre approbation.
- *Son rire est franchement sarcastique.*
- Bien sûr qu'il/elle se paie votre tête, même et surtout si son rire s'adresse à votre voisin tandis qu'il/elle vous prend à témoin !
- *Les bras écartés et les poings fermés comme s'il espérait retenir ses militants qui seraient susceptibles de suivre les excommuniés, le leader politique relève la tête pour cracher son mépris toutes dents dehors en découvrant ses dents inférieures tandis qu'il rit.*
- Desmond Morris nous apprend qu'il est prudent de douter de la sincérité d'un individu qui expose régulièrement sa denture inférieure en riant ou en s'exprimant devant un public. Il est vrai que la tension imprimée aux commissures des lèvres est typique des individus qui mordent symboliquement leurs interlocuteurs.
- *Il/Elle ponctue son intervention d'un rire gêné.*
- Le rire est une des clés universelles de la communication. Il désarçonne l'agressivité inhérente à toute relation inter-individuelle. Quand il devient une véritable ponctuation du discours verbal, le rire peut représenter un symptôme de névrose sociale, souvent liée à une timidité mal contrôlée. Le rieur (ou la rieuse) a toujours l'impression qu'il/elle est restée un(e) enfant s'adressant à un adulte omnipotent. En soulignant ainsi ses propos – par un rire hors de propos, il/elle révèle un sentiment d'infériorité

qu'il/elle tente de combattre inconsciemment. Le phénomène est très courant dans certaines structures très hié-
rarchisées où les petits chefs sont légion. Dans ce
contexte particulier, le *rire de ponctuation* devient un des
éléments du langage de la soumission à l'autorité.

- *Il/Elle relève la tête et dirige son regard vers le plafond, en riant à gorge déployée.*
- Le rire sincère et explosif est dirigé vers le ciel et non en baissant les yeux vers le sol.
- *Il/Elle rit en se pinçant le nez ou le dissimulant de la main.*
- Rire gêné associé à une allusion sexuelle.
- *Il/Elle rit sous cape, la main posée en visière au-dessus de la bouche.*
- Si la bouche est contrainte d'adopter une mimique qui, dans une certaine mesure, rappelle une réaction sexuelle, elle se dissimule souvent alors derrière la main. Certaines sortes de rires et de grimaces sont caractéristiques de la phase de cour, et quand elles se produisent dans un contexte social, on peut fréquemment voir la main se lever aussitôt pour couvrir la région de la bouche.
- *Il/Elle pose son index droit en moustache sous son nez pour faire semblant de rire de sa plaisanterie.*
- Ce geste évoque d'une certaine manière le rire du fourbe de comédie, confirmant aussi un manque d'humour du rieur.
- *Il/Elle rit avec la main en visière sur le front.*
- Rire gêné ou rire de complaisance.

Ronger. Action motrice. L'individu qui se ronge les ongles est le
même que celui qui se ronge les sangs, comme on disait autrefois.

S comme...

Sac à main. Objet incorporé. Le sac d'une femme est une succursale de son lieu de vie ou de travail. C'est la coquille de l'escargot qui transporte sa maison sur son dos mais aussi un moyen pratique de concentrer dans un même lieu tous ces petits objets utiles qui différencient la femme de l'homme : accessoires de maquillage et autres babioles sans lesquelles une femme se sentirait toute nue. De là à ce que la psychologie s'en empare pour identifier le sac à sa propriétaire, il n'y a qu'un entrechat.

Ainsi, les femmes qui consacrent plus de temps à leur carrière qu'à leur famille le portent généralement à droite. Et inversement. Ce constat est statistique, bien entendu et ne saurait constituer une règle mathématique. Chasseresse ou repos du guerrier, la nouvelle Diane affiche son statut privilégié suivant l'épaule qui supportera son carquois, son arc et ses flèches.

- *Elle suspend généralement son sac sur l'épaule droite.*
  - Il ne s'agit pas du tout là d'une réaction normale pour une droitière, comme on pourrait le penser. Le choix de l'épaule à laquelle on suspend son sac est fonction d'un critère plus bio-psychologique, à savoir la tendance à être « cerveau droit » ou « cerveau gauche ». Suspendre instinctivement son sac à l'épaule droite dénonce une *executive woman* avérée ou potentielle.
- *Elle suspend généralement son sac sur l'épaule gauche.*
  - Le côté gauche dépendant de l'hémisphère droit du cerveau, elle affiche son souci de créativité et son implication dans la vie affective ou familiale, toujours plus concernée par ses soucis familiaux que par sa carrière. Si les femmes de l'épaule droite sont des filles à papas, celles de l'épaule gauche s'identifient à l'image de la mère dont elles reproduisent inconsciemment le modèle dans leurs conduites. La femme de l'épaule gauche est à l'écoute, sociable, psychologue, d'un abord sympathique et secourable ; c'est une femme faite pour l'amour ou l'amitié.
- *Elle porte son sac sur la hanche droite, lanière sur l'épaule gauche.*
  - Variante du sac suspendu à l'épaule gauche, il se peut que son contenu plus volumineux que d'habitude ou son

poids oblige à répartir la charge. Si ce n'est pas le cas, le fait de suspendre ce sac par la gauche mais de le placer sur la hanche droite révèle un besoin de fusion affective pour une femme exclusive, sélective et exigeante sur le plan des sentiments qu'elle partage avec ceux qu'elle aime.

- *Elle porte son sac sur la hanche gauche, lanière sur l'épaule droite.*
- Cela signifie que cette femme est attachée à ses privilèges. Elle sait comment profiter des opportunités qui se présentent mais, prudente par nature, elle ne dépassera jamais son niveau de compétences.
- *Elle porte habituellement son sac sur le dos.*
- Même si la mode convie à le porter de cette manière, elle n'adoptera pas cette façon de faire si elle ne correspond pas à sa nature. Statistiquement, le sac à dos correspond à une difficulté de grandir. Plutôt réticente, verrouillée ou rigide, cette femme garde tout sous contrôle, jusque et y compris ses émotions.
- *Elle porte habituellement son sac sur le ventre.*
- Femme de principe, dotée d'un sens aigu des valeurs familiales, elle prônera toujours le respect absolu des structures sociales. Elle aime les règles rassurantes et les règlement sécurisants. Entre autres qualités, elle est gustative et gastronome, studieuse et tribale.
- *Elle affectionne les réticules minuscules.*
- Ceux qu'on porte à la main ! Ce choix traduit un niveau de féminité supérieur à la moyenne mais aussi un tempérament cyclothymique, avec des hauts et des bas, un côté un peu loufoque, des goûts de luxe et une propension à dépenser plus que de raison. Elle aime parler et manque parfois de nuances dans ses propos mais c'est son côté charmant et charmeuse de serpents. Elle a besoin de séduire pour communiquer mais pas forcément de consommer.
- *Elle préfère les grands sacs fourre-tout.*
- Ceux qui se portent généralement accroché à l'épaule et coincé sous le bras ! Signe de ralliement de la consumé-

riste passionnée, le grand sac fourre-tout est le symptôme d'une boulimie de shopping. La femme au grand sac est souvent une spécialiste des soldes et bonnes affaires, capable de familiariser avec tout le monde et de tirer les vers du nez d'une vendeuse. Elle vit généralement pour son plaisir ou celui de sa petite famille à qui elle rapporte, comme une chasseresse, le produit de ses razzias en grandes surfaces.

- *Elle rejette habituellement son sac par-dessus son épaule.*
  - À droite, il s'agit d'un signe d'instabilité affective chez une adolescente. Chez une adulte, cette manière de porter son sac pourrait révéler une difficulté transitoire à affronter la vie.
  - À gauche, c'est un signe d'insouciance, d'un tempérament comédien, plutôt jeune d'esprit et parfois franchement versatile, cette manière de porter son sac trahit la fugueuse, celle qui fuit pour qu'on la suive. Elle porte son imaginaire en bandoulière.
- *Elle porte toujours son sac à la saignée du coude.*
  - À gauche, famille, tradition, complicité et affection sont les quatre piliers de sa sagesse. Elle est la gardienne du cocon et des traditions qui protègent son petit monde contre les excès de la modernité.
  - À droite, elle aime plaire mais non séduire.
- *Elle porte habituellement son sac verrouillé avec le bras, coincé contre le flanc.*
  - À gauche, elle vit totalement en fonction de et à travers ses rêves, ses projets et la vie affective ou la carrière qui l'attend, elle y est accrochée comme à sa manière de coincer son sac.
  - À droite, elle protège son territoire personnel ou professionnel en affichant sa méfiance vis-à-vis de tous ceux, amis, inconnus ou ennemis, qui pourraient la déposséder de ses acquis.

Saluer. Action motrice. Saluer un public est une manière de le remercier de son appréciation gestuelle (applaudissements).

Pourtant la courbette est plutôt considérée comme un signe de soumission à l'interlocuteur.

Sautiller. Action motrice. Attitude d'impatience héritée de l'enfance.

Séduction (Gestes de la). Thème gestuel. S'il existe certaines postures gestuelles qu'il est utile de mémoriser car elles mettront en valeur vos atouts, il serait stupide de ne pas y avoir recours. Si vous voulez séduire l'être de vos rêves, ne comptez pas trop sur les accessoires de beauté. Les gestes décalés vous trahiront au moment le plus stratégique. Réapprenez à bouger selon les règles de la séduction ! Ne craignez pas d'exagérer certains gestes qui vous plairont, tant il est vrai qu'il vaut mieux sonner faux que ne pas sonner du tout. Et puis, tout geste est artificiel tant qu'il n'est pas devenu naturel. Et comment pourrait-il le devenir sans l'aide d'un apprentissage ?

Sein. Site anatomique. Symbole sexuel majeur de la femme et atout incontournable dans certains milieux professionnels qui fondent leur action sur l'image sociale ou le relationnel, lieu de tous les fantasmes et siège de toutes les promesses, la naissance des seins est chez une femme un triangle mystérieux évoquant celui du son sexe, d'où son succès absolu auprès des voyeurs de tous ordres. « […] Les protubérances hémisphériques des seins de la femme sont certainement des copies des fesses charnues au même titre que le contour bien dessiné des lèvres rouges bordant la bouche, une copie des lèvres vaginales. La femme couvre ses seins, puis entreprend de redessiner leurs formes avec un soutien-gorge. Cet appareil de signalisation sexuelle peut être rembourré ou gonflable, si bien que, non content de rétablir la forme dissimulée, il la grossit, imitant ainsi le gonflement des seins qui se produit lors de l'excitation sexuelle. Dans certains cas, des femmes aux seins tombants vont même jusqu'à la chirurgie esthétique, se soumettant à des injections sous-cutanées de paraffine pour produire des effets analogues sur une base plus permanente. » (Desmond Morris).

- *Elle tire son pull vers la bas à plusieurs reprises pour avoir l'occasion de se cambrer et faire admirer son décolleté.*
- Attitude de séduction !
- *Elle ne porte pas de soutien-gorge et s'arrange pour que cela se voit.*
- L'orgueil se place souvent là où il peut mais pas forcément là où il veut.
- *Elle écrase sa poitrine sous plusieurs couches de vêtements serrés.*
- Signe d'une identité sexuelle mal acceptée.
- *Elle porte toujours un décolleté, même en hiver.*
- Certaines femmes placent leur orgueil en ce lieu anatomique au détriment de leurs autres atouts plastiques. Pour quelle raison ?
- *Elle s'arrange pour porter des vêtements dont les textures laissent pointer les aréoles.*
- Toute sa communication passe par sa sexualité.
- *Elle souligne subtilement son décolleté en croisant ses bras sous sa poitrine.*
- Posture très courue par les séductrices qui sont fières, à juste titre, de leur décolleté.

Serrer. Action motrice. Équivaut à retenir ou à posséder.

Sifflotement. Action motrice. En règle générale, le sifflotement est un signe de timidité et paradoxalement un besoin de manifester sa présence d'un individu qui se sent inexistant aux yeux des autres. Les siffleurs sont souvent des êtres mal insérés dans le tissu social et souffrent généralement de leur solitude tout en la protégeant paradoxalement contre les intrusions par leur manie de siffloter sans arrêt.

- *Il sifflote toujours le même air.*
- Signe de trouble obsessionnel-compulsif dit aussi TOC. Manie rituelle désagréable quand on est obligé de la supporter à longueur de journée.
- *Il sifflote souvent sans raison entre ses dents.*
- Il nous arrive à tous d'endosser l'habit du siffleur quand nous manquons d'assurance. Ce n'est qu'en cas de récidive ou de récurrence du sifflotement en présence des autres qu'il est temps de s'inquiéter.

Signaux barrières. Thème gestuel. Les signaux barrière sont multiples, aussi évanescents que constants. Ainsi que le note Desmond Morris, on en retrouve des traces dans le comportement de l'adolescente qui glousse en se mettant la main devant la bouche. Dans ce cas, les mains et les bras se croisent devant le corps, formant une « barre » temporaire en travers du buste, comme le pare-chocs d'une voiture. Autres exemples : tandis que l'invité avance, sa main droite passe devant son corps et rectifie à la dernière minute son bouton de manchette gauche ; elle passe la main droite devant son corps et déplace légèrement son sac à main suspendu à son avant-bras gauche. Il y a d'autres variations sur ce thème. Un homme peut tripoter un bouton ou la courroie de son bracelet-montre. Une femme peut effacer un pli imaginaire sur sa manche ou remettre en place une écharpe ou un manteau porté sur son bras gauche. Tous ces cas présentent un trait essentiel : quand la nervosité est à son maximum, le réflexe « pare-chocs » joue, un bras prend contact avec l'autre devant le corps, élevant ainsi un rempart éphémère entre le visiteur et le comité d'accueil. Le bras est lancé, mais ne touche pas vraiment l'autre. Il se contente de rectifier un détail insignifiant du costume de l'autre côté du corps. Camouflage plus complet, la main s'élève vers le côté opposé du visage pour l'effleurer ou le caresser. Les moins expérimentés pratiquent des formes plus évidentes du « pare-chocs », tel l'homme qui entre dans un restaurant et traverse un espace vide en se frottant les mains comme s'il les lavait.

Le meilleur des pare-chocs s'avère être alors la posture où bras gauche et bras droit s'entrecroisent sur la poitrine. C'est le signal-barrière frontal parfait. Il peut être maintenu très longtemps, sans paraître étrange. Il transmet inconsciemment ce message : « N'allez pas plus loin », et jouit d'une grande faveur dans les réunions où il y a foule. Cette attitude a servi pour des affiches comme : « Ils ne passeront pas ! » C'est également celle des vigiles.

Une autre variante voit les mains jointes serrées fortement dans l'entrejambe, comme pour protéger les parties génitales. Le message est là très clair, bien qu'aucun des individus en présence n'en ait conscience. Mais le signal-barrière le plus important pour une personne assise est ce dispositif universel, le bureau. De nombreux hommes d'affaires se sentiraient nus s'ils n'en avaient pas, et se cachent derrière le leur avec gratitude chaque jour, le portant comme une vaste ceinture de chasteté en bois. Assis derrière lui, ils se sentent parfaitement protégés du visiteur exposé de l'autre côté. C'est la barrière suprême, aussi bien physique que psychologique qui leur donne un confort immédiat et durable tout le temps qu'ils restent dans sa solide étreinte.

Soumission (Gestes de la). Thème gestuel. À quoi reconnaît-on une attitude de soumission ? L'éternel perdant, le raté social et le subalterne dépressif marchent toujours le dos voûté, les épaules rentrées, le cou penché en avant ; leur attitude manifeste un effondrement permanent. En gardant à l'esprit ces principes généraux du comportement de soumission, on pourrait délibérément manipuler une situation pour influer favorablement sur son dénouement. Si, par exemple, un conducteur est sifflé par un agent de police pour excès de vitesse, il reste en général au volant, discute avec l'agent, s'excuse ou refuse de reconnaître ses torts. Il s'affronte ainsi à lui et l'oblige à user de représailles. Si la limite de vitesse a été effectivement dépassée, l'agent est le plus fort et le seul espoir de se le concilier et d'éviter une amende, est de jouer le jeu de la soumission totale.

La gestuelle dépend essentiellement de l'imaginaire individuel et non de la partie logique du cerveau gauche (droitier). Une imagination débridée entraînera une mobilité gestuelle remarquable. En revanche, une imagination bridée ou pauvre se traduira par une asthénie faciale et un langage gestuel guindé.

L'imaginaire emprisonné induit les conduites de soumission et le discours corporel qui les accompagne, le corps « est agi » dans la mesure où l'esprit ne participe pas à son action. On remarquera souvent que le discours du sujet guindé est fortement implicite. Il est soumis à la tyrannie de ses préjugés qu'il confond avec son esprit logique. Le corps est enfermé jambes et bras croisés en position assise par exemple, le discours est dénué de créativité ou d'émotion. L'analyse du discours verbal révèle souvent le besoin incoercible de se soumettre aux règlements, aux événements, au pouvoir en place sans une virgule de remise en question. L'imagination censurée cloue le corps au pilori.

Soupirer. Action motrice. En dehors du contexte de la parade amoureuse, le soupir est souvent le prélude à une hostilité non déclarée.

Sourcil. Site anatomique. « Si le front était une pensée, les sourcils en seraient les parenthèses ». Les sourcils expriment principalement deux aspects du climat mental : l'étonnement ou la suspicion. Ils sont généralement utilisés en manière de reproche. Pourtant, la partie basse du front est le siège de l'inspiration ou de la créativité. Des sourcils très mobiles seraient dès lors une preuve kinesthésique de la prédominance de ces deux qualités.

- *Il/Elle fronce les sourcils en les rapprochant vers la racine du nez.*
- L'air méchant bien connu des enfants et des conteurs prend ici tout son sens. Il/Elle fait dans le genre subversif, toujours en retard d'une vengeance, et se dispute avec tout le monde car il/elle a un besoin viscéral d'être traîné(e) dans la boue par son entourage professionnel, ses amis et ses proches.
- *Il se gratte le sourcil du bout d'un doigt.*
- Vous avez affaire à un sujet capricieux et un digne représentant de cette nomenklatura fort répandue sur notre

Votre interlocuteur se gratte le sourcil du bout d'un doigt.

petite planète, j'ai nommé les hommes de pouvoir à géométrie variable et à responsabilité relative.

■ *Il hausse fréquemment les sourcils.*
◦ Il joue les étonnés mais ne songe qu'à s'enfuir. C'est un
lâcheur de naissance.

■ *Coudes en appui, il se lèche les doigts avant de lisser ses sourcils.*
◦ Geste typique des simulateurs de tous horizons.

■ *Il se frotte délicatement le sourcil de l'index.*
◦ Les sourcils expriment principalement l'étonnement
quand on les hausse ou la suspicion quand on les baisse
et sont aussi utilisés en manière de reproche avec une
légère rotation de la tête. Cela étant posé, le fait de les
frotter ou de les gratter du bout de l'ongle révélerait plutôt une attitude versatile liée à un besoin de dégager sa
responsabilité. « Je ne me sens pas concerné par vos propos ! » Telle pourrait être la traduction en langage verbal
de ce geste particulier.

■ *Il fronce souvent les sourcils.*
◦ Froncer les sourcils est une manière mimétique de questionner son interlocuteur sans verbaliser son interrogation.

Sourire. Action motrice. Vaste programme que celui de définir le
sourire en quelques mots ! Signal de bien-être, voire de sérénité,
en même temps que signal de bienvenue, il est devenu une grimace sociale avec la progression de l'animosité et de la violence
qui régit les relations humaines à notre époque. Le sens profond
du sourire s'est perdu pour ne plus représenter qu'une grimace
rigide destinée à se protéger de la peur des autres. Un acte de
soumission en quelque sorte. Prenez le sourire d'un bébé. Quel
mot pourrait traduire ce spectacle aussi unique que ravissant ?
Ce n'est pas par hasard que les enfants apprennent plus vite à
sourire qu'à parler. Cette grimace humaine est un puissant anxiolytique, le sourire désamorce, c'est presque automatique, l'agressivité ambiante.

Dans le contexte de la communication gestuelle, le sourire est
comme une porte qui s'ouvre, une invitation à mieux se
connaître. Mais parfois, le sourire dont nous usons et abusons
sans réserve, devient un rictus social dont toute séduction dispa-

raît pour cause de rigidité des maxillaires. Le gloussement qui l'accompagne ne suffit pas à donner le change.

Il existe diverses manières de sourire et nous n'en utilisons qu'une seule, deux tout au plus. Or, le sourire est l'une des armes les plus efficaces dont nous disposons pour plaire ou séduire nos interlocuteurs. Le sourire tue l'échec ou l'installe à demeure dans les sillons qu'il creuse sur le visage. Un vrai sourire éclaire la face, se lit dans le regard, s'aperçoit à la lisière des joues et marque même les arcades sourcilières ou le front. Le commercial, par exemple, ne sourit jamais sans raison. Pour lui, le sourire est une arme offensive. Chacun de ses sourires est un tapis rouge et une expression de son angoisse qui veut qu'un sourire ne soit rien d'autre qu'un mouvement du visage destiné à apaiser l'agressivité latente qui préexiste toujours entre individus. Mais ce sourire commercial peut se métamorphoser en sourire mécanique ! Loin de détendre le bas du visage, il crispe les lèvres tout en renforçant les ridules ou les plis d'amertume de la bouche. Plus il est sollicité, comme c'est le cas dans certains métiers, plus il devient grimaçant. Le sourire est l'âme du visage, il provoque des réactions inconscientes d'attirance ou de répulsion chez l'interlocuteur qu'il vise.

- *Son sourire ne dévoile que ses dents du dessous.*
- Sourire du carnassier qui mord à belles dents dans les infinis plaisirs de l'existence.
- *Son sourire dévoile ses dents du dessus.*
- Un sourire sans une once de générosité.
- *Son sourire est crispé.*
- Le sourire crispé appartient à la famille des sourires stéréotypés. Il est une traduction du degré de scepticisme de celui qui en use.
- *Il/Elle affiche un sourire de bienvenue.*
- Celui qu'on nomme aussi dans certains milieux sourire sur commande des pubs pour les marques de dentifrice.
- *Il/Elle a le sourire triomphant.*
- Dans la gamme des sourires, le sourire triomphant s'accompagne souvent d'un gonflement du torse et d'un air de fierté non dissimulé. C'est un sourire à éviter, même s'il est justifié, car il dérange.

- *Il/Elle vous adresse un sourire pincé.*
- Le sourire pincé s'effectue en serrant les lèvres et signifie que votre interlocuteur/trice appréhende le temps que vous allez lui faire perdre.
- *Son sourire est amer.*
- En assiette de potage renversée ! La transformation des sourires révèle à quel point nos pensées en sont les racines et les directeurs de conscience, au sens propre du mot.
- *Il/Elle vous adresse un sourire mystérieux.*
- C'est le sourire qu'on dit aussi malin et qu'on ne peut afficher qu'en ayant toutes les cartes dans son jeu. Les joueurs de poker en abusent quand ils ont une mauvaise main.
- *Son sourire sonne faux (le faux sourire).*
- Difficile de décrire un faux sourire sinon que la luminosité du regard n'est pas à l'unisson de la mimique des lèvres.
- *Il/Elle vous gratifie d'un sourire glacial.*
- La lueur glaciale du regard ressemble à celle du vide que l'on peut percevoir dans le regard du fou dont les pupilles sont totalement rétractées. Le visage est animé, souriant mais le regard est comme éteint. Il ne participe pas à la fête mimique du visage.
- *Il/Elle laisse échapper un sourire évanescent.*
- C'est le sourire qui disparaît aussi soudainement qu'il est apparu. L'effet est souvent saisissant pour une personne non avertie et provoque un stress immédiat susceptible de déstabiliser n'importe qui.
- *Il/Elle ne sourit qu'à demi.*
- Les demi-sourires, à peine ébauchés et vite réprimés, indiquent que vous avez raté votre panier. Il faut, bien sûr, y être attentif. C'est la raison pour laquelle il ne faut jamais perdre de vue le visage de votre interlocuteur quand vous abattez vos cartes.
- *Il/Elle vous décoche un sourire stéréotypé.*
- Tous les sourires ne sont pas des expressions de détente ou d'apaisement. L'obligation sociale qui est faite d'ac-

cueillir un étranger avec un sourire a transformé cette
manifestation d'hospitalité en sentiment de contrainte,
d'où la grimace stéréotypée qui prend la place du sourire.
Certains sont passés maître dans l'art de jouer du sourire.
Pour pouvoir faire la différence entre un vrai sourire et un
sourire-grimace, il suffit d'observer la luminosité du
regard de votre interlocuteur. Cette dernière doit obliga-
toirement être en phase avec le masque. Les yeux sourient en même temps que la bouche.

Star (Gestes de la). Thème gestuel. Voir aussi *Beauté*. Une star
est avant tout une somme de gestes, de postures naturelles ou
d'attitudes corporelles harmoniques avant d'être une star. Aussi
étonnant que cela puisse vous paraître, nombre d'acteurs ignorent qu'ils doivent leur succès initial à leur manière de se mouvoir. Beaucoup tablent sur leur apparence, le timbre de leur voix
ou leur talent de comédien. L'exercice d'un métier public ne
déteint pas seulement sur les comportements sociaux de l'acteur
mais aussi sur l'harmonie progressive de ses conduites gestuelles.
On peut avoir un physique quelconque (Michel Blanc), une voix
mal posée (Gérard Jugnot), un talent incomplet (ce qui est souvent le cas de nombreux débutants) et pourtant rencontrer le
succès parce que la gestuelle est en harmonie avec le talent exis-
tant ou en devenir.

La star de télévision, en revanche, joue de son langage gestuel
comme d'un instrument de musique ou comme d'autres encore
associeraient leur look vestimentaire à leur image de marque professionnelle. C'est dire que le registre gestuel qui caractérise les
célébrités du petit écran est aussi vaste qu'il est riche en attitudes.
Bien malin celui qui parviendra à les prendre en flagrant délit de
« refrain gestuel » décalé. Ils ne peuvent en effet se permettre
d'être caricaturaux, même s'il arrive qu'ils soient caricaturés pour
les besoins de la cause, croqués par les humoristes ou embriga-
dés de force dans les troupes de marionnettes de Canal Plus.

Toutes les stars qui se retrouvent dans la lucarne sont des
séducteurs de haut vol, sans quoi ils ne tiendraient pas cinq
minutes sur un plateau de télévision. C'est pourquoi il nous
semble peu plausible que leur degré de séduction procède de

leur beauté plastique. À l'évidence, ce critère n'est pas déterminant, même si on ne peut nier qu'ils sont loin d'être laids, et pour certains même franchement séduisants. Mais la beauté ne suffit pas à expliquer le succès d'une star de la télé, pas plus que l'efficacité d'un sourire ne peut justifier la réussite d'une entreprise de séduction.

Peu nombreux sont ceux qui savent que, ce qui fait toute la différence entre un comédien célèbre et les bataillons de bateleurs qui s'échinent à réussir leur entrée sur scène, réside dans le mariage entre le langage de leur corps, leurs qualités plastiques et la tessiture de leur voix. Si le premier s'absente du jeu, les deux autres ne pourront compenser cette absence quels que soient les efforts ou le travail investi par l'acteur. La « poursuite » ne s'y trompe jamais, le succès non plus. Il ne colle pas aux dents des stars et autres vedettes, il leur colle aux gestes.

Dans le même ordre d'idée, les gagnants de notre société de consommation sont toujours des individus dont les gestes s'accordent inévitablement à leur climat mental. Ce qui paraît évident dans la mesure où la culture de la réussite chasse de leur esprit toute idée morbide ou toute éventualité d'échec et, par voie de conséquence, toute attitude corporelle apte à les disqualifier pour leur image. Le talent débute avec les apparences dans lesquelles notre corps se conforte. L'échec s'entérine dans la multiplication des gestes qui sonnent faux.

Stress (Gestes anti-). Thème gestuel. Il est facile de concevoir qu'il puisse y avoir un lien de cause à effet entre un trouble d'ordre psychologique et la répétition d'un geste ou d'une posture corporelle inadaptée. Les démangeaisons, les toux intempestives, les éternuements à la chaîne ou les bâillements en batterie en sont des exemples courants. Ils surviennent sans préavis et cessent sans raison apparente. Le corps manifeste souvent des réponses gestuelles adaptées ou non à la situation vécue. Or, le stress provient justement d'un décalage entre un événement et l'incapacité d'un individu (ou le refus non verbalisé) de réagir à cet événement. Un homme qui marche dans la rue, en réfléchissant à ses soucis, réagira de manière excessive à l'interpellation polie d'un passant qui lui demandera l'heure. Dans certains cas extrêmes de stress, il pourra même ébaucher une réaction de défense, inadaptée à la situation. Une contrariété s'exprimera souvent par une série de démangeaisons cutanées exigeant un soulagement immédiat par grattage. Les expressions corporelles trahissant un degré de stress sont indénombrables. Cependant, ces gestes ne deviennent véritablement significatifs qu'en cas de récidive. Plus ils se répètent, plus ils traduisent l'apparition d'un trouble d'ordre psychologique.

Mais pourquoi tous ces gestes aussi gratuits qu'inutiles ? A priori, pour évacuer le stress qui nous submerge de toute part !

Une partie importante de ces gestes peuvent être des réponses nerveuses à des états d'excitation ou d'inhibition mentale. Mais il en reste beaucoup qui n'entrent pas dans cette catégorie particulière. Le corps est animé de mouvements aussi divers qu'inexplicables. Les jambes, les mains, le visage sont le siège d'une multitude d'attitudes mimiques, de postures réactionnelles, de gestes ou de grimaces qui ne trouvent aucune explication logique et demeurent intraduisibles mais dont la fréquence répétitive est remarquable. Le même geste revient à intervalles irréguliers. Il est alors essentiel d'écouter ce qui est dit ou d'observer les rapports de force existants entre les parties en présence pour découvrir que ces gestes auraient peut-être bien une raison d'être. Voilà pourquoi il existe, sans doute, une signification au ballet exécuté à notre insu par notre propre corps quand un geste se répète un peu trop souvent. Nier cette évidence revient à refuser toute signification à une langue étrangère parce que les sons n'auraient aucun sens à nos oreilles. D'où l'utilité de cultiver certains gestes de détente.

Les gestes anti-stress sont des attitudes naturelles qui ont pour objet de détendre le corps à l'insu du climat mental. C'est dire que le corps tente de compenser comme il peut les dommages causés par les conduites de l'individu stressé. Mais il arrive qu'il faille aider le corps en prenant conscience de certaines attitudes figées qui s'expriment instinctivement. Ainsi, apprenez à surveiller votre jeu de jambes en position assise. Nous avons trop tendance à croiser les jambes ou les chevilles. Ces attitudes réactionnelles révèlent un taux de stress effectif de l'attitude mentale. Les pieds doivent impérativement retrouver le plancher des vaches. Ou encore, ne croisez jamais les doigts, en un geste de supplication, quand vous tentez de convaincre un interlocuteur. Cette posture générique trahit un handicap. Posez simplement votre main gauche sur le dos de votre main droite, coudes en appui ou, vice versa, si vous êtes gaucher(ère). C'est une expression infra-verbale de la maîtrise de soi. Assis(e) dans un fauteuil, ne croisez pas les doigts sur l'un de vos genoux, histoire de vous rassurer. Ce geste est typique de celui qui s'assoit dans une voiture à côté du chauffeur. Il s'accroche à son genou à défaut d'un volant. Enfoncez-vous profondément dans le fauteuil et posez sagement vos bras sur les accoudoirs sans, toutefois, vous y agripper. Ces trois exemples spécifiques vous montrent à quel point votre carapace musculaire souffre en silence du stress qui agite votre climat mental. En apprenant à discipliner vos attitudes corporelles, vous gagnerez des points au profit de votre sérénité.

Cependant, s'il existe des centaines de gestes révélant le degré de stress d'un individu, nous avons isolé quelques postures « zen » qui permettent à n'importe qui de se « déstresser » en permanence. Le conditionnement des gestes anti-stress produit un effet durable sur les conduites d'un individu, à l'instar de n'importe quelle discipline sportive, intellectuelle ou autre. Le corps peut aussi combattre les effets nocifs du stress sur le climat mental submergé par ses pensées parasites.

QUELQUES GESTES POUR COMBATTRE LE STRESS
- Coudes en appui, la main gauche enveloppe la main droite.
- Les mains doigts écartés servent de pétales au visage. C'est la position du lotus.
- Les jambes en angle droit, les pieds au sol par comparaison aux jambes étendues ou en retrait sous la chaise.
- La joue gauche est appuyée sur la main droite, elle même retenue par la gauche. C'est la posture du coussin.
- Les mains en tenaille, droite sur gauche ou l'inverse. Il s'agit d'un réflexe gestuel alternatif qui est de loin préférable à tout croisement de doigts.
- Le simple fait de glisser ses mains dans ses poches, debout, lors d'une situation d'examen ou d'exception,

Il/elle mordille son stylo en permanence.

appartient à la nomenclature des gestes qui détressent instantanément.

Stylo. Objet incorporé. Voir aussi *Crayon.*
- *Il/Elle lève son stylo pour remettre son interlocuteur à sa place.*
- Le stylo préfigure, ici, le fouet destiné à flageller l'impudent. Il/Elle cache sa susceptibilité sous un vernis de fausse bonne humeur.
- *Il serre son stylo en travers de sa paume, le bloquant inévitablement avec son pouce.*
- Celui qui a besoin de conserver un stylo dans la main pour donner du poids à son discours révèle ainsi son petit côté phallique.
- *Il/Elle se gratte le crâne avec son stylo.*
- Signe de perplexité.
- *Il/Elle mordille son stylo en permanence.*
- Signe d'anxiété.

Succès (Gestes qui induisent le). Action motrice. Ainsi donc, les gestes conditionneraient les chances de succès. Est-ce tellement invraisemblable ?

Certains individus parviennent au faîte d'une carrière politique alors qu'ils sont issus d'un milieu défavorisé. Peut-on raisonnablement expliquer leur réussite en se fondant sur leur intelligence, leur ambition, leur sens politique inné ou toutes les autres qualités qui viendraient à l'esprit ?

Mais ouvrez donc les yeux ! Observez ces hommes et ces femmes sans préjugés et sans idées préconçues ! Ils possèdent un *plus* qui leur a permis d'accéder aux plus hautes responsabilités. Et ce *plus* pourrait parfaitement se situer au niveau de leur personnalité gestuelle ou encore dans la richesse innée de leur ordinateur social, dont les gestes sont les principaux ambassadeurs.

Pourquoi Gérard Depardieu et non x ou y ? Pourquoi Coluche et non l'un de ses potes de la zone ? Le talent ? Bien sûr, il est essentiel. Mais étaient-ils les seuls à en avoir ? La chance ? Elle a bon dos quand il s'agit des autres. Le travail ? Insuffisant ! Qu'avaient-ils de plus que vous à l'époque de leur 20 ans ? Rien sinon de l'ambition, des rêves, des espoirs comme nous tous. Il

est trop facile de faire porter le chapeau au destin ou à la roue de
la Fortune. Chacun croit en ce qu'il veut ou en ce qui l'arrange.
À l'instar de la richesse ou de la pauvreté du discours, le langage gestuel d'un individu suit le mouvement, c'est-à-dire qu'il
est toujours fonction de son niveau de culture, son rang social ou
sa position professionnelle. Nous avons très vite constaté que les
hommes de pouvoir puisaient dans un registre gestuel nettement
plus qualitatif que la majorité. La qualité des gestes ou des attitudes nous semble être aussi fonction du quotient intellectuel
ou du niveau de responsabilité des sujets observés. Par contre,
la portée balistique, pour ainsi dire, des attitudes ou des gestes
ne dépend pas forcément des deux derniers critères évoqués. Ce
que je nomme « portée balistique d'un geste » indique le degré
de charisme qu'il véhicule. Ce type de communication est le
propre des individus destinés à séduire la masse : politiciens,
chanteurs, acteurs ou comédiens.

En clair, plus la réussite socio-professionnelle d'un individu
dépend de son image sociale, plus son langage gestuel s'affine,
s'enrichit d'attitudes corporelles significatives de l'évolution de
sa carrière ou de son statut. L'homme ou la femme publics représentent le sommet de cette progression constante du langage
gestuel. On constate également une diminution sensible du taux
de gesticulations chez ces derniers. À première vue, on pourrait
en déduire que plus l'esprit est nourri de connaissances, plus les
attitudes corporelles deviennent significatives. En réalité, le
bagage intellectuel n'entre pas en ligne de compte mais ce sont
l'intelligence innée et le sens du pouvoir qui sont les facteurs
favorisants de cette métamorphose de la grenouille en prince.

Sucer. Action motrice. Tous les enfants sucent leurs doigts, soit
pour s'endormir, soit comme moyen de défense naturel contre
le stress qu'il leur arrive de subir dans le contexte familial. Ce
réflexe anxiolytique se perpétuera bien plus tard dans la substi-
tution que représente l'acte du fumeur ou par une série d'attitudes pseudo-machinales entre la bouche et les doigts, attitudes
auxquelles nul ne prête attention. Encore moins une signification ! Sucer ou mordiller ses doigts n'est pas un geste innocent,
pas plus que n'importe quelle autre attitude corporelle. Le

réflexe de succion des doigts débute dans la vie intra-utérine et se poursuit jusqu'à la mort. L'enfant qui suce son pouce grandira et continuera à taquiner ses dents du bout de ce même pouce nostalgique. La jeune femme qui mordille souvent son majeur gauche de manière coquine ne se souvient plus de la petite fille qui suçait ce même doigt jusqu'à le rendre exsangue. L'auriculaire droit que votre voisin de table mordille quand le doute encourage ses incertitudes chroniques est le même doigt dont il se délectait déjà comme d'une friandise lorsqu'il était enfant. En bref, le fait de sucer un doigt en réaction à une évocation indique clairement un accès d'angoisse associé au sujet évoqué dans le cadre d'un entretien.

Lorsqu'un enfant est effrayé, il plonge automatiquement deux ou trois doigts dans sa bouche avant d'éclater en sanglots. Comme nous l'avons déjà évoqué à propos de la pipe ou de la cigarette, le comportement de succion est un signal de réassurance ; le choix des doigts de la main gauche indique un sujet identifié à l'image maternelle, tandis que celui des doigts de la main droite trahit un sujet identifié à l'image paternelle.

T comme...

Tabou (Geste). Thème gestuel. Pouvez-vous imaginer que certaines de vos postures sont des micro-messages de type sexuel ? Non pas ces gestes très conventionnels et parfois très vulgaires mais des séquences gestuelles subtiles dont la sensualité est ignorée du grand public dont on retrouve des traces dans les danses sacrées hindoues. Des gestes qui servent à séduire discrètement un inconnu dans un endroit public ou que vous reproduisez sans vous en apercevoir face à une personne qui vous plaît. Nous sommes tous des séducteurs/trices sans le savoir dès que la présence d'un(e) inconnu(e) nous bouleverse sans avertissement. Dès lors le corps réagit à l'insu de la conscience, les pupilles se dilatent, les jambes s'orientent différemment, la poitrine se soulève imperceptiblement. Mille et uns signes subtils se manifestent pour signaler à l'inconscient de l'inconnu(e) que le contact a été établi mais que la conscience n'est pas encore au courant.

Taille. Site anatomique. « La taille de la femme est l'intersection du sablier par où s'écoule le temps qui passe. » Quant à la taille des hommes, elle ne se remarque plus quand l'embonpoint vient en gommer le souvenir. Homme ou femme, la taille demeure un lieu érogène par excellence dans la mesure où elle est l'antichambre des fesses.

Talon. Site anatomique. Les talons sont les sièges de nos réussites ou de nos échecs les plus cuisants. Une douleur à l'un d'entre eux est révélatrice d'une situation d'échec annoncée. Il faut y être attentif.

Tambouriner (des doigts). Action motrice. Manie révélatrice d'un ennui, d'une frustration ou d'un mouvement d'impatience.

Téléphone. Objet incorporé. Voir aussi *Portable*. À l'instar de tous les objets qui nous sont familiers ou indispensables, le téléphone est un accessoire révélateur du tempérament de celui qui en use régulièrement. La relation gestuelle entre l'individu et le combiné n'a jamais été observée, alors qu'elle permet de déceler facilement quelques caractéristiques intéressantes de sa personnalité. Chaque outil dont nous nous emparons pour un usage quelconque devient notre possession, et de ce fait, il s'intègre automatiquement à nos refrains gestuels, comme s'il faisait partie de notre corps de manière temporaire. Plus la relation avec cet outil est répétitive, plus le rapport que nous entretenons avec lui devient intime. Les gestes s'automatisent, innocents de la trahison dont ils se rendent coupables à notre insu.

- *Il/Elle se saisit de l'écouteur de la main gauche et le porte à l'oreille droite alors que le poste se situe à sa gauche.*
- Il/Elle est aussi tordu(e) sur le plan gestuel que sur le plan mental sans compter qu'il s'agit d'un individu totalement dépourvu de sens pratique.
- *Il/Elle prend l'écouteur de la main droite et le porte à l'oreille gauche alors que le poste se situe à sa droite.*
- Même combat que précédemment !
- *Il/Elle prend l'écouteur de la main droite à l'oreille droite alors que le poste se situe à sa gauche.*
- C'est le genre d'individu qui refusera toujours de faire confiance à ses intuitions.
- *Il/Elle prend l'écouteur de la main gauche à l'oreille gauche alors que le poste se situe à sa droite.*
- À l'inverse du précédent, il ne faudra jamais lui demander d'être logique.
- *Il/Elle tient le combiné entre la pince pouce en opposition avec trois doigts, mais avec l'auriculaire en accroche-cœur.*
- Signe de superficialité.
- *Il/Elle tient le micro du combiné éloigné de ses lèvres.*
- La personne n'entretient pas une relation amicale avec celle qu'elle a au bout du fil.
- *Il/Elle tient le combiné à dix centimètres de son oreille.*
- Une tentative de se débarrasser de son correspondant.
- *Il/Elle téléphone généralement debout.*
- Il/Elle entretient des contacts socio-affectifs sur le pouce mais ne s'y investit jamais.
- *Il/Elle s'assoit systématiquement pour répondre au téléphone.*
- Il s'investit automatiquement avec plaisir dans tous ses contacts à distance.

- *Il/Elle tient le combiné des deux mains, gauche pour le saisir et droite pour protéger le micro ou le contraire.*
- L'aspect cachottier du personnage ne devrait pas vous échapper. Il aime l'occulte, la fausse discrétion, les conciliabules et les bruits de couloir.
- *Il/Elle coince souvent le combiné entre sa tête et son épaule.*
- Comme tous les alcooliques du boulot, il/elle est incapable de faire une seule chose à la fois.
- *Ses lèvres embrassent le micro du combiné.*
- Il/Elle déguste les mots qui sortent de sa bouche.
- *Il/Elle tient l'écouteur contre son oreille mais écarte le micro dans un angle de 45° de sa bouche.*
- Un homme pressé d'en finir, il n'aime manifestement pas négocier au téléphone.
- *Il/Elle se renverse en arrière dans son siège.*
- La conversation téléphonique exige du doigté de sa part.
- *Dès qu'il téléphone en position assise, il plonge sa main libre dans sa poche.*
- Son correspondant le met dans ses petits souliers.
- *Il/Elle téléphone en se tournant systématiquement vers la fenêtre.*
- Besoin de fuir l'entretien téléphonique.
- *Il/Elle téléphone en posant son bras libre en travers de son crâne.*
- C'est un petit garçon qu'on a trop souvent puni et qui craint que le ciel lui tombe sur la tête.
- *Il téléphone souvent avec les pieds croisés sur un coin de son bureau.*
- Il se sent supérieur à son correspondant et l'affirme en posant ses pieds sur le sanctuaire de son savoir-faire.
- *Il/Elle téléphone en griffonnant des dessins sur un papier.*
- Situation de contrainte.
- *Il/Elle se promène dans son bureau avec son combiné vissé à l'oreille.*
- Il/Elle n'aime pas spécialement perdre son temps au téléphone.
- *Il/Elle branche le haut-parleur.*
- Exhibitionniste patenté et individu indiscret.

- *Il/Elle pivote sur son siège pour s'entretenir au téléphone, tournant le dos à son bureau ou à un visiteur, assis en face de lui/d'elle.*
- Encore un(e) adepte du secret défense et des bruits de couloir.
- *Il/Elle s'écarte systématiquement de sa table de travail pour répondre au téléphone*
- Il/Elle perçoit l'interruption téléphonique comme une récréation.
- *Il/Elle décroche en se saisissant du fil du téléphone.*
- Un personnage farfelu dont on ne peut attendre que des surprises tout aussi farfelues.

Pour les autres attitudes, voir *Portable*.

Tempe. Site anatomique. Les tempes seraient le siège symbolique de notre intuition, n'en déplaise au troisième œil. Cette affirmation est fondée sur de nombreuses observations effectuées dans le cadre de groupes de développement personnel que nous avons animés.

- *Il/Elle appuie son index sur la tempe correspondante, doigts repliés sur eux-mêmes, coude en appui.*
- Les tempes étant les sièges de l'intuition et par extension, de la sensibilité humaine, cela signifie que vous n'êtes pas

Il/Elle appuie son index sur la tempe correspondante, doigts repliés sur eux-mêmes, coude en appui.

Il/Elle se masse les tempes aussi régulièrement qu'ostensiblement.

aussi fou que pourrait vous laisser croire le geste de votre interlocuteur/trice.

- *Coude en appui, il/elle pose son index sur sa tempe, son pouce soutient son menton.*

Variante du geste précédent, le recours à la tempe révèle toujours un tempérament intuitif et un flair en parfait état de marche. Il/Elle vous demande, par geste interposé, un délai pour « ressentir » votre projet.

- *Il/Elle se masse les tempes aussi régulièrement qu'ostensiblement.*

Vous avez affaire à un individu victime d'une double contrainte. Il s'agit d'une sorte d'enfermement psychologique entre deux choix dont aucun n'apporte une solution libératoire mais dont les deux aboutissent à une situation de conflit insoluble.

Territoire corporel. Thème gestuel. Le territoire ou bulle d'un individu commence au bout de ses doigts, bras tendus. Ce qui signifie en clair que plus on se rapproche de l'autre, plus on viole son territoire. La distance intime, ou dernier carré avant la reddition, se situe à la valeur d'une main de distance. En revanche, on considère que la bonne distance pour négocier se situe entre 1,20 et 1,80 m.

Paradoxe de cette fin de siècle, plus nous sommes physiquement proches les uns des autres, plus nous nous éloignons mentalement de nos voisins. Les progrès technologiques dans le domaine de la communication nous poursuivent de leurs assiduités et violent le peu d'espace de liberté qui nous reste. Mais, curieusement, nous appelons ce viol de nos vœux en plébiscitant le web, le portable, la télévision et tous les moyens généralement quelconques qui nous évite l'isolement social au sein de la foule. Une autre partie de la sémiotique étudie la manière dont nous utilisons l'espace, il s'agit de la proxémique.

Au territoire sédentaire s'oppose un territoire mobile, celui du corps en mouvement et de ses distances de fuite. Desmond Morris explique : « Il est assez facile de tester votre propre réaction à l'espace, quand vous parlez à quelqu'un dans la rue : étendez votre bras et mesurez la distance. Si vous vous réclamez de l'Europe occidentale, vous vous trouverez grosso modo au « bout des doigts ». En d'autres termes, quand vous étendez le bras, le bout de vos doigts touchera à peine son épaule. Si vous venez de l'Europe de l'Est, vous vous trouverez à « distance du poignet ». Si vous venez de la région méditerranéenne, vous vous trouverez beaucoup plus proche de votre compagnon, à peine plus qu'à « distance de coude. »

La bulle qui vous protège est, à l'origine, une reproduction symbolique du ventre maternel. Logique ! Le transfiguration du placenta dans la vie adulte s'intériorise sur le plan mental et crée un territoire invisible qui conditionne le besoin d'espace vital de chacun. Territoire fragilisé chez les SDF et les exclus, territoire monstrueux chez les stars ! Vous vous situez quelque part entre ces deux extrêmes.

A priori, le volume de votre territoire est fonction de vos moyens financiers, a posteriori, il se mesure à l'aune de votre capacité d'exister à vos propres yeux et non de vous laisser vivre tout simplement. L'espace et le volume que l'on s'accorde trouvent leur source dans l'image sociale ou publique que l'on cultive. Une mauvaise image entraîne un territoire exigu ou un espace mal géré. La culture d'une bonne image générera le désir d'un espace nécessaire et suffisant pour que vos potentiels intellectuels, affectifs, sexuels, etc. puissent s'exprimer sans entrave.

Marcher dans la rue

Nous sommes tous pourvus d'une sorte de radar instinctif qui nous évite bien des collisions avec les personnes que nous croisons dans la rue. Les effacement de l'épaule succèdent aux écarts subtils qui nous ouvrent le passage sans se toucher. La vigilance est de rigueur car une agressivité latente peut toujours s'exprimer à la faveur d'une distraction. « Excusez-moi ! » dites-vous précipitamment à cet inconnu qui vient de vous heurter avec un sourire prédateur. Il l'a fait exprès pour tester votre réaction. Vous poursuivez votre chemin en vous injuriant mentalement d'avoir lâché cette excuse inappropriée.

Les terrasses de bistrot

Il y a dix tables en terrasse. Toutes prises d'assaut ! Il fait chaud et vous aimeriez vous asseoir pour profiter d'un moment de détente. Impossible de partager une table avec un autre consommateur, le territoire est occupé et une initiative audacieuse de votre part serait perçue comme une intrusion, voire une vulgaire conduite de séduction, s'il s'agit d'une personne du sexe opposé. La table de bistrot est un territoire privé et non un lieu public. Le consommateur paie, autant pour s'isoler dans ses pensées que pour déguster son petit café. S'il vous invitait spontanément à prendre place à sa table, comment réagiriez-vous ? « Non, merci ! » L'intrusion peut être perçue dans les deux sens.

Le métro
Il n'y a que deux personnes assises dans le wagon. Un individu un peu bizarre entre dans la rame. Il s'installe d'autorité sur votre banquette et déplie son journal. Si vous changez de place, il vous regardera de travers. La banquette d'un transport public n'est pas une table de bistrot. Elle appartient à tout le monde et à personne. Les fesses ne font que passer, les banquettes demeurent.

L'espace et le luxe
Ils sont indissociables. Plus on est riche, plus on meuble son temps avec pour seul but l'acquisition du luxe, et plus on a besoin d'espace pour évoluer dans la vie. L'espace n'est pas un lieu de vie rempli de vide mais un lieu agencé à la mesure des moyens qu'on y investit. Un territoire qui évolue comme un décor de théâtre, au fil des actes qui jalonnent votre existence. Cette association entre l'espace et le luxe se constate dans tous les hôtels. Plus la chambre ou la suite sont chères, plus leur surface correspond aux besoins de ses occupants. De même en ce qui concerne les voitures dont le confort et le volume dépendent essentiellement du portefeuille du propriétaire. Et ainsi de suite !

Les vêtements
Protection du territoire corporel, les vêtements révèlent le degré d'espace vital d'un individu. L'amplitude des vêtements trahit a contrario un manque spatial. Des vêtements étriqués dévoilent une incapacité de se libérer d'un territoire étouffant.

Les distances de fuite : les gestes territoriaux

Les réflexes gestuels qui trahissent un excès de défense du territoire mental ou corporel sont légion. Les croisements ou gestes pare-chocs en font partie mais ils ne sont pas les seuls. Des doigts croisés en permanence aux bras croisés sur la poitrine en toutes occasions, des jambes croisées aux coudes en appui sur un support, une grande partie du langage gestuel est consacré à la protection de votre territoire vital. En clair, vous consacrez un pourcentage d'énergie bien plus important à la production de réflexes gestuels de défense qu'à ceux qui traduisent un besoin d'exploration ou d'action. Vous passez votre temps à fuir les multiples sollicitations de la vie moderne tout en espérant leur invasion dans le secret de votre cœur. Mais quand il s'agit d'agir, c'est une autre paire de manches. Notre société consumériste fabrique des psychotiques submergés par des signaux antagonistes « Je t'aime, moi non plus ! ». Les contraintes sociales, la bienséance, les règles et les tabous qui encombrent les échanges interindividuels réduisent les occasions de rencontres à portion congrue.

Les odeurs corporelles

Vous ne le saviez sans doute pas, mais vos odeurs corporelles varient en fonction de vos humeurs. Qu'il s'agisse de votre haleine, du pH de votre transpiration ou de la saveur de votre salive, tout dépend de la météo de vos sentiments. Les odeurs corporelles que vous produisez sont un moyen naturel de défense de votre territoire.

Le nid d'amour

Le territoire amoureux est tributaire du ressenti et non de la logique qui voudrait qu'un couple partage automatiquement le même territoire géographique. La notion d'invasion du territoire s'exprime d'autant plus dans ce cas de figure que votre compagnon qui vous adore se met à vous étouffer, dès qu'il s'installe dans ses charentaises et s'étale dans votre deux pièces. À peine quelques semaines plus tard, que vous reste-t-il de ce cocon que vous aviez aménagé avec amour ? Vous devez défendre votre espace à coups de bisous, de gueule ou de supplications pour ne pas vous transformer en papier peint. Combien de femmes

amoureuses finissent par douter de leurs sentiments sans s'imaginer que l'origine du conflit réside tout bêtement dans cette
invasion de leur territoire. Peut-on s'aimer d'amour sans partager cette unité territoriale ? Peut-on en arriver à une crise
majeure à cause d'un irrédentisme (une annexion) sentimental ?
Est-il possible de tracer des frontières entre les parties communes et les parties personnelles dans un appartement grand
comme un mouchoir de poche ? Comment maintenir les frontières qui vous protègent de l'invasion permanente à laquelle
vous soumet votre partenaire ? La réponse à cette question
essentielle est susceptible de sauver votre couple d'une crise
dont vous ignorez les origines et qui s'est installée insidieuse-
ment entre vous, sans que vous n'en preniez conscience, ni l'un,
ni l'autre. Or, le partage intelligent d'un territoire est à la portée
de tous les couples qui aspirent à vivre en tandem sans se bouffer
le nez pour un cheveu qui dépasse. On peut aussi s'aimer sans se
squatter mutuellement. Le territoire individuel de chacun est
élastique et fluctuant. Par exemple, après une séparation dou-
loureuse, vous aurez besoin d'un petit espace de solitude pour
panser vos blessures. En revanche, quand le deuil affectif sera
terminé, vous étoufferez dans ce lieu qui vous a servi, somme
toute, de sanatorium. C'est la raison pour laquelle il vaut mieux
se louer un studio au mois, après rupture, que de s'encombrer
d'un pavillon ou d'un trois pièces avec bail au long court.

Tête. Site anatomique. La tête n'est pas le visage, elle correspond à l'ensemble front-cheveux-occiput. Les mouvements de
tête d'un individu sont hautement révélateurs dans la mesure où
il se répètent de la même manière d'un bout à l'autre de la vie.
Ils font partie de la personnalité gestuelle indélébile.

- *Coude en appui, il/elle soutient sa tête des phalanges de sa main
  à moitié refermée.*
- La posture est relativement inconfortable. Elle trahit un
  climat mental sous tension. Ce type de code gestuel
  appartient en général à des individus vindicatifs.

- *Coude en appui, il/elle soutient sa tête par la pince pouce-index largement ouverte.*
- La posture exige un sens de l'équilibre digital et un mental relativement vide. Posture affectée d'un interlocuteur qui vous entend sans vous écouter.
- *En position assise, il/elle pose bizarrement son bras (gauche ou droit) en équilibre en travers de son crâne.*
- Cette curieuse attitude est une résurgence du geste de protection de l'enfant battu.

En position assise, il/elle pose bizarrement son bras (gauche ou droit) en équilibre en travers de son crâne.

- *Il/Elle se gratte continuellement la tête de la main droite ou gauche.*
- Il ne parvient pas à prendre une décision. Relâchez la longe !
- *Il/Elle opine du chef, comme pour approuver vos propos.*
- L'individu qui opine mécaniquement n'écoute jamais ce qu'on lui dit. La tête fait mine d'écouter, les oreilles sont absentes et l'esprit est ailleurs.
- *Coude en appui, il/elle pose la partie droite de sa tête (pariétal) dans la main correspondante.*
- Son cerveau droit s'alourdit. Son imagination est branchée.

Coude en appui, il/elle pose la partie droite de sa tête (pariétal) dans la main correspondante.

- *Coude en appui, il/elle pose la partie gauche de sa tête (pariétal) dans la main correspondante.*
- Il/Elle est en train d'analyser votre démarche.

- *Il/Elle secoue la tête lentement de gauche à droite en signe de dénégation, sans pour autant s'opposer verbalement à vos arguments.*
- Le fonctionnement par déni n'est pas verbalisé, mais devrait s'accompagner d'une grimace discrète des lèvres.
- *Il/Elle détourne la tête.*
- A priori, on détourne toujours la tête pour balancer une vérité frelatée ou quand on n'est pas sûr de soi. Le décalage entre le dérapage du regard et l'angle de rotation du chef est un signe évident de double contrainte !
- *Il/Elle penche la tête à droite.*
- Si vous faites l'essai de pencher la tête à droite après avoir testé l'effet inverse, vous constaterez que le ressenti est tout différent de l'inclinaison à gauche. Il est admis, selon les sémioticiens gestuels, que la tête qui penche habituellement à droite est la marque d'un individu psychoflexible, à l'imaginaire parfois débridé.
- *Il/Elle incline la tête à gauche.*
- Il est admis aussi que la tête qui penche habituellement à gauche est la marque d'un individu psychorigide. L'inclinaison de la tête vers la gauche est commandée par l'aire cérébrale opposée, celle qui gère l'imaginaire ou la sensibilité. Ce geste s'accompagne souvent d'une détente du visage, voire d'un sourire discret. On peut le considérer comme un code gestuel de séduction.
- *Il/Elle tourne la tête vers la gauche, regard dans l'axe.*
- Ce type de mouvement appartient totalement à la personnalité gestuelle de l'individu. Les muscles peauciers de sa nuque sont habitués à ce type de rotation vers la gauche, ce qui trahit un individu plus versatile et fugueur qui refusera d'engager le combat s'il peut se défiler en cas de conflit. Il sera aussi plus convivial et plus flexible que celui qui tourne la tête vers la droite.
- *Il/Elle tourne la tête vers la droite, regard dans l'axe.*
- Individu plus combatif par définition, la rotation de la tête vers la droite trahit le sujet réactif, prêt à sortir ses griffes pour défendre son point de vue.

- *Elle lève la tête vers celui qui l'interroge pour aller symbolique-ment à la rencontre de ce dernier.*
- Un mode subtil de séduction fréquent chez les femmes.
- *Il/Elle dodeline du chef de droite à gauche à plusieurs reprises en exprimant sa désapprobation par une grimace particulière des lèvres.*
- Cette attitude est courante quand elle s'adresse à un gar-nement de la part d'un adulte réprobateur. Son utilisation entre adultes qui se connaissent réinstalle la domination et la réprobation de celui qui reproduit le geste par rap-port à celui auquel il s'adresse.
- *Sa tête est en mouvement constant quand il/elle parle, comme agitée de tics non grimaçants et relativement discrets dans toutes les directions.*
- Cette rotation constante de la tête est probablement liée à un surmenage ou à un taux de stress limite sur fond d'hos-tilité irrationnelle.
- *Il/Elle hoche la tête.*
- Façon de *saluer* un collègue significative d'un individu imbu de son pouvoir hiérarchique dans la société. Dans une autre approche, certains individus en font un véri-table refrain, voire un tic. Le hochement de tête est sou-vent souligné par des interjections ou des onomatopées aussi diverses que bizarres (écholalie ou répétition des fins de phrases). Ce besoin d'approuver ainsi son interlo-cuteur est un signe d'anxiété majeur et qui appartient au tableau clinique de la névrose d'angoisse.
- *Il/Elle tourne souvent la tête vers la droite avant de répondre à son interlocuteur.*
- Il/Elle refuse ou rejette les allégations ou les arguments de son interlocuteur. La rotation récurrente de la tête vers la droite est une réaction typique de combat. La tête opère toujours une rotation légère avant d'asséner un coup de poing à l'adversaire.
- *Il/Elle tourne souvent la tête vers la gauche.*
- Il/Elle fuit la confrontation. On fait toujours demi-tour par la gauche, le corps du droitier prenant naturellement cette direction pour échapper au danger.

■ *Il/Elle rentre la tête dans les épaules.*
◦ Attitude typique de la peur des coups.

Tordre. Action motrice. Un moyen symbolique de se sanctionner.

Torse. Site anatomique. Si vous constatez qu'il redresse son torse un peu trop souvent, c'est que le boulier compteur qui lui sert de cerveau calcule, ajoute, retranche, multiplie les avantages qu'il retirera de l'imbécile qui s'évertue à le convaincre. Devinez qui est l'imbécile.

Toussoter. Action motrice. Voir aussi *Éclaircir (s').* Trahit une gêne ou un malaise passager.

Transpiration. Action motrice. Tout le monde ne transpire pas des paumes mais ce phénomène est très courant. Les mains moites sont aussi désagréables pour ceux qui en souffrent que pour leurs interlocuteurs. L'excès de transpiration des mains est d'origine psychogène. Il révèle un tempérament fondé sur une organisation mentale dans laquelle les manies et autres automatismes mentaux du style pensées obsessionnelles priment sur la liberté de pensée. Le problème se situe au niveau des autorisations que le Moi souhaite s'accorder et que le Surmoi lui interdit.

Trombone. Objet incorporé. Triturer un objet entre ses doigts trahit un mental torturé comme le trombone.

V comme...

Vautrer (Se). Action motrice. Besoin typique de conquérir un territoire chez l'adolescent. Comme s'il se sentait faussement à l'aise n'importe où !

Ventre. Site anatomique. Le ventre est le siège de la motivation et du plexus abdominal, situé légèrement au-dessous du nombril. Les mains que l'on croise sur le ventre ne sont pas toujours destinées à conforter une motivation déficiente comme vous le constaterez à travers les gestes qui sollicitent cette partie du corps.

- *En position assise, il/elle a les jambes tendues en parallèle, ses pieds reposent sur les talons, ses doigts sont croisés sur le ventre.*
- Fausse attitude de désinvolture marquant plus un état de fatigue intellectuelle ou un besoin de décrocher…
- *Il/Elle se gratte le ventre.*
- Symboliquement, un sujet se gratte le ventre quand il ressent l'aiguillon de la faim.
- *Sa main gauche ou droite repose sur son ventre, en position assise.*
- Cette attitude peut être due à une douleur abdominale récurrente mais, si ce n'est pas le cas, la main qui couvre le ventre protège le siège corporel de la motivation de tout enthousiasme inutile.
- *Il/Elle croise ses doigts sur son ventre, en position assise classique.*
- Nous avons tendance à croire que seul les messieurs enrobés aiment à croiser leurs mains sur leur ventre. Ce qui est parfaitement inexact. Cette séquence courante signale simplement que cet individu ne comprend plus les propos de son interlocuteur (ou les siens) dans la mesure où il a décroché au moment même où ses doigts se sont croisés sur son ventre.
- *Il/Elle se masse le ventre distraitement et surtout fréquemment.*
- Envieux et avide, la concupiscence est son moteur, la cupidité son véhicule.

Vertex. Site anatomique. Sommet du crâne surtout utilisé pour y poser ses doigts croisés comme un enfant puni ou un interlocuteur qui se punit lui-même d'une initiative inutile ou malheureuse.

Violence (Gestes qui désamorcent la). Thème gestuel. Cités de banlieues, zones de non-droit, agressions dans les transports en commun, dépravations, insécurité urbaine permanente et violences en tous genres. La multiplication de ces incidents annonce un XXIᵉ siècle de tous les dangers. Simple citoyen, vous n'êtes pas armés contre ces explosions d'agressivité. Vous êtes cerné, impuissant, incapable de réagir. C'est à la fois vrai et faux. Car la mobilité gestuelle de votre corps peut vous protéger dans bien des circonstances difficiles et désamorcer une situation critique. Une mobilité qui n'a rien à voir avec les réflexes enseignés dans les cours d'arts martiaux, d'ailleurs.

Des gestes et des attitudes corporelles qui désamorcent la violence urbaine ! Serait-ce possible ? Il existe pourtant de nombreux gestes et/ou attitudes corporelles, voire des mimiques du visage qu'il est aisé d'apprendre à contrôler et qui sont en mesure de neutraliser l'agressivité d'un interlocuteur en colère ou d'un inconnu menaçant. Les messages d'attaque ou de fuite délivrés par le corps en mouvement sont innombrables. En connaître la signification est le moyen idéal de se protéger contre la violence urbaine ou d'apprendre à négocier, en quelque sorte par gestes interposés, l'abaissement du taux d'agressivité d'un agresseur que nos attitudes corporelles archaïques suscitent à l'insu de notre conscience. « Comme d'autres animaux, l'homme use plus souvent de menace ou de bluff que de violence réelle. Les livres d'Histoire et les médias ont tendance à déformer le tableau, insistant sur les exceptions tragiques au détriment de la règle générale. Malgré l'impression dominante aujourd'hui, nous sommes une espèce remarquablement pacifique, si nous la considérons d'un point de vue universel et quotidien », écrit D. Morris dans *La Clé des gestes*.

L'observation des comportements animaux est une source extraordinaire d'informations sur les moyens mis à la disposition des humains pour éviter les conflits ou les dérapages de la violence, poursuit-il. Mais il faut dire que la capacité humaine de verbaliser ses émotions sert aussi de soupape de sécurité à l'explosion de colère qui bouillonne. Ce qui est moins connu, en revanche, c'est le rôle que jouent les codes gestuels dans le contexte d'une situation de violence ou d'agression potentielle.

Le corps se prépare à défendre son territoire à l'insu de la conscience et bien avant que cette dernière n'ait réalisé qu'elle faisait l'objet d'une menace. De la même manière, les attitudes de défense du territoire corporel de sa future victime sont immédiatement décodées par l'inconscient de l'agresseur. La victime rentre le tête dans les épaules avant même que l'agression ne se produise. L'agresseur enregistre ce mouvement imperceptible qui agit comme une invitation à poursuivre l'agression et non à la détourner. Cette réaction universelle est une réponse décalée qui entraîne automatiquement un passage à l'acte de la part de l'agresseur. Pourquoi ? Parce que la victime se met en position de réception du coup qu'elle tente d'éviter. Ce geste particulier ramène à une autre attitude de défense infantile : celle du bras levé protégeant le visage de l'enfant face à l'adulte en colère. Invitation à une pluie de coups !

Sans tomber dans la méfiance paranoïaque, il est essentiel d'apprendre à observer discrètement son entourage social dans la rue ou dans les différents endroits publics où vous êtes amenés à croiser des inconnus.

Marchant sur un trottoir trop étroit pour laisser le passage à deux personnes de front, avez-vous déjà comptabilisé le nombre de fois où on vous a cédé le passage en comparaison du nombre de fois où vous avez dû vous effacer, et ce quelle que soit la dimension de votre carrure ? La balance pèse toujours plus lourd du côté de l'effacement que de la convivialité des passants qui vous offrent le passage. En prenant le café au comptoir d'un bistrot à l'heure de pointe, vous devrez vous imposer avec force excuses pour qu'on vous cède de mauvaise grâce quelques centimètres carrés d'espace pour avaler votre café. Dans un train de banlieue bondé, il est rarissime qu'on vous cède une place, que vous soyez un(e) senior ou une future maman enceinte. Il faut vous manifester avec un soupçon d'agressivité dans la voix pour obtenir gain de cause.

Observer le comportement des inconnus dans les endroits publics est une habitude passionnante et pleine d'enseignement. D'autant plus que cette marotte à temps perdu vous évitera bien des mauvaises rencontres. Vous serez attentif aux individus vautrés sur la banquette du métro, à ceux qui vous dévisagent sans aménité et dont vous vous débarrasserez d'autant plus facilement que vous ne détournerez pas le regard mais vous fixerez la bouche ou le menton de l'individu en noyant votre regard dans le vague. Éviter les affrontements inutiles est aussi et souvent une question de camouflage social en usant d'attitudes qui ont fait leurs preuves dans ce contexte particulier. Les policiers en civil qui filent des suspects sont passés maîtres dans l'art d'esquiver le regard de leur cible. On les remarque à peine. Ils paraissent tellement insignifiants. Cette capacité d'insignifiance est la première qualité de celui qui arrive à passer entre les gouttes là où d'autres se font agresser. Il est facile de jouer les héros quand on fait partie du nombre, mais quand on est seul face à la violence il vaut toujours mieux faire l'éloge de la lâcheté sans fausse honte. Les fanfarons aboutissent généralement à l'hôpital. Les Rambo de banlieue finissent en prison ou à la morgue. Adopter une posture d'art martial face à un individu qui vous menace avec une barre en fer est du dernier chic grotesque, sauf dans les films de Charlie Chan. Les agressions physiques ne durent que quelques secondes et ceux qui les provoquent sont habitué à les gérer à leur profit. Tout est une question d'expérience que le commun des mortels ne possède pas. C'est la raison pour laquelle je préconise la prévention gestuelle. Courage ! Fuyez ! Mais apprenez à fuir intelligemment !

Ce ne sont pas tant des gestes que des mimiques ou des attitudes corporelles qui sont difficiles à saisir ou à expliquer en quelques mots. Ils appartiennent à la très grande famille des gestes de protection instinctive qui trouvent leur source dans l'évolution de l'humanité. L'homme a toujours privilégié l'esquive à l'affrontement. Il a donc dû intégrer une grande variété d'attitudes de fuite simulée et de pseudo-soumission pour échapper à ses prédateurs.

Il convient de noter la couleur du visage de celui qui agresse ou représente une menace. S'il est pâle, il est plus dangereux que s'il rougit. La pâleur du visage est une composante du système agressif signifiant qu'il est prêt à l'attaque. Si votre agresseur est pâle et qu'en même temps il s'approche de manière menaçante, c'est qu'il est vraiment prêt à passer à l'acte. En revanche, si son visage a pris une teinte colorée (vasodilatation), cela signifie qu'il a déjà subi le contrecoup du système nerveux parasympathique et qu'il n'est plus, dès lors, dans de bonnes dispositions pour passer à l'attaque. Un chien qui aboie ne mord pas, dit-on ! Le poil se dresse mais le corps de l'animal ne suit pas le mouvement. L'érection des poils n'est qu'une manifestation parasympathique de sa peur d'être agressé, au même titre que la rougeur du visage chez l'homme. Il existe des distances de fuite à conserver en toutes circonstances. Nous sommes tous protégés par une bulle territoriale dont la circonférence varie en fonction des cultures mais aussi des contextes. La distance sociale acceptée dans nos régions est égale ou supérieure à la distance du bras tendu. En cas d'attaque, il est indispensable de conserver cette distance au moins, face à votre agresseur. Les coups ne sont véritablement douloureux qu'en-deçà de la bulle qui nous protège. Au-delà, ils perdent de leur force d'impact.

Évitez de croiser les jambes en position assise, de croiser les doigts comme si vous étiez en train de supplier votre agresseur. Les jambes ne doivent pas être entravées car elles vous permettront de fuir, si une ouverture se présente. Les mains et les bras doivent toujours rester libres pour protéger votre visage ou pour réagir vers les points névralgiques cités plus haut. Ces attitudes d'enfermement deviennent de véritables handicaps en cas d'agression. De plus, ils sont enregistrés par l'inconscient de l'attaquant comme une invitation à la danse. Ne croisez pas non plus les bras, l'air bravache. Ce geste est directement interprété comme une provocation et vous n'auriez même pas le temps de les décroiser pour vous protéger le visage.

Sachez enfin que l'homme très hostile affichera vraisemblablement des lèvres serrées, une tête tendue en avant, les sourcils fortement froncés sur des yeux rétrécis et une pâleur du visage. Si, pour une raison ou une autre, il éprouve le moindre doute quant à votre capacité de réagir ou de vous défendre, la bouche va s'entrouvrir, découvrant les dents, le cou va rentrer légèrement dans les épaules, les yeux plissés vont s'ouvrir en grand angle et sa peau commencera à se colorer. Il passera imperceptiblement des signaux d'agression pure et dure à des signaux de menace verbale ou se détournera vers une autre victime moins imprévisible. On sait que la plupart des menaces ne sont pas suivies d'effet. Et le geste utilisé à bon escient demeure le meilleur moyen de désamorcer la violence potentielle, là où la parole ne fait souvent qu'envenimer les choses.

Évitez les cris qui éveillent l'hostilité de l'agresseur ! L'appel à l'aide provoquera l'effet contraire de la délivrance que vous en attendez. Il fera ce qu'il faut pour vous faire taire au lieu de fuir comme vous l'espériez. L'individu qui crie régresse au stade du nourrisson qui exprime sa peur des visages inconnus penchés sur son berceau. La seule réponse possible pour l'agresseur : bâillonner le cri ! De même en ce qui concerne les propos que vous pourriez tenir pour calmer le jeu, votre attaquant ne peut en percevoir le sens dans la mesure où son action préméditée obnubile sa pensée et le coupe de toute capacité de recul ou de réflexion. Laissez-le parler s'il exprime ses exigences et acceptez-les ou faites semblant de les accepter en espérant qu'une tierce personne s'interposera. Dans ce type de situation, le silence ou l'inertie restent les meilleures manières de vous protéger.

Visage (Mimiques du). Site anatomique. Star entre les stars, le visage est la carte de visite que l'on remarque en priorité chez un individu. Hélas, sa mimique n'est pas statique et les expressions qu'il offre ne l'avantagent pas toujours. Beau en photo, atroce in vivo et vice versa ! Le visage est le miroir du climat mental ou le témoin de nos bonheurs fugaces. Les pensées et les sentiments que nous éprouvons sculptent le masque social derrière lequel nous nous abritons. Il est difficile d'imaginer que le visage peut s'animer à l'insu de la conscience, qu'il peut grimacer sans que la volonté consciente ne puisse s'y opposer. Et pourtant ! Le visage est sans nul doute le seul lieu anatomique de votre corps qu'il est difficile de dissimuler à moins d'adopter le voile islamique. C'est aussi la partie la plus crispée. Chaque partie de ce visage est figée dans une série d'expressions mimiques pré-programmées, pour ainsi dire. Ces expressions sont polluantes pour l'aspect général de la face. Il n'existe, à ce jour, aucun moyen naturel ou artificiel de les transformer. Même la chirurgie plastique, tout en améliorant superficiellement la tonicité de la peau, le momifie encore plus dans sa programmation mimique. Le masque social est le site anatomique le plus expressif du corps humain du point de vue musculaire. Le manque d'expression du masque est, sans conteste, le critère le plus évident que l'on peut observer chez des individus en crise. Un état dépressif larvé, dont l'étude clinique nous apprend qu'il se manifeste plus souvent au niveau psychosomatique que comportemental, peut être déterminé par l'analyse du registre mimique de la face. À l'instar du corps sain, le visage devrait exprimer en toute liberté et de diverses manières les sentiments qui animent le psychisme individuel mais ne peut se le permettre, si l'individu ne prend pas conscience du masque de fer qui emprisonne, en permanence, l'expressivité de son visage. La face, ainsi incarcérée dans la peur de traduire ses sentiments, se fane, se ride et s'affaisse par manque d'exercices toniques naturels et le visage vieillit. Car les sentiments bons ou mauvais s'impriment sur le visage au fil du temps. Et pourtant, même si la plastique de ce visage se détériore, la richesse de ses mimiques peut encore occulter la beauté que le temps lui a volé.

Le visage est susceptible de manifester une variété infinie de sentiments. Il existe cependant certaines expressions faciales plus complexes à reproduire car elles procèdent de deux sentiments antagonistes ou complémentaires. Les muscles sollicités qui mettent en scène ces sentiments associés jouent un jeu subtil qu'il nous est difficile, sinon impossible de reproduire à volonté. C'est à ce niveau que l'on reconnaît les grands acteurs de cinéma, mais aussi les individus concernés par leur image publique

Les mimiques du visage dépendent étroitement de la qualité des pensées qui nous passent par la tête. À plus forte raison, un climat mental négatif entraînera toujours un appauvrissement de la richesse mimique de la face.

S'il vous arrive d'analyser l'ambiance qui règne dans votre propre attitude mentale, tout en prenant conscience des limites corporelles de votre visage, vous constaterez très vite que ses contours sont plus toniques ou, à l'inverse, plus figés en fonction de la qualité de cette ambiance mentale. Cette prise de conscience est la première règle de la maîtrise mimique du visage.

Coudes en appui, les deux mains de votre interlocuteur encadrent son visage.

- *Coudes en appui, les deux mains de votre interlocuteur/trice encadrent son visage.*
  - Geste sublime qui traduit le tempérament intuitif d'un visionnaire. Le proactif vit son existence en projection continuelle sur son avenir. Il agit pour ne pas devoir réagir quand il est déjà trop tard pour s'y mettre. Il est doté d'une imagination fertile et d'un sens aigu de l'anticipation. Disciple du vieil Aristote qui prétendait qu'il n'existe rien dans notre intelligence qui ne soit passé par nos sens, il vous sera d'un grand secours. Comme l'affirme un sage indien : « Si tout le corps est contenu dans l'esprit, le corps ne contient pas tout l'esprit. » Mais faut-il tenir l'esprit en laisse pour que la somme des gestes se soumette à l'intelligence de l'esprit ou faut-il d'abord savoir ce qu'est le geste juste ? « Le corps trouve naturellement le geste juste si l'esprit ne lui barre pas la route » disait Gallwey, un philosophe anglais contemporain.
- *Il/Elle est penché(e) en avant, coudes en appui sur ses cuisses, ses mains encadrent son visage.*
  - Le changement de décor (les cuisses comme support des coudes) transforme quelque peu le sens du geste en lui donnant une note plus intimiste. L'attitude est expansive et l'interlocuteur/trice qui l'adopte vous est acquis.

Visière (Poser sa main en). Action motrice. Synonyme gestuel de la honte ou de la dissimulation.

- *Il/Elle se sert d'un pouce en support du menton et de deux doigts tendus pour soutenir sa tête.*
  - « Vous avez vu mon visage ? » Il existe mille et une façons de le mettre en valeur et qui n'ont pas plus de signification que la mise en exergue de la beauté d'un visage.
- *Elle replie ses doigts sous le menton, son index tendu remonte la pommette d'un visage peu amène.*
  - Votre interlocutrice est contrariée mais elle conserve, malgré tout, une attitude qui met son visage en valeur. Le simple fait de garder les doigts repliés en arpège est un atout dans cette posture particulière. La plupart des gens replient les trois doigts en arpège, mais seuls les acteurs

Il/Elle cache son visage dans ses mains, coudes en appui sur un support.

les délient naturellement. Ce qui n'est pas une sinécure, faites-en l'expérience !

■ *Il dissimule une partie de son visage de la main faisant ressortir le côté sympathique du sourire de Gérard Jugnot.*

● Le visage trop rond doit être « cassé » pour séduire. Avis aux apprentis séducteurs qui ont le même type de physique que l'acteur. Cette posture renforce la bonhomie du personnage. C'est voulu, vous vous en doutiez !

■ *Il/Elle se sert de la pince pouce-index comme d'un socle pour son visage.*

● Geste typique du comédien (celui qui joue la comédie) et non de l'acteur. Il trahit un tempérament fugueur et, forcément, de comédien.

■ *Il/Elle fige ses zygomatiques dans une grimace d'exaspération qui se pratique en retroussant les commissures des lèvres.*

● La mimique exprime la dépossession chez un individu qui dissimule mal sa jalousie.

■ *Il/Elle cache son visage dans ses mains, coudes en appui sur un support.*

● Tout dépend évidemment du contexte : fatigue, désespoir, ras le bol, etc.

Voûte plantaire. Site anatomique. Voir aussi *Pied*. Aussi sensibles que les paumes sinon plus, les voûtes plantaires sont souvent sevrées du plancher des vaches à cause de notre manie de croiser les pieds, les chevilles ou les jambes. Or, ces voûtes sont le siège symbolique de la sérénité que tous recherchent par monts et par vaux et qu'ils foulent aux pieds sans le savoir. La terre est juste en-dessous. Et c'est cette terre qui assure l'équilibre du corps au sens le plus large.

Bibliographie

Deniau, Jean-François, *La Désirade*, Plon, 1992.

Fromm, Erich, *Le Cœur de l'homme*, Payot, 1991.

Messinger, Joseph, *Êtes-vous faits l'un pour l'autre*, First, 1999.

Messinger, Joseph, *L'Énergie positive*, First, 1993.

Messinger, Joseph, *Les Gestes de la séduction*, First, 1995.

Messinger, Joseph, *Les Gestes de la vie professionnelle*, First, 1997.

Messinger, Joseph, *Talents cachés*, First, 1997.

Morris, Desmond, *La Clé des gestes*, Grasset, 1978.

Morris, Desmond, *Le Singe nu*, Grasset, 1988.

Morris, Desmond, *Magie du corps*, Grasset, 1986.

Tomatis, Alfred, *Nous sommes tous nés polyglottes*, Fixot, 1991.

Achevé d'imprimer en octobre 2002
par Normandie Roto Impression s.a.s.
61250 Lonrai - N° d'imprimeur : 02-2384
Dépôt légal : octobre 2002

Imprimé en France